GW00391310

Franz Rackl

Fiume gegenüber von Croatien

Franz Rackl

Fiume gegenüber von Croatien

1. Auflage | ISBN: 978-3-75250-601-3

Erscheinungsort: Frankfurt am Main, Deutschland

Erscheinungsjahr: 2020

Salzwasser Verlag GmbH, Deutschland.

Nachdruck des Originals von 1869.

FIUME

gegenüber von

CROATIEN

von

Dr. **Franz Rački.**

Aus dem Kroatischen übersetzt von

X. Y.

Agram 1869.
Im Verlage der Fr. Suppan's Buchhandlung (Albrecht & Fiedler).

Den Fiumanern,

seinen kroatischen Mitbürgern, welche ihre Nation und ihre Heimat wahrhaft lieben.

widmet dieses Werkchen

der Verfaßer.

Nach dem Jahre 1860 wurde über das staatsrechtliche Verhältniss der Stadt Fiume zu Kroatien und zur ungarischen Krone viel gesprochen und geschrieben. Unser Landtag vom J. 1865/7 und seine Regnikolardeputation vertheidigten und die kroatische Nation vertheidiget noch den Standpunkt, dass Fiume ein Bestandtheil Kroatiens und dadurch auch des Dreieinen Königreiches sei und dass es nur durch dieses zur gemeinsamen ungarisch-kroatischen Krone gehöre. Dem entgegen behauptet der ungarische Landtag und seine Regnikolardeputation, dass Fiume ein Bestandtheil des Königreichs Ungarn sei; denn es wäre diesem von der Königin Maria Theresia mit dem Diplome vom 23. April 1779 einverleibt und dieser unmittelbaren Einverleibung durch den Art. 4 des ungarischen Landtages vom Jahre 1807 Gesetzeskraft gegeben worden. Auf diese Art wurde Fiume ein Hauptstreitpunkt in der noch nicht beglichenen staatsrechtlichen Differenz zwischen den beiden Königreichen. Dem kroatischen Publikum sind die Verhandlungen über Fiume sowohl aus den öffentlichen Blättern, als auch aus dem Berichte der Regnikolardeputation bekannt. Im letzteren wurde dieser Gegenstand am ausführlichsten behandelt.

Viele meiner Freunde wünschten, dass ich alles, was ich bisher über diese Frage geschrieben habe, zusammenfassen sollte. Ich würdigte diesen Wunsch und entsprach ihm. Und wiewohl ich weiss, dass eine wissenschaftliche Abhandlung uns Fiume nicht erhalten wird, wenn ihm ein anderes Schicksal bevorsteht, so glaube ich doch dass wir unserer Seits alles zu thun verpflichtet sind, was wir zur Vertheidigung unseres historischen und nationalen Rechtes thun können, und wenn aus keinem andern Grunde, als um zu zeigen auf welcher

Seite Recht und Wahrheit sind. Und dies will viel sagen nach unseren weisen Sprüchwörtern: Das Recht ist stärker als das Schwert; die Gerechtigkeit erhebt Nationen, die Ungerechtigkeit stürzt sie.

So viel über die Veranlassung zur Entstehung dieses Buches.

Als ich mich einmal entschlossen hatte, mit Unterbrechung meiner übrigen literarischen Arbeiten, dieses Werk über Fiume zu schreiben, dachte ich nicht mehr viel darüber nach: wie, nach welchem Plane, und mit welchen Mitteln ich dies auszuführen hätte. Es lag mir hauptsächlich daran, den Sinn und die Bedeutung jener zweier Urkunden, auf welche sich Ungarn beruft, richtig zu stellen. Aber hiezu hatte ich nöthig etwas über die Einverleibung Fiume's, nämlich über den Austritt dieser Stadt aus seinen frühern Verbande mit österreichischen Behörden zu sagen. Aus diesem Grunde schrieb ich den ersten Abschnitt als nothwendige Einleitung zur Abhandlung selbst, welche ohne diese manchem Leser undeutlich sein könnte. Derselbe Grund bewog mich auch, dass ich nicht allein und ausschliesslich vom Hauptgegenstande nämlich von Fiume spreche, sondern auch andere mit demselben in Verbindung stehende Fragen berühre, wie z. B. das kroatische Küstenland im Allgemeinen und das Severiner Komitat; auch habe ich bei Besprechung der Landtage wichtigere Dinge erwähnt, aus welchen sich der Geist der Politik damaliger Zeit entnehmen lässt. Die Abhandlung ist im Uebrigen streng historisch; nur im letzten Abschnitt antwortete ich auf einige in nationale und Handelsverhältnisse Fiume's einschlägige Einwürfe.

Wegen historischer Beweise war ich in keiner Verlegenheit; im Gegentheile sie wuchsen mir so unter den Händen, dass es mir bei der Kürze der zugemessenen Zeit schwer fiel, sie zu bewältigen und sie gehörig zu gruppiren. Die wichtigeren Urkunden theile ich theils ganz theils im Auszuge in den Beilagen mit. Diese konnten noch zahlreicher sein; aber dann wäre das Werk zu sehr angewachsen und spät im Drucke erschienen. Der grössere Theil der Urkunden ist jetzt zum ersten Mal gedruckt. Auser jenen unter Nr. 1—7, welche mir der Kapitän der Stadt Fiume und Obergespan Bartholomäus Ritter von Smaić, wofür ich ihm danke, verschaffte, sind alle übrigen unserem Landesarchive entnommen, wo sie sich unter den Schriften des bestandenen königl. Statthaltereirathes dieser Königreiche befinden. Für die mir bewiesene Bereitwilligkeit sei hier dem gegenwärtigen Custos dieses Landes-Instituts der aufrichtige Dank ausgedrückt.

Wie ich dieses reiche Material gesichtet, wird der aufmerksame Leser anerkennen. Ich glaubte der Wissenschaft und der Sache mehr zu nützen, wenn ich jede Polemik bei Seite lasse, damit die Beweisführung in einer solchen Form nicht der Sophistik geziehen werde. Deswegen gleicht diese Abhandlung einer Geschichte Fiume's aus dem staatsrechtlichen Standpunkte.

So viel über Inhalt und Form dieses Werkchens, welches den Zweck hat, eine verworrene Seite unserer staatsrechtlichen Fragen zu beleuchten, und einen Theil unserer Mitbürger am kroatischen Busen des adriatischen Meeres auf den rechten Weg zu leiten — diess ist mein Wunsch. Und die Leser ersuche ich, die kleineren Druckfehler, die sich in das eilig gedruckte Buch eingeschlichen, selbst zu berichtigen.

Agram am Palmsonntag 1867.

Dr. Franz Račk i.

I.

Die Stadt Fiume mit ihrem Gebiete (v. 24 □M.) und 14.000 Einwohnern liegt innerhalb der Grenzen jenes Theils des alten Liburnien, welcher ursprünglich von der kroatischen Nation eingenommen wurde.

Wenn man die ethnografischen Grenzen dieser Nation aufsucht, so findet man, dass sie sich im Westen über die politischen Grenzen, wie sie im X. Jahrhunderte bestanden, und die längs des Flusses Arsa[1] liefen, ausdehnen; denn in Istrien bis Dragonja und auf den quarnerischen Inseln leben noch heut zu Tage bei 125.000 Kroaten[2].

Fiume liegt daher ethnografisch oder historisch betrachtet auf einem Boden, der seit dem VII. Jahrhunderte kroatisch ist.

Auch ist das Schicksal jenes Küstenstriches mit dem Schicksale der kroatischen Nation enge verbunden. Dort liegt das Schloss Tersat (bei den Römern Tarsatica [Ταρσατικα]) auf hohem Felsen stolz sich über Fiume erhebend. Dieses Schloss spielte in älterer Zeit eine Rolle. Hier entspann sich im Jahre 799 zwischen dem kroatischen und fränkischen Heere ein blutiger Kampf, in welchem der friaulische Markgraf Erich fiel[3].

Dieses Schloss war auch ein Lieblingsaufenthaltsort der Grafen von Veglia aus dem Geschlechte der Frankopane, mit denen die Geschichte der Stadt Fiume durch längere Zeit enge verbunden erscheint. Diesen Grafen nämlich schenkte König Bela III. im Jahre 1193 das Modrušer und später König Andreas II. im Jahre 1223 das Vinodoler Comitat. Hiedurch kamen die Grafen von Veglia zur Herrschaft über unser Küstenland, die sich umsomehr befestigte, seit König Bela IV. im Jahre 1260 ihnen die bezüglichen Schenkungs-Urkunden seiner Vorgänger bestätigte. Aus dieser wichtigen Bestätigungs-Urkunde lernen wir die westlichen Grenzen des Vinodoler Comitates kennen und entnehmen ferner, dass Fiume die Frankopane als ihre Grundherrn anerkannte. Es heisst nämlich darin, dass auf dieser Seite die Grenze des Vinodoler Comitates „der Bach und Ort Rika vom Meeres-

---

[1] Const. porphyrog. de adm. imp. cap. 30. Vergl. meine „Odlomci iz državnoga prava hrvatskoga“ S. 10.

[2] Czörnig: Ethnographie der österreichischen Monarchie I. 55, 78.

[3] Annal. Einhardi ad a. 799: „Juxta Tarsaticam, Liburniae civitatem.“

ufer an, dann das freie königliche Wasser Ričina bis zur Brücke bei Grohovo" bildete und dass dieselbe noch weiter längs dieses Flusses, „der am Berge Grobnik entspringt", gelaufen ist[1]. In derselben Urkunde findet man zum ersten Male Rika (anstatt Rieka) und Ričina (anstatt Rječina) geschrieben[2], wie beides heut zu Tage noch im Dialekte der dortigen Küstenbewohner ausgesprochen wird.

Das Oertchen Grohovo, welches mit jenem von Lopača circa 140 Seelen zählt, liegt auch gegenwärtig noch im Pfarr- und Stadt-Gebiete von Fiume. Wäre Fiume im Jahre 1260 unter fremder Herrschaft gewesen, so hätte dies der ungarisch-kroatische König erwähnt und schwerlich in diesem Falle königliche Rechte („nostra libera aqua Ričina") auf den Bach Fiumera gehabt.

Wir sind hiernach berechtigt zu glauben, dass Fiume mit dem Vinodoler Comitate, welches sich damals von Ledenice und Novi bis Tersat und Grobnik ausdehnte, unter die Herrschaft der Grafen von Veglia und Modruš gelangt ist.

Aber Fiume wurde kurz darauf der Stein des Anstosses zwischen den Grafen Frankopan und den Herrn von Duino in Istrien. Die Herren von Duino (Tybein) erwarben grossen Besitz in Istrien. Ihnen gehörte auch Mošćenice und Kozlak u. s. w. am Meere unter dem Monte maggiore nahe bei Fiume[3]. Auch diese Stadt kam zu Anfang des XIV. Jahrhunderts in ihre Gewalt; denn es kommt vor, dass sie daselbst im J. 1312 herrschaftliche Rechte ausgeübt haben. In diesem Jahre verpachtete nämlich Rudolf Herr von Duino, Vasall („fidelis") des Grafen von Görz, die Mauthen, Zölle und die Fleischausschrottung von Fiume an den Venezianer Nikolaus Alberti auf sechs Jahre. Im Vertrage ward festgesetzt, dass Mathias, der Richter von Fiume, und Wulfing, der Hauptmann von Duino, auf Rechnung des Grafen von Görz Fiume („terram Fluminio") zu verwalten haben würden, wenn Rudolph sich an den Vertrag nicht halten sollte[4]. Man glaubt, dass Herr von Duino, als Besitzer von Fiume, die dortige Kirche des heiligen Hieronymus im Jahre 1315 zu bauen angefangen habe. Aber schon im Jahre 1338 war Fiume wieder in den Besitz der Familie Frankopan gekommen. Denn als ein Fiumaner angefangen hatte falsche Venezianer-Münzen zu prägen, wendete sich die Republik an den Grafen Bartholomäus Frankopan, ihren Freund, mit

---

[1] Bei Krčelić: Not. praelim. p. 195. „Cuius confinia ad tramontanam, inprimis est fluvius et locus Rika in monte maris incipiendo et nostra libera aqua Ričina usque ponticulum penes P. (G)rohovo . . . Et aqua sequitur libera, que aqua ex monte nostro Grobnicensi et confinio scaturit."

[2] Die Stadt Fiume heisst kroatisch Rieka und der Bach Fiumera Rječina.
Anmerkung des Uebersetzers.

[3] Archiv für südslav. Geschichte II. 308.

[4] Engel: Geschichte von Dalmatien etc. S. 342.

der Bitte, solchen Unfug in seinen Städten und Ländern nicht zu dulden. Die Republik beschloss sogar am 1. Oktober 1338 zu diesem Zwecke einen eigenen Gesandten nach Slavonien d. h. Kroatien zu schicken. In einer Urkunde vom 8. Mai 1339 liest man, dass bei dem Grafen Bartholomäus, in dessen Lande, d. h. in Fiume die falschen Venezianer Soldi sollen geprägt worden sein, bereits ein Gesandter gewesen ist; es wurde aber beschlossen, noch einen zweiten zu ihm zu senden. Endlich hat die Republik am 8. Oktober 1339 abermals demselben Grafen geschrieben, dass er, der schon durch zwei Gesandte: den Johann Vitturi und Michael Giorgi, diessfalls gebeten wurde, — doch endlich diese Falschmünzer gefänglich einziehen lasse[1]. Aus all' diesem geht hervor, dass Fiume in den Jahren 1338 und 1339 sich im Besitze des Grafen Bartholomäus Frankopan befand; denn diese venezianischen Schriften und Gesandtschaften hätten keinen Sinn, wenn Fiume in der Gewalt der Herren von Duino gewesen wäre; man sieht ferner daraus, dass die Venezianer Fiume als in Croatien liegend betrachtet haben.

Es drängt sich nun die Frage auf, wie ist Fiume von den Frankopanen in die Gewalt der Herrn von Duino (1312) gekommen, und auf welche Art wieder an die Frankopane zurückgelangt (1338)? Aus den undeutlichen Worten einer Urkunde[2] vom 1. April 1365 können wir schliessen, dass der Graf Bartholomäus Frankopan „das Gebiet und die Stadt Fiume" den Grundherrn von Duino verpfändet hatte[3]. Aus derselben Urkunde ist auch zu entnehmen, dass wegen Fiume zwischen den Frankopanen und den Herrn von Duino „Streit, Hass und Neid" entstanden ist. Um diese Zeit hätte Fiume wieder an die Frankopane übergehen sollen. Damit aber den beiderseitigen Streitigkeiten ein Ende gemacht werde, schlossen die Grafen Stefan und Johann Frankopan, Söhne des Bartholomäus, mit Hugo, Herrn von Duino, am 1. April 1365 einen Vertrag, in welchem sie sich ihres Besitzrechtes auf Fiume begaben und dieses Recht auf Hugo, seine Brüder Wilhelm und Georg und ihre Nachkommen übertrugen[4].

---

[1] Ljubić: Die Herrschaft Venedigs über Fiume S. 4 und 5 aus den Schriften des venezianischen Archivs. Man liest: „quod in Loco Fluminis laborantur et cudantur soldini falsi . . . Quanto vos (sc. Barthol) estis nobis magis familiaris et carus, tanto gravius haberemus, si in vestris districtibus hoc committi et tolerari contingeret ... In cuius (Barthol) terris praedicti fieri dicuntur".

[2] Im Wiener Archiv bei Fejér, cod. diplom hung. IX, 3. p. 518—24.

[3] Ibid: „Terram et castrum Fluminis, quod a divo condam domino patre nostro d. comite, Bartholomaeo fuerat obligatum."

[4] Ibid: pro quibus omnibus firmius observandis per nos nostrosque haeredes eidem domino Ugoni (de Duino) pro se et suis haeredibus recipienti promittimus nunquam praenotatam terram Fluminis et castrum repetere."

Die Familie der Herren von Duino starb im Jahre 1399 mit dem letzten männlichen Sprossen Ugolino aus, welcher nur die eine, an Raimbert von Walsee verheiratete Tochter Katharina hinterliess. Die Walsee kamen mit Albrecht I. (1298—1308) aus Schwaben, wo sie begütert waren, nach Oesterreich und waren am Hofe der Habsburger österreichischen Herzoge sehr angesehen. Auf Grund von Verträgen aus der Zeit von 1361—94, deren erster am 21. September 1361 zwischen dem Grafen Mainhard VI. von Görz und dem Erzherzoge Rudolf IV. von Oesterreich stipulirt wurde — bekamen die Habsburger auch die oberste Gewalt über jene Länder, worauf der Erzherzog Wilhelm seinem Kammervorsteher, Rudolf von Walsee, das Wappen der Herrn von Duino mit allen Rechten und Privilegien verlieh. Rudolf von Walsee bekam das Schloss Duino, und sein Bruder Raimbert, Ugolino's Schwiegersohn, erhielt aus den Händen des Bischofs von Pola, Bevollmächtigten des Erzh. Wilhelm, die Stadt Fiume, Castua, Veprinac und Mošćenice d. i. das Küstenland diesseits des Monte maggiore.

Fiume war daher nur 34 Jahre (1365—1399) im ruhigen Besitz der Herren von Duino, und kam dann von diesen an die Familie Walsee. Jener bereits erwähnte Vertrag vom 1. April 1365, wenn wir ihm auch die Rechtskraft nicht absprechen, hat doch nur die ersten Besitzer von Fiume, die Frankopane, gegenüber den Herren von Duino gebunden, und es hätte nach dem Aussterben der letzteren wieder an die Frankopane übergehen sollen. Es hat den Anschein, dass auch die Frankopane diesen Standpunkt vertheidigt haben, wiewohl in jenen stürmischen Zeiten, die unter Sigismund über unser Vaterland hereinbrachen, und später in Folge der Türkengefahr ihnen Kraft und Macht mangelten, ihn zu behaupten. Denn wenn wir auch von dem Sinne der Worte absehen, mit welchen der Graf Martin Frankopan in jener Urkunde [1] vom 7. April (1444 oder 1459) von Fiume spricht, so haben wir für diese Ansicht einigen Beweis darin, dass der Graf von Veglia, Johann Frankopan, im Jahre 1461 der venezianischen Republik, nachdem er ihr die Insel Veglia verkauft hatte, den Vorschlag machte, dass sie Fiume für sich erobern soll [2]. Man muss nämlich wissen, dass dieser Graf sich unter den Schutz der Republik geflüchtet hatte, und später auch nach Venedig übersiedelt ist.

Indessen verblieb Fiume im Besitze der Herren von Walsee, welche dasselbe als ihr Eigenthum betrachteten und mit demselben nach Gutdünken schalteten und walteten. Als Robert's Söhne Wolf-

[1] Glavinić: Hist. tersact. p. 35. Sladović: Geschichte des Zengger und Modrušer Bisthums S. 238—40. Nach Abschrift vom Jahre 1770.

[2] Ljubić op. cit. p. 5. Nach Urkunden im venezianischen Archiv.

gang und Rambert im Jahre 1464 die väterlichen Güter unter sich theilten, fiel dem ersteren Fiume, Adelsberg mit Trnava, Jelšani, Castua, Muda (bei Klane) und die Städtchen Sabinac am Berge, S. Virac, Veprinac und Mošćenice zu.

Wie man hieraus ersieht, wurden damals während des Besitzes der Herren von Walsee mit Fiume die nächsten Ortschaften des küstenländischen Karstes vereinigt. Aber schon im nachfolgenden Jahre 1465 überliess Wolfgang von Walsee mittels Vertrags, der 1471 erneuert wurde, dem Kaiser Friedrich Fiume, Castua, Veprinac, Labinac, Arnberg und Adelsberg („Geschlossen zu Isterreich und am Karst"). Deshalb wird in venezianischen Urkunden vom Jahre 1467 Fiume als „ein Land des Erzherzogs vom Oesterreich" bezeichnet.[1] Auf diese Art verloren die Herren von Walsee Fiume noch vor dem Aussterben ihrer ganzen Familie (1491).

Hiedurch wurde abermals das Recht der Familie Frankopan verletzt. Dieselbe verwickelte sich in jenen Gegenden in Krieg mit Kaiser Friedrich, theils wegen Fiume, theils wegen des Streites zwischen Kaiser Friedrich und dem König Mathias Corvinus. Friedrich eroberte im Küstenlande das Schloss Tersat, welches später König Maximilian mittels Urkunde vom 2. Jänner 1492 dem König Vladislav II. zurückgab[2], wodurch die Frankopane wieder in den faktischen Besitz dieses Schlosses gelangten. Fiume hingegen verblieb nach dem Grazer Vertrage vom 18. Dezember 1479 faktisch im Besitze der Erzherzoge von Oesterreich.

Aus diesem Besitze wurde Fiume für einige Zeit durch die Republik des heil. Markus verdrängt. Als nämlich zu Anfang des Jahres 1508 der Krieg zwischen dem Kaiser Maximilian I. und der Republik Venedig ausbrach, erschien der venezianische Kapitain Navagiero am 26. Mai 1508 mit seiner Galeere von Almissa vor Fiume und zwang die Stadt zur Uebergabe. Der kaiserliche Hauptmann Johann Rauber zog mit seiner Truppe (250 Mann) nach Laibach ab. Navagiero ernannte Andreas de Mula zum Proveditor von Fiume und Hieronymus Quirini zum Befehlshaber des Fort's. Zwei Tage später (28. Mai) übergab sich auch das Schloss Tersat den Venezianern, welche ihm Hieronymus Crnotić, einen Arbenser (von der Insel Arbe), zum Kommandanten gaben. Eben so unterwarfen sich den Venezianern Castua, Mašćenice, Cersam, Brzec, Lovrana, Villanuova und Lupoglava, alles Orte des istrischen Küstenlandes unter dem Monte maggiore. Die Einnahme des kroatischen Schlosses Tersat gab dem damaligen Banus von Kroatien Andreas Bot den

---

[1] Id. p. 5. Vergl. Beitr. zur Geografie des Mittelalters. Hormayer. Archiv I. 1818, S. 553.

[2] Urkunde bei Firnhaber: Beiträge zur Geschichte Ungarns. S. 129—130.

Anlass, sich in diesen Krieg, der nur zwischen der Republik und dem deutschen Kaiser geführt wurde, einzumischen. Er verlangte vor Allem, dass das Schloss Tersat zurückgegeben werde. Da er keine befriedigende Antwort bekam, verband er sich mit Bernardin Frankopan, dem Eigenthümer von Tersat und dem Rechte nach auch von Fiume, rückte im Juni 1509 gegen letztere Stadt, vertrieb die Venezianer sammt dem Proveditor Hieronymus Quirini daraus und besetzte sie. Aber diesmal war die kroatische Herrschaft in Fiume von kurzer Dauer; denn schon am 2. Oktober 1509 eroberten oder eigentlich zerstörten die Venezianer diese Stadt. Der Banus von Kroatien, Andreas Bot, hörte nicht auf, die Venezianer zu beunruhigen und diese verloren bald wieder Fiume, doch ist uns die Art und Weise nicht bekannt. Nur diess ist gewiss, dass Fiume schon vor dem 7. September 1511 nicht mehr in der Gewalt des Königs Vladislav, sondern des Kaisers Maximilian war, und dass es in des letztern Besitz auch nach dem am 6. April 1512 zwischen ihm und der Republik abgeschlossenen Waffenstillstande verblieb [1].

Die Erzherzoge von Oesterreich konnten damals Fiume um so leichter in ihrer Gewalt behalten, je ungünstiger die innere Lage Kroatiens und Ungarns unter König Vladislav II. und Ludwig II. war und je grösser die Gefahr wurde, die diesen Königreichen von der stets wachsenden Macht der Türken drohte. Ludwig II. kümmerte sich nicht nur nicht, dass ein oder das andere abgefallene Glied seines Reiches mit demselben wieder vereinigt werde, sondern er ging sogar gutwillig darauf ein, dass sein Schwager, Erzherzog Ferdinand von Oesterreich, die Vertheidigung einiger kroatischen Schlösser übernahm. Die Erzherzoge von Oesterreich hatten daher nicht zu befürchten, dass der König, die Frankopane oder die Stände ihr altes Recht auf Fiume wieder zur Geltung bringen würden. Als daher Kaiser Karl V. und sein Bruder Erzherzog Ferdinand von Oesterreich mit dem Vertrage vom 7. Februar 1522 die Erbländer unter sich theilten, fiel Fiume (St. Veit am Pflaum — Flumen) dem Erzherzoge Ferdinand zu, und von dieser Zeit an blieb es beständig im Besitze der Erzherzoge von Oesterreich und der Beherrscher der erbländischen Provinzen.

In dieser Skizze zeigten wir, welche Herren Fiume bis zum XVI. Jahrhundert hatte; es überging von den Frankopanen an die Herren von Duino, von diesen an die Herren von Walsee und von den letzteren an die Herzoge von Oesterreich; ja selbst die Republik Venedig hatte ihm, wiewohl nur auf kurze Zeit, seine Herrschaft aufgedrungen. Diese Veränderungen bezogen sich eigentlich auf das Verhältniss Fiume's zu seinen verschiedenen Grundherren. Auch hier

---

[1] Vergl. Ljubić S. 5—9, wo auch die bezüglichen Urkunden aus dem venezianischen Archiv angeführt sind (S. 10—14).

müssen wir bemerken, dass nach den Grundsätzen des ungarisch-kroatischen Rechtes schon jener zwischen den Frankopanen und den Herren von Duino abgeschlossene Vertrag, durch welchen das mittels Schenkungsurkunde eines ungarisch-kroatischen Königs an die Grafen von Modruš und Zengg (Frankopane) gelangte Fiume aus ihrem Besitze kam — zu seiner vollen Rechtskraft die Gutheissung und Bestätigung des Königs hätte erhalten sollen, wovon wir jedoch nirgends eine Spur finden.

Noch weniger durfte Fiume nach den Grundsätzen des ungarisch-kroatischen Staatsrechtes vom Königreiche Kroatien deshalb getrennt werden, weil es (wenn auch gesetzlich) in den Besitz von Herren überging, die keine kroatischen Edelleute waren.

Dennoch geschah diess. Fiume wurde vom Territorium und dem staatlichen Körper Kroatiens und der ungarisch-kroatischen Krone getrennt. Zwar wird es bis zum XVI. Jahrhunderte, mit Rücksicht auf seine geografische Lage und die alten Erinnerungen, oft unter den kroatischen Orten erwähnt; so nennt es Johann Justiniani in seinem Berichte vom Jahre 1553 „luogo della Croazia"; und im Brucker Libell vom Jahre 1578 wird es neben Ogulin, Sluin und Zeng als kroatische Stadt aufgeführt. Aber Fiume war in der That damals von Kroatien in der Verwaltung und Gesetzgebung getrennt, obwohl es seit dem Jahre 1527 d. i. seit Ferdinand I. einen und denselben Herrscher hatte. Gerade damals wäre es an der Zeit gewesen, dass dem kroatischen Staatsgrundrechte entsprochen werde, wornach der Herrscher verpflichtet ist, sobald die Hindernisse aufhören, getrennte Theile des Staatskörpers mit demselben wieder zu vereinigen; und hätte sonach Fiume schon damals wieder dem Königreiche Kroatien einverleibt werden sollen.

Aus der Zeit der österreichischen Herrschaft in Fiume, welche ununterbrochen vom Jahre 1510 bis zum Jahre 1776 gedauert hatte, ist uns die innere Einrichtung und Verwaltung dieser „s e h r g e t r e u e n" Stadt, wie sie Kaiser Maximilian I. 1515 nannte, bekannt. Fiume wurde nach dem vom Erzherzoge und Könige Ferdinand I. am 23. Juli 1530 bestätigten städtischen Statut verwaltet. Dieses Statut wurde später von Josef I. und Karl VI. gutgeheissen mit Ausnahme des dritten d. i. vorletzten Kapitels, welches Strafdirektiven enthielt und statt welcher zuerst eine diesfällige Vorschrift Ferdinands, dann Karls und zuletzt Maria Theresias zur Geltung kam.

Die Stadt Fiume mit ihrem Gebiete war weder dem nahen Istrien noch Krain einverleibt, sondern bildete ein besonderes Munizipium, eine eigene Gemeinde: „magnifica c o m m u n i t a s t e r r a e F l u m i n i s S. V i t i". In dieser Gemeinde repräsentirte den Regenten der königliche Hauptmann. Diesen ernannte der König und sandte ihn nach Fiume. Bei seiner Installation legte er in der Kirche zu S.

Veit in die Hände der städtischen Richter und Räthe den Eid ab: dass er im Namen Seiner Majestät die Statute, Einrichtungen, Rechte und Privilegien der Gemeinde unverletzt erhalten und vertheidigen, dass er unpartheiisch, ohne Rücksicht auf die Person, Recht sprechen, dass er das städtische Gericht in der Ausübung der Gerechtigkeit nicht hindern, und dessen Urtheilssprüche, in so weit sie dem Statut nicht entgegen sein sollten, nicht umstossen wird u. s. w. Der Hauptmann übte in dieser Beziehung im Namen der Krone das Recht der Oberaufsicht aus. Er verkehrte mit dem Könige durch die niederösterreichische Regierung in Graz.

Die Einwohnerschaft von Fiume theilte sich in zwei Klassen: in Bürger und Patrizier. Letztere bildeten den Adel der Stadt und erwarben ihn durch die Geburt; deshalb konnte Niemand von der Bürgerschaft den Patriziern zugezählt werden, ausser wenn die Zahl von 50 städtischen Räthen aus dem Stande der Patrizier nicht ergänzt werden konnte.[1]. Aus diesen 50 Räthen bestand der städtische Rath in der Art, dass 25 angesehenere von ihnen den kleinern oder innern (minus) und alle zusammen den grösseren Rath (maius consilium) bildeten.

An der Spitze des städtischen (grösseren und kleineren) Rathes standen zwei Richter als Rektoren (iudices rectores), die alle Jahre wechselten. Den ersten ernannte der Hauptmann, daher er auch „iudex rector capitanealis“ genannt wurde, den zweiten wählte die Gemeinde (iudex communitatis). Der eine und der andere Rath verrichteten alle ihre öffentlich politischen, ökonomischen und Handelsgeschäfte unter dem Vorsitze und der Leitung des Hauptmanns u. z. im Sinne des städtischen Statutes.

In Civil- und Strafsachen entschied der „vicarius“, Hauptmannstellvertreter, welcher zuerst von Sr. Majestät, später aber vom städtischen Rath gewählt wurde. Nur in kleineren Prozes-

---

[1] Im Jahre 1776 waren folgende Patrizier-Familien: Zanchi (geworden im Jahre 1566), de Catto und Linkenberg, Sabbatini-Rossi (1567), Giacomini (1567), Diminić (1567), Celebrini (1593), Urbani (1594), Bardarini de Kusselstein (1594), Bono (1602), Barčić (1602), Buratelli (1610), Tudorović (1610), Spogliati (1617), de Steinberg (1627), Marchisetti (1628), Tranquilli (1635), Gaus de Honberg (1637), gr. a Petazzi (1645), Monaldi (1647), Vitnić (1650), Spingaroli (1664), Bar. Oberburg (1678), de Lazarini (1678), Calli (1682), bar. ab Argento (1687), Rastelli (1696), bar. a Leo (1696), Bono de Mariani (1696), Franul de Weissenthurm (1696), de Marburg (1698), de Danano (1699), de Orlando (1703), de Zandonati (1716), de Marotti (1717), Svilokosi (1717), de Benzoni (1724), Rafaelis (1727), Lumaga (1728), de Terzi (1737), bar. a Keiil (1739), de Jerliczi (1751), Jalob (1752), Troyer de Aufkirchen (1764), Verneda (1764), Buzzi (1764), Peri (1766), de Munier (1766) Mordax de Daxenfeld (1766), gr. Theodor Batthyani (1776). Es gab daher im Ganzen 49 Patrizier-Familien italienischer, deutscher, kroatischer und französischer Abstammung.

sen z. B. Pachtungen, Dienstboten u. dgl. betreffend, entschieden die städtischen Richter und in dringenden manchmal auch der Hauptmann. In einigen Entscheidungen berief man sich von den Stadtrichtern an den städtischen Rath und nach und nach geschah die Berufung vom Gerichte des Hauptmannstellvertreters (forum vicariale) an die inner-österreichische Regierung in Graz.

Nachdem Kaiser Karl VI. am 2. Juni 1717 Triest und Fiume zu Freihäfen erklärt und ihnen ihre Freiheiten mit den Hofdekreten vom 15. und 18. März 1719 verbürgt, dann wieder mit den Hofdekreten vom 19. December 1725, vom 31. August 1729 und 20. Mai 1730 erneuert und bestätigt hatte, geschah in der innern Verwaltung Fiumes die Aenderung, dass alle Handelsangelegenheiten an das neu errichtete Handelsgericht erster und zweiter Instanz übertragen und nach dem Statute für Handels- und Wechselsachen vom 20. Mai 1722 entschieden wurden. Indessen war auch der Hauptmann und der städtische Rath von der inner-österreichischen Regierung in Graz abhängig geworden und wurden fast sämmtliche städtische Gegenstände ausschliesslich zur Amtshandlung des grossen Rathes einbezogen.

Eine noch grössere Veränderung geschah im Jahre 1754. Damals hatte nämlich die Kaiserin Maria Theresia zur Hebung des Handels eine besondere Behörde in Wien, unter dem Namen Hofkommerzienrath, errichtet und demselben das ganze Küstenland mit den Städten Triest, Fiume, Zeng und Carlobago unterordnet. Dieses Küstenland wurde nun als eine besondere Provinz betrachtet, für welche eine eigene von dem erwähnten Hofkommerzienrathe in Wien abhängige Landesbehörde, unter dem Namen Kommerzien-Haupt-Intendanz in Triest errichtet wurde. Unter die unmittelbare Verwaltung der Kommerzien-Intendanz gehörte auch Fiume; der Präsident der Intendanz war zugleich Hauptmann von Fiume und hatte daselbst seinen Stellvertreter (locumtenens capitanealis). Der Stellvertreter des Hauptmanns mit den ihm zugewiesenen Beisitzern bildete die kk. Hauptmannamts-Verwaltung (locumtenentia, luogotenenza), in deren Wirkungskreis grösstentheils Handels- und Schifffahrtsangelegenheiten gehörten.

Zu dieser Zeit (1755) wurde in Fiume die Sanitätsbehörde, die von der Triester abhängig war, wurde das Gerichtswesen in Handelssachen (1758) organisirt und wurden eigene Gerichte in causis personalibus r. consiliariorum et officialium, ferner in causis summi principis et commissorum u. dgl. aufgestellt.

Diese Veränderungen übten auf die innere Organisation der Stadt Fiume in so weit einen Einfluss, dass die politische Verwaltung grösstentheils in den Wirkungskreis der Hauptmannamts-Verwaltung fiel, welche durch die Triester Intendanz vom Hofkommerzienrath in Wien abhängig war. In Folge dessen wurden die Stiftungen und das

Polizeiwesen der Stadt nicht mehr wie ehedem vom städtischen Rath, sondern von Ausschüssen obiger Verwaltung administrirt. Ferner fand bei Civilprozessen die Berufung vom städtischen Vikar an die Regierung in Graz und an das richterliche Collegium in Wien, in Handelsprozessen hingegen vom Handelsgerichte erster Instanz in Fiume an das Handelsgericht zweiter Instanz in Triest, dann an das Grazer Gubernium und den obersten Gerichtshof in Wien statt. So war das Verhältniss Fiumes zur Zeit der österreichischen Regierung gegenüber der Krone und gegenüber den inner-österreichichen obersten Behörden, und solcher Art war ferner die städtische Verwaltung. Wie man aus diesem Umriss [1] ersieht, war die Selbstverwaltung der Stadt Fiume auf rein innere, munizipale Gegenstände beschränkt und ihr Wirkungskreis wurde, besonders nach dem Jahre 1754 immer enger und enger; denn alle wichtigeren Geschäfte waren zuletzt in den Händen des Hauptmann-Stellvertreters vereinigt und wurden schliesslich in Triest, Graz und Wien erledigt. Das Mass der Fiumaner munizipalen Autonomie war daher ein sehr bescheidenes. Dieses staatsrechtliche Verhältniss wird uns gleichzeitig belehren, was wir von dem Einflusse dieser Stadt auf die pragmatische Sanktion zu halten und welche Bedeutung wir ihm beizumessen haben.

Es ist bekannt wie Kaiser Karl VI. bemüht war, dass die Stände seiner verschiedenen Königreiche und Länder das mit der Verordnung vom 19. April 1713 auf Grundlage der Hausordnung vom 12. September 1703 herausgegebene Statut über die Thronfolge anerkennen und dass einzelne Distrikte und Städte, die eine Art Autonomie genossen, dasselbe in ihre öffentlichen Schriften einreihen. Deshalb schickte er dieses Statut z. B. nicht allein dem böhmischen Landtage, sondern auch der Vertretung des selbstständigen Distriktes von Eger in Böhmen, welche es auch am 21. Juni 1721 annahm. Dasselbe that Kaiser Karl auch in Bezug auf Triest und Fiume, zwei Städte mit selbstständiger innerer Verwaltung, welche keiner Provinz einverleibt, daher auch auf keinem Provinziallandtage vertreten waren. Der Kaiser „gab“ auf diese Art die pragmatische Sanktion dem städtischen Rathe in Fiume am 8. Juni 1720. „bekannt“. Der Rath „nahm sie am 9. Oktober desselben Jahres an“ und meldete dies der Regierung von Innerösterreich. Fiume bekam hierauf am 11. September den Auftrag, seine „Annahme“ der pragmatischen Sanktion in die öffentlichen Schriften einzureihen [2]. Diese Annahme war mit-

---

[1] Ist nach dem Fiumaner Statut vom Jahre 1530, dann nach verschiedenen Urkunden, endlich nach der Repräsentation des Fiumaner Rathes vom 1. August 1777 und nach dem Berichte der kroatischen Kommission vom 30. August 1778 verfasst.

[2] Msc. in Abschrift bei mir: Eademque nobis intimatione gratiosissime facta die 3 iunii 1720; nostram deindc 9 octobris dicti anni cum humillima

tels einer Urkunde auszudrücken, die von einem von der Krone hiezu bevollmächtigten Notar verfasst wurde, und war, wie wir aus einem Vortrage [1] der inner-österreichischen Regierung in Graz vom 8. Oktober 1725 entnehmen — im Originale sammt den übrigen notariatischen Schriften einzuschicken. Hiernach bekam der kaiserl. Hauptmann in Fiume Adelmo Graf Petazzi von der Grazer Regierung den Auftrag, diese Urkunden und Schriften so wie einen Ausweis der industriellen und Handwerks-Innungen von Fiume vorzulegen. In Folge dessen versammelte sich der Rath von Fiume am 29. November des genannten Jahres und verfasste über diese Annahme und Kundmachung der pragmatischen Sanktion, als Staatsgrundgesetz, ein „instrumentum publicum", welches vom Hauptmann, dem Stadtrichter Josef A. Zanchi und 28 Räthen unterschrieben wurde. Die Worte, die sich auf diesen Akt beziehen, lauten: „Quamobrem nos infrascripti in generali Fluminis s. Viti consilio congregati iterum iterumque ss. ac invictissimo caesari Carolo VI. Romanorum imperatori semper augusto dno. dno. ac principi nostro clementissimo ingentes ac immortales gratias agimus et habemus, quod tam praestanti in nos benevolentia et humanitate, beneficio ac divino quodam studio esse voluerit, ut inter inalienabilia serenissimae austriacae domus suae haereditatis seu successionis membra civitatem nostram annumerare et universo haereditario imperio suo incorporare dignatus est, quo nos majestati suae plus debemus, quam ut unquam solvendo esse possimus. Sed ut, quodquod valemus, referamus, iam allegatae, acceptationi nostrae inhaerentes singuli ut singuli, et singuli ut universi nemine penitus discrepante et ne haesitante quidem, ex certa scientia, deliberata voluntate et nostra sponte, omni meliori via, causa et forma cunctis dispositionibus, ordinationibus et conventionibus divorum imperatorum ac principum nostrorum primogenitorum, majoratum serenissimae domus austriacae concernentibus, ac praesertim summae dicti imperatoris augustissimi declarationi seu interpretationi et ad sexum faemineum extensioni, ut supra die 19. aprilis 1713 promulgatae, nosmet ipsos posteros et successores nostros, nostramque civitatem sempiterno indissolubilis obligationis vinculo pervalidissime et solemnissime adstringimus, eamque in ordine ad primogenialem et majoralem successionem austriacam perpetuam et individuam in infinitum, seu pragmaticam sanctionem, ut fun-

---

gratiarum actione excelsis dicasteriis interioris Austriae transmisimus acceptationem, quam demum in publicas tabulas referri die 11 septembris cur. anni demandarunt.

[1] In Abschrift bei mir.

damentalem perpetuo valituram legem agnoscimus et accipimus, nulla vi, nullo metu coacti, eiusdemque observantiam non obstantibus quibuscumque etc. cum clausula clausularum in omnes aetates iuramento promittimus. Ita nos deus adiuvet et sine macula originali concepta benedicta dei mater virgo et omnes sancti".

Diese Urkunde schickte der besagte Hauptmann Petazzi nach Graz mit seinem Berichte vom 15. December des genannten Jahres [1] und die inner-österreichische Regierung unterbreitete dieselbe dem Kaiser mit dem a. u. Vortrage [2] vom 22. desselben Monats. Der Hauptmann sagt unter andern in seinem Berichte: „Um dem gnädigen Auftrage der hohen kaiserlichen Regierung und Kammer zu entsprechen, unterlegen" die Richter und Rectoren der Fiumaner Gemeinde die Urkunde über die Thronfolge der durchlauchtigsten Erzherzoginen, nach dem Aussterben der männlichen Linie.

Und die Regierung schreibt: „Auf die allergnädigste Entschliessung unterlegten uns die Richter und Rektoren und der ganze Fiumaner Rath seine öffentliche Urkunde über die Thronfolge des durchlauchtigsten Hauses Eurer Majestät mit dem gleichzeitigen Berichte, dass sie diese Urkunde in der öffentlichen Sitzung vom 29. Dezember verfasst und zum Beweise ihrer unerschütterlichen Treue gegen Eure Majestät und das durchlauchtigste Haus Oesterreich eigenhändig unterschrieben haben".

Somit haben wir ohne jede Bemerkung alles erzählt, was von der Art und Weise bekannt ist, wie Fiume die pragmatische Sanktion angenommen.

Der Kaiser hat nämlich im Wege seiner Regierung die Verordnung vom 19. April 1713 nach Fiume geschickt und durch seinen Statthalter, den Hauptmann, am 8. Juni 1720 dem städtischen Rathe bekannt geben lassen (intimavit).

Auf kaiserlichen Befehl hat hierauf der städtische Rath am 19. Dezember 1725 „Die öffentliche Urkunde" hinaus gegeben, mit einem Eide bekräftigt, und in dieser Urkunde unter Angelobung seiner Unterthanstreue gegen das Herrscherhaus, sich und die Stadt verpflichtet, dass er die pragmatische Sanktion vom 19. April 1713 annehmend, dieselbe als ein Grundgesetz betrachte und anerkenne.

Diese Annahme seitens der Stadt Fiume ermangelt daher jenes staatsrechtlichen Kriteriums, durch welches sich z. B. der Gesetzartikel 7, des kroatischen Landtages vom Jahre 1712 und der Gesetzartikel 2 und 3 des ungarischen Landtages vom Jahre 172²/₃ aus-

---

[1] Siehe „Pozor" Jahr 1866, Nr. 109.
[2] In Abschrift bei mir.

zeichnen, und kann daher als kein bilateraler Vertrag zwischen der Krone und Fiume betrachtet werden.

Diese Stadt hat bei Schaffung dieses Grundgesetzes über die Thronerbfolge nicht mitgewirkt, sondern sie hat es nur als ein fertiges angenommen und durch eine öffentliche Urkunde bestätigt.

Dass aber die pragmatische Sanktion in Fiume besonders veröffentlicht und angenommen wurde, wird Niemanden befremden, dem bekannt ist, dass diese Stadt, so wie Triest keiner österreichischen Provinz einverleibt, und daher auch in keinem Landtage vertreten war, um daselbst bei Schaffung des Gesetzes über die Thronerbfolge mitwirken zu können.

Die Art daher, in welcher Fiume die pragmatische Sanktion annahm, bestätigt nur dasjenige, was wir bereits früher erwähnt haben, nämlich, dass Fiume zur Zeit der österreichischen Regierung eine selbstständige Gemeinde gewesen, welche keiner österreichischen Provinz einverleibt war. Aber auch diese Art schliesst die bewiesene direkte Abhängigkeit Fiumes von der obersten Behörde Innerösterreichs nicht aus. In dieser Zeit erwarb sich Fiume von seinen Beherrschern, den österreichischen Regenten viele Vorrechte. Im Jahre 1776 zählte es 4515 Seelen in der Stadt und 617 in seinem Gebiete, also zusammen 5132 Seelen. Unter diesen waren 61 Welt- und 53 Ordensgeistliche (11 Augustiner, 22 Kapuziner, 20 Benediktinerinen), 16 Grosshändler, 52 kleinere Kaufleute, welchen bis zum Jahre 1752 der städtische Rath, und später das Handels- und Wechselgericht die Erlaubniss zum Handel gab. — Nach der Durchschnittsrechnung der letzten Jahre (vom 1770—75) waren die Einkünfte der Stadt Fiume und ihres Gebietes folgende: bei der vereinigten Handels- und Baukassa 2890 fl. 46½ kr., bei der städtischen Kassa 7812 fl. 57 kr., bei der Polizeikassa 11 fl. 46 kr., bei der Sanitätskassa 722 fl. 33 kr., daher im Ganzen 11.448 fl. 2½ kr. Die Ausgaben betrugen alle Jahre durchschnittlich 17.153 fl. 36 kr., das Defizit musste aus der Kameralkassa gedeckt werden. Den grössten Ertrag gaben die Zollgebühren, nämlich 8765 fl. 26¼ kr. jährlich, der Weinzoll betrug im Jahre 1775 nur 79 fl. 36 kr., weil die Bürgerschaft von demselben befreit war. Der Fleischkreuzer betrug für das Jahr 1775 vielmehr, nämlich 6173 fl. 43¾ kr. Die grössten Einkünfte schöpfte die Stadt aus der Ueberfuhrsgebühr, so lange noch über die Fiumera keine Brücke bestand; (nachdem diese erbaut worden war, floss die Brückenmauth in die Handelskassa); ferner aus der Gebühr für Verleihung des Bürger- so wie des Handelsrechtes, aus der Weingebühr, aus Geldstrafen u. s. w.

Es ist zum Staunen, wie zahlreich die Beamtenschaft in dieser kleinen Stadt und ihrem Gebiete war. Die österreichische Bureaukratie überschwemmte förmlich diese „magnifica communitas“ und verzehrte alle ihre Einkünfte. Die Hauptmanns-Verwaltung allein kostete jährlich 6332 fl. aus der Handelskassa; der Stellvertreter des Hauptmanns, damals (1775) der Bar. Johann F. Gerliczy, bezog eine Besoldung von 2200 fl., wovon 200 fl. aus der städtischen Kassa; Beisitzer waren vier: Franz und Aloys de Orlando, Julius Benzoni und Sigmund Zanchi, erstere zwei mit dem Gehalte von 400 fl., die übrigen mit 250 fl.; es war ferner ein Aktuar und ein Cassier (Leopold Sindenser) mit 450 fl., zwei Kanzellisten, ein Hafenkapitain (Pius Gerliczy) mit 200 fl. u. s. w. Noch zahlreicher waren die städtischen Beamten: der Vikar (Mich. Gaetani) mit 351 fl. 20 kr., zwei Richter (Jos. Troyer und Simeon Tudorović mit 75 fl. 33 kr., der Kassier (Peter de Monaldi) mit 113 fl. 20 kr., der Sekretair (Ant. Terzi) mit 90 fl. 40 kr., der Kanzellist (J. Tomičić) mit 35 fl. 8 kr., der Stadtfisikus (Fr. Graziani) mit 500 fl., zwei Wundärzte (Nik. Padura und Jak. Cosmini) mit 200 und 185 fl. u. s. w. Ausser dem hatte die Polizei- und Sanitätsbehörde ihre eigenen Beamten. Alle diese Stellen hatten mit geringer Ausnahme die Fiumaner Patrizier inne. In einer so kleinen Stadt so viele Bedienstungen, welch' unvergessliche Seligkeit!

Ausser Fiume unterstand, wie wir oben gesehen haben, dem Hofkommerzienrathe und der Kommerzien-Intendanz und bildete eine besondere Provinz jener Theil des Küstenlandes, der einstens mit Buccari ein Besitzthum der Frankopan-Zrinji'schen Familie war. Nachdem diese Familie auf die bekannte unglückliche Art ausgestorben war (1670), übernahm ihre Güter der königl. Fiskus und pflegte sie gewöhnlich zu verpachten. Im Jahre 1692 wurden sie für 50.000 fl. der inner-österreichischen Hofkammer verpfändet, im Jahre 1749 von der Wiener Bank eingelöst und im Jahre 1754 vereinigte man sie mit der neuerrichteten Provinz, welche unter der unmittelbaren Verwaltung der Triester Handelsbehörde stand. Durch diese Güter liess Karl VI. eine Strasse ans Meer führen, die seither Karolinenstrasse genannt wird (1726). Schon er und noch mehr seine Tochter und Nachfolgerin Maria Theresia waren dafür besorgt, dass wegen der Sicherheit des Handels die Gegend an dieser Strasse angesiedelt werde. Längs derselben wurden Zollämter aufgestellt, welche vom J. 1770 bis 1775 durchschnittlich 2547 fl. 22 kr. eintrugen; sie standen bei S. Cosmar oberhalb Buccari, in Fusine, Lokva, in Verbovsko und Novigrad an der Dobra. Diese Ansiedlungen hatten ihre eigene unmittelbare Behörde mit einem Oberaufseher (Fr. M. Mikulić) einem Aufseher (Fr. Vančina) einem Wundarzte (Iv. Steinmayer) einem Amtsboten (Radočaj), dann zwei Förstern zu Mrkopalj, einem in Ravnagora und einem in Vrbovsko. Die Verwaltung kostete 1697 fl. jährlich. Als die erwähnten Zrinji-Frankopani'schen Güter in die Hände des Fiskus kamen, trachteten die ungarisch-kroatischen Stände auf den Landtagen, dass diese Güter in Folge dieser Veränderung vom

Lande nicht getrennt werden. Deshalb wurde schon mit dem Gesetzartikel 71 vom Jahre 1681 beschlossen: „dass die Frankopanisch-Fiskalischen Güter, sowohl die küstenländischen als auch die kroatischen und welch' immer andere, die innerhalb der Grenzen der Königreiche Kroatien, Slavonien und Dalmatien dem Fiskus verfallen sind und sich in seiner oder welch' immer anderer Gewalt befinden, von der heil. Krone und der gesetzlichen Behörde des Königreichs nicht getrennt werden und dass sie Niemand zum Nachtheil dieser Krone und dieses Königreiches besitze, sondern dass sie stets den Gesetzen und Pflichten des Königreichs unterworfen bleiben". Als daher diese Güter der inner-österreischen Kammer verpfändet wurden, suchte Kaiser Karl VI. die ungarisch-kroatischen Stände durch die Erklärung zu beruhigen, dass diese Güter der Herzog von Steiermark nur nach dem Privatrechte besitze und dass sie die Grazer Kammer in seinem Namen, aber nicht als öffentliche Behörde, verwalte. In Folge dieser Erklärung beschlossen abermals die ungar.-kroatischen Stände (1715 : 44): „dass diese Güter und ihre Besitzer und Beamten (wie auf allen Fiskalischen Gütern) den Gesetzen, Pflichten und der Behörde des Königreichs sich zu unterwerfen haben". Dieses wurde auch 1723 : 94, 1741 : 52 und mit dem allerhöchsten Reskripte vom 12. Juni 1760 an den Banus Franz Nadasdy, so wie auch als Artikel 6 des kroatischen Landtages vom demselben Jahre bestätigt [1]. Schliesslich als die Kaiserin Maria Theresia die oft erwähnte Provinz mit dem Namen „österreichisches Küstenland" bezeichnet und dadurch in Ungarn und Kroatien die Befürchtung hervorgerufen hatte, dass dadurch die Integrität der ungarisch-kroatischen Krone verletzt werde, trachtete sie die ungarisch-kroatischen Stände auf dem Landtage 1764/5 (Gesetzartikel 30) zu beruhigen, indem sie erklärte, dass zu jener Benennung die Lage des Küstenlandes Anlass gegeben, dass aber hiedurch die Rechte der Krone und des Königreichs nicht verletzt werden.

Uebrigens, obwohl die Verwaltung des kroatischen Küstenlandes nach dem Jahre 1754 von der Triester Intendanz abhängig war, so war dasselbe doch in politischen Angelegenheiten dem Agramer Komitate unterworfen, für welche ein besonderer Komitatsrichter bestellt war; dasselbe gab ferner wie jeder andere Bezirk des Komitates die vorgeschriebene Anzahl Soldaten. Aber die daselbst befindlichen Beamten der Triester Intendanz kümmerten sich wenig um die Rechte und Gesetze des Königreichs und gaben Anlass zu beständigen Reibungen und Klagen.

Dieses Verhältniss, in welches im Laufe der Zeit nicht nur Fiume, sondern auch das übrige kroatische Küstenland gerathen war,

---

[1] Jura regni Croatiae II, 206.

entsprach keineswegs dem Rechte und den Gesetzen der ungarisch-kroatischen Verfassung. Diess fühlten sehr gut unsere Stände und erkannte auch die Krone. Die Kaiserin Maria Theresia verpflichtete sich schon am Krönungs-Landtage (18 : 1741), dass sie die getrennten Theile baldigst mit den Königreichen und Ländern der ungarischen Krone wieder vereinigen wird. Sie hat auch in der That das untere Slavonien den Königreichen Dalmatien und Kroatien einverleibt (1741 : 50), und im Jahre 1750 mittels Dekret die Stände versichert, dass sie auch ehestens das kroatische Küstenland denselben einverleiben wird.

Die kroatisch-slavonischen Stände verlangten durch ihre Ablegaten auf dem ungarischen Landtage vom Jahre $176^4/_5$, dass aus den küstenländischen Landestheilen das Vinodoler Komitat gebildet werde und protestirten gegen Benennung „österreichisches Küstenland". Ebenso beschwerten sich dieselben Stände in ihrer Repräsentation auf dem Landtage vom 1. Februar 1770, dass „die küstenländischen Landestheile mit den Städten Zeng und Novi noch immer nicht die Behörde des Königreiches durch ihre Unterordnung und gesetzliche Abhängigkeit anerkennen" [1]).

Wie hieraus zu entnehmen ist, hatte unser Vaterland auf sein altes Recht auf das Küstenland nie verzichtet. Auch hat die Krone ihm dieses Recht nie abgesprochen, aber demselben erst im J. 1776 Genüge gethan.

Hierüber haben wir nun näher zu sprechen.

II.

Unter den Aenderungen in der Verwaltung, welche die Kaiserin Maria Theresia in den letzten Jahren ihrer Regierung ausgeführt hatte, war auch jene, dass nach Auflösung des Hofkommerzienrathes die Handels-Angelegenheiten in den Erbländern an die betreffenden politischen Verwaltungs-Behörden übergingen, und mit der obersten Leitung derselben die vereinigte böhmisch-österreichische Hofkanzlei betraut wurde. Hiedurch entfiel die Nothwendigkeit des Bestandes einer besonderen Provinzial-Handelsbehörde, nämlich der Intendanz in Triest. „Das österreichische Küstenland", welches unter der Verwaltung der Intendanz stand, zerfiel im Jahre 1776 in drei Theile. Für jenen Theil dieses Küstenlandes, welcher der „österreichische" im engeren Sinne hiess, wurde in Triest das Gubernium errichtet und an dieses die Geschäfte der Intendanz überwiesen; an seiner Spitze stand der Gouverneur, in der Person des Grafen Karl Zinzendorf. Weiter wurde das Judicum „delegatum" in Triest mit dem dortigen städti-

---

[1] Jura regni Croatiae II. 226, 251.

schen Gerichte (guidizio civico) vereinigt; verblieb aber vom Gubernium (anstatt von der „Intendanz“) und von der inner-österreichischen Regierung in Graz in Civil-, hingegen in Strafsachen nur von der letzteren abhängig. Der städtische Rath (consilio civico pubblico) wurde für die Verwaltung der Stadt auch ferner in seinem Wirkungskreise belassen, nämlich im Sinne des bestehenden städtischen Statutes und der übrigen a. h. Entschliessungen, und statt des Präsidenten der bestandenen Intendanz nahm den Präsidentenstuhl der Gouverneur von Triest in der Eigenschaft eines Civilkapitäns ein.

Zum Präsidenten des städtischen Gerichtes wurde in der Eigenschaft eines kk. Richters der Gr. Svardi, gewesener „Intendanzrath“ mit dem Titel eines inner-österreichischen Regierungsrathes ernannt.

Das Wechselgericht erster Instanz blieb unverändert; von demselben berief man sich an das Wechselgericht zweiter Instanz, welchem der Gouverneur selbst zum Präsidenten gegeben wurde.

Auf diese Art war ein Theil des ehemaligen „österreichischen“ Küstenlandes eingerichtet.

Das Küstenland von Zengg bis Carlobago wurde der Militair-Grenze und dem Karlstädter General-Commando zugewiesen, und es bestimmte die Kaiserin Maria Theresia mit dem Hofreskripte vom 14. Februar 1776. „Dass nachdem der Hofkommerzienrath mit der böhmisch-österreichischen Hofkanzlei vereiniget worden ist, **die Küstenstadt Fiume mit ihrem Gebiete dem Königreiche Kroatien einverleibt werde.** Das daher in Hinkunft dieselbe nur die ungarische Hofkanzlei **im Wege des königlichen kroatischen Statthaltereirathes zu überwachen und zu verwalten habe.**“

Die erste Nachricht, dass Fiume den Ländern der ungarisch-kroatischen Krone einverleibt worden sei, gab der Stadt der Gr. Theodor Batthyani u. z. an demselben Tage aus Wien bekannt, an welchem das besagte a. h. Reskript herabgelangt war. Nach diesem Briefe[1] zu urtheilen widersetzte man sich in den massgebenden Kreisen in Wien der Trennung Fiume's von den österreichischen erbländischen Provinzen, indem man angab, dass Fiume einstens von Krain und Friaul abhängig gewesen wäre. Unter denjenigen, welche sich darum bemühten, dass Fiume mit den Ländern der ungarisch-kroatischen Krone vereinigt werde, war auch der genannte Magnat, Besitzer von Gütern in der Nachbarschaft von Fiume. Er bekam die nöthigen Benachrichtigungen von Benzoni und Marotti, zwei Fiumaner Patriziern, die damals sich in Wien aufhielten. Die Verdienste, die sich der Graf hiedurch erworben, anerkannte die Stadt dadurch, dass sie in der

[1] Siehe Beilage 1.

Rathssitzung vom 9. März 1776, ihn und seine Nachkommen unter seine Patrizier einreihte.

Bei dieser Entscheidung diente der Krone ohne Zweifel als Grundlage das alte ungarisch-kroatische Recht auf das ganze Küstenland einerseits und anderseits die Handels-Interessen sowohl dieses Küstenlandes als auch seines kroatischen Hinterlandes. Der letztere Grund wird fast in allen bezüglichen a. h. Entschliessungen angeführt. War dem so, dann gab es nichts was die Krone hätte bewegen können von ihrer am 14. Februar 1776 gefällten Entscheidung abzugehen.

Aber diese Entscheidung konnte nicht so schnell durchgeführt werden. Man musste sowohl den bestandenen Interessen Rechnung tragen, als auch den Uebergang aus dem alten in den neuen Zustand durch entsprechende Massregeln erleichtern.

Es vergingen daher mehrere Monate, bevor Fiume den ungarisch-kroatischen Behörden übergeben werden konnte.

Damit sowohl die Interessen den österreichischen erbländischen Provinzen, aus deren Verbande Fiume zu treten hatte, als auch jene der Länder der ungarisch-kroatischen Krone berücksichtigt werden, damit ferner durch diese Aenderung die Handels-Interessen der Stadt selbst nicht verletzt werden, wurde in Wien eine gemischte Commission aus den Central-Finanzbehörden zusammengesetzt, welche mit Anfang des Jahres ihre Arbeiten begann, und seit den 2. April 1776 ein „protocollum concertationis mixtae“ führte. Präses dieser Commission war der Graf Kolovrat, Präsident der k. k. Hofkammer, und Beisitzer waren: Graf Pálfi, Graf Khevenhüller, Graf Kobenzel, ferner die Hofräthe: Baron Spiegelfeld, Baron Gigauth, Baron Degelmann, als Referent: Baron Bolza, Baron Majláth, Baron Neuhold, Schahlhaas, Zach, Sekretär Kronberg, Schriftführer Eberl. Diese Commission hatte drei Fragen zu beantworten: in welchem Verhältnisse habe Fiume, Zeng und das übrige Küstenland, welches abgetreten werden soll, in zollämtlichen und regalistischen die Kammer berührenden Angelegenheiten zu stehen? welcher Einfluss und welche Obliegenheiten sollen daselbst den Verwaltungsbehörden belassen werden? endlich auf welche Art die Kammer und die Bank zu entschädigen wären? Alle diese Fragen wurden genau erörtert und im Protokolle ausführlich beantwortet; dieses Protokoll führen wir deshalb nicht hier an, [1] weil man dessen Inhalt hinreichend aus der a. h. Entschliessung vom 9. August 1776 entnehmen kann. Wir erwähnen hier nur des Antrags der Commission: dass die Dreissigstämter zu Zeng, Carlobago, Jablanac,

---

[1] Dieses weitläufige Protokoll befindet sich in unserem Landesarchiv unter den Schriften der k. dalm.-kroat.-slav. Statthalterei.

St. Georg und Ledenice, obwohl dieser Theil des Küstenlandes zur Militärgrenze geschlagen wurde, der königl. ungarischen Hofkammer und unmittelbar einem der neu zu errichtenden Inspektorate zu Fiume oder Karlstadt zu unterordnen seien.

In ihren Besprechungen behandelte die Commission zuerst Fiume, dann Zeng, hierauf Buccari und die Ansiedelungen längs der Carolinenstrasse, die zur Herrschaft von Buccari gehörten.

Während auf diese Art in Wien verhandelt und vorbereitet wurde, trachtete auch die Provinzialbehörde in Triest, alles zur Durchführung dieser Aenderungen Erforderliche vorzukehren, dem gemäss setzte die Kommerzien-Intendanz in Triest mittels Zuschrift vom 2. März 1776 die Hauptmannamts-Verwaltung in Fiume in Kenntniss, dass Se. Majestät mit dem Hofreskripte vom 14. Februar desselben Jahres beschlossen haben, Fiume dem Königreiche Kroatien einzuverleiben und die unmittelbare Verwaltung an den königl. dalm.-kroat.-slav. Statthaltereirath zu übertragen. Zu diesem Ende würden demnächst Commissaire von der einen und der andern Seite wegen Uebergabe und Uebernahme nach Fiume kommen, daher die Hauptmannamts-Verwaltung, die Archive, Registraturen und Kassen in Ordnung halten und das Beamtenpersonale hierauf vorbereiten soll.[1] Hievon hat der Hauptmann von Fiume de Orlando am 7. März desselben Jahres Nr. 77. die Stadtrichter, alle dortigen Kassen und Aemter zur Kenntniss und Darnachachtung verständigt.[2] In dieser Verständigung wird die vorerwähnte Stelle aus der Zuschrift der Triester Intendanz in italienischer Uebersetzung, wie folgt, angeführt: „che doppo la già seguita congiunzione del fu consiglio commerciale con l'aulica cancellaria della Boemia ed Austria il porto di Fiume con il suo territorio sia **incorporato col regno di Croazia,** conseguentemente che per l'avvenire mediante **il consiglio regio della Croazia** dalla sola cancellaria aulica d'Ongaria abbiasi in quello l'ispezione e la direzione.«

Die Triester »intendenza« drängte damit jene Theile des »österreichischen« Küstenlandes, welche mit Kroatien und der Militärgrenze vereinigt werden sollten, ehestens übergeben werden. Schon am 18. April 1776 erschien der Commissair des Karlstädter Generalats in Fiume, um Zeng und Carlobago, so wie die Ansiedelungen an der linken Seite der Karolinenstrasse zu übernehmen, wovon wir später sprechen werden. Aber weder der Commissair der kroatischen Statthalterei, noch jener der »Intendenza« waren daselbst erschienen. Die

---

[1] Siehe Beilage 2.
[2] Siehe Beilage 3.

*

Intendanz entsendete ihrerseits den Grafen Scharffenberg, der schon am 26. April in Fiume einzutreffen hatte.

Gleichzeitig ersuchte diese Stelle mittels Zuschrift vom 23. desselben Monats den königl. dalm.-kroat.-slav. Statthalterei-Rath um Absendung seines Commissairs zur Uebergabe des Buccaraner und Kolonien-Territoriums, das mit der Militärgrenze vereinigt werden sollte. Im Eingange dieser Zuschrift[1] heisst es: „Da der dortige Commissair zur Uebernahme der dem Königreiche Kroatien („dem Königreiche Kroaten") von dem Kommerzial-Bezirke zugetheilten Plätze u. s. w. Der genannte königl. Statthalterei-Rath erwiederte hierauf der Triester Intendanz unterm 4. Mai desselben Jahres, dass er seinen Commissair nach Fiume nicht absenden könne, da er von Sr. Majestät noch keine Befehle („ordines") wegen Einverleibung des „Küstenlandes" erhalten habe.[2]

So lange zwischen den Centralstellen in Wien alle Besprechungen und Vereinbarungen nicht beendet und alle Verhältnisse in's Reine gebracht wurden, bekam der königl. kroatische Statthalterei-Rath keine dienstliche Verständigung von der Einverleibung Fiumes und des kroatischen Litorales. Der Intendanz musste jedoch diess schon früher bekannt gegeben werden, weil sie alles zur Uebergabe vorzubereiten hatte. Sie hielt sich auch in der That von jenem Augenblicke aller Pflichten gegenüber von Fiume und seinen Bürgern für entbunden. Diess ersieht man auch aus einer Zuschrift der Intendanz an den königl. kroatischen Statthalterei-Rath vom 25. Juni 1776 mit welcher sie unsere oberste Landesbehörde angeht, dass sie die Angehörigen Fiume's, die sich im Triester Waisenhause befinden, nach Fiume übersetzen lasse, da sie zur dortigen Jurisdiction gehörten („zu dortigen Jurisdiction gehörigen Personen und Kinder"). Aber auf diese Zuschrift erwiederte der kroatische Statthalterei-Rath unterm 8. Juli desselben Jahres, dass er in dieser Beziehung nichts thun könne, da Fiume noch ausserhalb seiner Jurisdiction liege.[3]

Während einiger Monate befand sich daher Fiume in einer unangenehmen Ungewissheit. Es war bekannt, dass die alten Bande, welche es an Triest fesselten, gelösst seien; aber die neuen waren noch nicht angeknüpft. Am 26. April 1776 wurde zwar Josef Majláth de Székhely zum Gouverneur von Fiume und Obergespan des Severiner Comitates ernannt;[4] aber es musste noch vieles früher geordnet werden, bevor derselbe sein neues Amt antreten konnte. Unter diesen

[1] Siehe Beilage 4.
[2] Das Original befindet sich im kroat. Landesarchiv.
[3] Quod cum Flumen urbs extra iurisdictionem regii istius Consilii constituatur, circa recipiendos istiusmodi pauperes nihil abhinc disponi potest."
[4] Siehe Beilage 5.

Umständen fragte sich der Hauptmann-Amtsverwalter von Fiume an: in welcher Weise die Einnahmen und Gebühren der dortigen Kassa behandelt werden sollen, worauf die Triester Intendanz mittels Zuschrift vom 23. April 1776 erwiederte, dass im Sinne des a. h. Hofdekretes vom 13. desselben Monats alle Einnahmen und Gebühren in Fiume bis zur Uebergabe einiger Kommerzialbezirke an das Königreich Kroatien und das Karlstädter Generalat („bei der allergnädigst verordneten Uebergabe einiger Kommerzialbezirke an das Königreich Kroaten und das Karlstädter Generalat“), auf Rechnung des allgemeinen Kameral-Zahlamtes, zu übernehmen und zu verwalten seien. Diese Anordnung gab der Hauptmann-Amtsverwalter von Fiume allen Vorständen der königlichen Kassen in der Stadt unterm 4. Mai desselben Jahres bekannt.[1] Ebenso hat der Hauptmann-Amtsverwalter von Fiume Baron Johann Gerliczy am 3. Juni 1776[2] bei der inneröstereichischen Regierung um eine Instruktion gebeten: wie man sich in jenen Fällen zu benehmen habe, wo eine Berufung an höhere Behörden zu geschehen pflege und in welchem Wege die dienstlichen Berichte allerhöchsten Orts zu unterbreiten seien, nachdem mittlerweile die Thätigkeit der Triester Haupt-Intendanz aufgehört und der königl. kroatische Statthalterei-Rath die Aufsicht und Leitung des Seeplatzes Fiume und seines Gebietes noch nicht übernommen habe; (hingegen obgedachtes kroatisches Consilium regium mit der Aufsicht und Leitung den Anfang noch nicht gemacht hat.“) Im Sinne des a. h. Hofreskriptes vom 14. Februar des genannten Jahres erschien dem Hauptmann von Fiume eine solche Instruktion um so nothwendiger, als er die Ueberzeugung hegte, dass noch längere Zeit bis zur Uebergabe dieser Seestadt an das Königreich Kroatien verstreichen wird („dass es mit der Uebergabe dieses Seeplatzes an das Königreich Kroaten noch längerhin anstehen dürfte.“) Die Grazer Regierung antwortete am 14. Juni 1776 dem Baron Gerliczy, indem sie ihm in Kürze die in Folge a. h. Entschliessung vom 14. Februar desselben Jahres eingetretenen Veränderungen und die neue Einrichtung des Triester Guberniums, wie solches zu Anfang dieses Abschnittes beschrieben wurde, auseinandersetzte. Da die neuen Einrichtungen in Triest für Fiume, dessen Verhältniss noch nicht festgestellt war, keine Geltung hatten, fügte die genannte Regierung am Schlusse ihrer Antwort bei: „dass von dem übrigen (nicht österreichischen) Küstenlande die Berufung an das Kommerzialgericht zweiter Instanz in Triest aufzuhören habe, nachdem Seine Majestät anzuordnen geruht hatte, dass Fiume, Buccari, Buccariza, Portoré und die Karolinen-Strasse dem König-

[1] Beide Urkunden befinden sich in Abschrift bei mir.

[2] Siehe Beilage 6.

reiche Ungarn, dessen besondern Theil sie ausmachen, einzuverleiben, Zeng und Carlobago aber der Militärgrenze zu übergeben seien." [1]

Eben so wendete sich Baron Gerliczy an die Kaiserin Maria Theresia in seiner Repräsentation vom 5. Juli desselben Jahres mit der Bitte um Deckung des Abganges von 4037 fl. 15¹/₄ kr., welcher für städtische und Verwaltungs-Zwecke in der dortigen Kommerzialkassa entstanden war, und um welche man schon im Monate Dezember 1775 im Wege der soeben aufgelösten, „Intendenza" gebeten hatte. In dieser Repräsentation, auf welche eine befriedigende Antwort mit dem Reskripte [2] der königl. ungarischen Hofkanzlei vom 12. September desselben Jahres erfolgte, wird abermals der allerh. Entschliessung vom 14. Februar d. J. Erwähnung gethan, welche die Vereinigung der Stadt Fiume mit dem Königreiche Kroatien bestimmt (den Seeplatz Fiume mit seinem Territorium dem Königreiche Kroatien einzuverleiben).

Auf diese Art verstrichen mehrere Monate bevor der obersten Landesbehörde Kroatiens dienstlich bekannt gegeben wurde, dass Fiume Kroatien einverleibt worden sei. Aber die Sache selbst erfuhr der königl. kroatische Statthalterei-Rath aus einem Erlasse [3] der königl. ungarischen Hofkanzlei vom 26. Juli 1776 an Josef Majláth, wie auch aus dem a. h. Reskripte vom 29. Juli 1776 mittels dessen ihm aufgetragen wird, dass den Fiumaner Mitgliedern des Jesuitenordens die rückständigen Pensionen aus dem kroatischen Exjesuitenfonde vorzuschiessen sind. Und der königl. kroatische Statthalterei-Rath entsprach diesem Auftrage, indem er am 8. August d. J. dem Verwalter des Fondes darnach die Weisung gab mit dem Beifügen, „dass ohnehin der Fiumaner Fond bald mit dem kroatischen Exjesuitenfonde werde vereinigt werden." [4] Nur um einen Tag später hat dann die Krone die ungarisch-kroatischen Landes-Behörden von der Einverleibung Fiumes zu Kroatien verständigt und dem gemäss das Erforderliche veranlasst. Die Kaiserin Maria Theresia hat nämlich im Wege der königl. ungarischen Hofkanzlei unterm 9. August 1776 Nr. 3936 ein umfangreiches Reskript [5] ergehen lassen, in welchem nicht allein die Einverleibung Fiume's bekannt gegeben, sondern auch die Art der Durchführung derselben vorgeschrieben wird. Ein gleicher Erlass mit demselben Datum wurde von der königl. ungarischen Hofkanzlei an den königl. ungarischen Statthalterei-Rath gerichtet und dieser [6] gab

[1] Siehe Beilage 7.
[2] Die Repräsentation des Baron Gerliczy und der Hofkanzlei befindet sich in Abschrift bei mir.
[3] Siehe Beilage 8.
[4] Im kroat. Landesarchiv
[5] Siehe Beilage 9.
[6] Der Erlass der kön. ung. Hofkanzlei an den kön. ung. Statthalterei-Rath

die a. h. Entschliessung allen, insbesondere den städtischen Munizipien unterm 5. Sept. 1776 Nr. 1776 bekannt. Mit dieser Anordnung müssen wir uns etwas länger befassen.

Der erste Absatz dieser a. h. Entschliessung lautet in der Uebersetzung wie folgt: „Gleichzeitig als es uns angemessen schien zu bestimmen, dass die Handelsangelegenheiten (nachdem der Hofkommerzien-Rath aufgehört hat) in unsern erbländischen Provinzen von den betreffenden politischen Provinzial- und Hofbehörden gehandhabt werden, beschlossen wir gnädigst aus mütterlicher Sorgfalt für die Interessen und den Fortschritt des bisherigen Handels in Ungarn und in den mit ihm vereinigten Theilen, und zum Beweise unserer k. k. Gewogenheit: dass die Stadt Fiume mit ihrem Hafen, so wie die Buccaraner Güter in so weit sie (von Karlstadt gegen Fiume gehend) auf der rechten Seite der Karolinenstrasse liegen, und überdies die Stadt Karlstadt, die zu einer königlichen Freistadt zu erheben ist, unmittelbar dem Königreiche Kroatien einverleibt werden; während Buccari, Buccariza und Portoré, die auf der linken Seite der Karolinenstrasse liegen, an die Militärgrenze zu überlassen sind; dass ferner aus den einzuverleibenden Theilen ein neues Comitat zu bilden und dieses nach Art der übrigen Comitate in allem (mit Ausnahme jener Angelegenheiten, die mit Rücksicht auf den Handel der Verwaltung des Guberniums vorbehalten sind) dem königl. kroatischen Statthalterei-Rathe untergeordnet und seine Jurisdiction zugewiesen werden. Indem wir endlich aus unserer erwähnten mütterlichen Sorgfalt und Voraussicht, Willens sind, den Handel im Territorium und in der Stadt Fiume durch eine geordnete und systematische Handhabung in einen bessern Stand zu setzen, haben wir gnädigst befunden, unseren wohlgebornen und getreuen Josef Majláth de Székhely, ehemaligen Hofrath und Referenten bei unserer Hofkammer, der Stadt und dem Hafen von Fiume in der Eigenschaft eines Gouverneurs, mit dem gleichen Wirkungskreise und denselben Vorrechten, wie sie der Graf Zinzendorf in Triest hat, vorzusetzen und ihn gleichzeitig zum Obergespan des Comitates zu ernennen, welches aus den neu ein-

---

wurde im Werke: „Jura regni Croatiae von I. Kukuljević I. 453." nach der Urkunde abgedruckt, die sich in unserem Landesarchiv befindet. Mit ihm stimmt, mit Ausnahme des Titels das Cirkulär der ung Statthalterei wörtlich überein, welches im „Pozor" d. J. Nr 46 abgedruckt ist. Wir drucken diese beiden Urkunden nicht allein desshalb hier nicht ab, weil sie schon gedruckt sind, sondern weil sie nur Auszüge des umfangreicheren Reskriptes der Königin an den dalm.-kroat.-slav. Statthalterei-Rath enthalten, welches Reskript wir deshalb seinem vollen Inhalte nach unter Beilage 9 mittheilen.

zuverleibenden Gebietstheilen zu bilden ist und den Namen Severiner Comitat zu führen hat."

Aus diesem Absatze sieht man deutlich, dass zu Folge a. h. Entschliessung die Stadt Fiume mit ihrem Hafen, dann die Buccaraner oder ehemaligen Zrinji-Frankopanischen Güter auf der rechten Seite der Karolinenstrasse, so wie die Stadt Karlstadt unmittelbar Kroatien einverleibt wurden; dass ferner aus diesen Gebietstheilen das Severiner Comitat zu bilden und gleich jedem andern kroatisch-slavonischen Comitate dem königl. kroatischen Statthalterei-Rathe zu unterordnen, endlich dass in Fiume ein Gubernium nach Art jenes in Triest zu errichten war.

Zur Uebernahme Fiume's und des Küstenlandes aus den Händen der Commissaire der böhmisch-österreichischen Hofkanzlei, welch letzterer Fiume nach Aufhebung des Hofkommerzienrathes, provisorisch unterordnet wurde, bestimmte die Königin von Seite des königl. kroatisch-slavonischen Statthalterei-Rathes die Räthe desselben, Grafen Stefan Niczky und Nikolaus Škrlec. Diese Commissaire hatten Fiume und das Küstenland in Gegenwart des Gouverneurs Majláth, der auch gleichzeitig Commissair der königl. ungarischen Hofkammer war, zu übernehmen; der Zeitpunkt der Uebernahme sollte zwischen dem kroatischen Statthalterei-Rath, den Commissairen und dem Gouverneur von Fiume vereinbart werden.

Im Sinne des erwähnten a. h. Reskriptes hatte der königliche kroatische Statthalterei-Rath seinen Commissairen eine Instruktion zu ertheilen. Die Hauptgrundsätze dieser Instruktion sind in demselben Reskripte angegeben. Hiernach hatten die Commissaire zuerst Fiume und das Küstenland zu übernehmen, dann zu bestimmen welche der neueinverleibten Gebietstheile an Civil-Kroatien zuzufallen haben und welche der Militärgrenze zuzuweisen sind. Wenn die Commissaire alles dies vollbracht, dann haben sie die einverleibten Territorien dem Kammer-Commissair, Gouverneur von Fiume und Obergespan des Severiner Comitats Josef Majláth zu übergeben.

Bezüglich Karlstadt's wird in diesem a. h. Reskripte angeordnet, dass diese Stadt „in Allem nach Art der übrigen königl. ungarischen Freistädte und nach den Landesgesetzen einzurichten ist," und dass sie anzuweisen sei, wegen Behebung des Stadtprivilegiums die erforderlichen Schritte zu thun. In Betreff Fiume's lautet die Instruktion dahin (Punkt 16): dass man seitens des Gouverneurs und des kroat. Statthalterei-Rathes das Gutachten erwarte „ob die Stadt Fiume gleich Karlstadt zur königl. Freistadt erhoben und nach den für die Städte in Ungarn bestehenden Gesetzen verwaltet werden soll." Während daher in diesem Reskripte die Stadt Karlstadt definitiv und zwar nach den für königl. Freistädte in Ungarn geltenden Gesetzen einzurichten ist, wird die definitive Einrichtung der Stadt Fiume aus kommerziellen Rücksichten in suspenso gelassen, bis der Gouverneur und der kroat. Statthalterei-Rath diese besonderen Verhältnisse reiflich erwogen und einen besondern Antrag gestellt haben werden: ob Fiume als königl. Freistadt oder mit Rücksicht auf den Handel anderswie einzurichten sei. Zur Förderung des Handels ordnet schon dasselbe Reskript an, „dass der Hafen von Fiume dieselben Privilegien geniesse, wie jener von Triest und dass auch ferner die Ausfuhr jener Naturprodukte in's Ausland, an denen Ungarn Ueberfluss hat, gestattet werde, wenn deren Ausfuhr den übrigen erbländischen Provinzen nicht zum Nachtheil gereicht." Dasselbe Reskript enthält auch noch andere den Handel und die Industrie Fiume's betreffende Bestimmungen und diess auf Grund des erwähnten Protokolls der Central-Finanzbehörden vom 2. April desselben Jahres in gleichzeitiger Würdigung der Bemerkungen, die die königl. ungar. Hofkanzlei und der Hofkriegsrath über einzelne Punkte jenes Protokolls gemacht haben. — In Bezug auf die Errichtung des neuen Comitats wird festgesetzt: dass nach Einverleibung der besagten Territorien und Festsetzung der Grenze zwischen dem Provinziale und dem Militärgrenz-Gebiete, die Commissaire des königl. kroat. Statthalterei-Rathes und der Gouverneur von Fiume die Grösse und den Umfang des Bezirkes, welcher mit dem Provinziale zu vereinigen ist, zu bestimmen und zu beurtheilen haben, ob der Bezirk die für ein Comitat hinreichende Grösse habe, oder ob ihm nicht etwas von dem ohnehin zu grossen Agramer Comitate zugeschlagen werden könnte. Im letzteren Falle sollen Vertrauensmänner auch des Agramer Comitats an der Verhandlung theilnehmen und soll auch der königl. kroatische Statthalterei-Rath diesfalls die Meinung des genannten Comitats einholen. Ebenso hatten der Gouverneur als Obergespan, und der Statthalterei-Rath bezüglich der Einrichtung des Comitats ihre Meinung zu unterbreiten, nämlich in wie viel Stuhlbezirke das Comitat einzutheilen wäre, welche Beamte und mit welchem Gehalte anzustellen wären, wo das Comitatshaus zu bauen, wo das Archiv aufzustellen wäre, wie viel an Steuern das Comitat abwerfen dürfte, etc.

Wie hieraus zu ersehen ist, wurde von der königl. Hofkanzlei mit dem königl. Reskripte vom 9. August 1776 allen ungarisch-kroatischen Behörden der definitive königl. Entschluss bekannt gemacht, Fiume unmittelbar dem Königreiche Kroatien einzuverleiben und auch eine Instruktion für die Commisaire, welche Fiume zu übernehmen und einzuverleiben haben, hinausgegeben — aber die Ausführung alles dessen so wie der Antrag wegen der Organisirung der Stadt wurde dem königl. kroatischen Statthalterei-Rathe als der obersten dalm.-kroat.-slav. Landesbehörde, so wie dem Fiumaner Gouverneur überlassen.

Josef Majláth und die Commissaire des kroat. Statthalterei-Rathes hätten gleich an's Werk gehen sollen, das ihnen die Krone anvertraut hatte; und der königl. kroatische Statthalterei-Rath hätte im Sinne des Punktes 16. des Reskriptes ohne Verzug im Königreiche die a. h. Entschliessung vom 9. August verlautbaren sollen, „damit die handeltreibenden Staatsbürger wissen, wie sie sich zu benehmen und wohin zu wenden haben." Der neuernannte Gouverneur hat sich auch wirklich aus Raab unterm 23. August des genannten Jahres an den Banus des Dreieinen Königreiches gewendet und ihm gemeldet, dass er nach dem 10. Sept. nach Agram kommen wird, um dem Banus seine Verehrung zu bezeugen und mit dem königl. Statthalterei-Rathe bezüglich seiner Mission das Nöthige zu vereinbaren. Majláth, ehemaliges Mitglied der königl. ungar. Hofkammer, er, der in allen Fiume betreffenden Commissionen mitgewirkt hat, er, der als königl. Commissair, als Obergespan und Gouverneur, sicherlich gut informirt war, mit welchem Lande, ob mit Kroatien oder mit Ungarn, Fiume einverleibt wurde, er schreibt dem Banus des Dreieinen Königreichs folgendermassen [1]: „Euer Excellenz, hochgeborner Graf und Banus, gnädigster Herr! Wiewohl die Einverleibung Fiume's, dann eines Theiles des ehemaligen Kommerzial-Bezirkes, in so weit er rechts von der Karolinenstrasse gelegen, endlich der Stadt Karlstadt in die Jurisdiktion der erblichen ungar. Provinzen, und namentlich des Königreichs Kroatien schon vor mehreren Monaten von Seiner Majestät a. g. beschlossen und mir schon mit Ende des Monats April die Verwaltung theils als Gouverneur und theils als Obergespan anvertraut worden ist: so konnte ich doch nicht früher schriftlich Euer Excellenz jenen tiefen Respekt bezeugen, den ich Hochdenselben als der ersten Person und dem Präsidenten dieser Königreiche schulde, u. z. aus der Ursache, weil mir von dieser neuen Bestimmung (nachdem über ihre Durchführung täglich so viel Gegenstände zur Berathung kamen) der a. h. Befehl Seiner Majestät erst am 22. d. M. zukam. Während ich daher in Hinkunft diese neuen Aemter zu verwalten habe und in der Eigenschaft eines königlichen Commissairs nach Kroatien kommen werde, ist es mein Erstes, Euer Excellenz unterthänigst zu bitten, Hochdieselben mögen mein Streben, welches mich bei Durchführung der a. h. Absichten zum Fiumaner des meiner Sorgfalt anvertrauten Bezirkes leiten wird, durch Euerer Excellenz und des Hochderselben Präsidium untergeordneten königl. Statthalterei-Rathes gnädige Autorität und Mitwirkung gedeihlicher zu machen belieben."

[1] Siehe Beilage 10.

So bereitete sich Josef Majláth auf seine neue Arbeit vor. Er versprach bald nach Kroatien zu kommen und als kön. Kommissair bei der Einverleibung Fiume's so wie bei der Organisirung der einverleibten Theile mitzuwirken. Aber der königl. dalm.-kroat.-slav. Statthalterei-Rath war noch immer nicht vorbereitet. Derselbe unterbreitete aus seiner am 2. September 1776 unter dem Vorsitze des Banus, in Gegenwart der Statthalterei-Räthe: Bischof Vernek, Baron Malenić, Grafen Niczky, Nikolaus Škrlec, als Referent, Komarom und Hajnal, abgehaltenen Sitzung der Krone eine Repräsentation, in welcher er vom Standpunkte der Verfassung und des Staatsrechtes des Dreieinen Königreiches einige Bemerkungen zu dem a. h. Reskripte vom 9. August machte.[1] Diese Bemerkungen betrafen nicht den Akt selbst der Einverleibung Fiume's und des Küstengebietes; denn der Statthalterei-Rath erkannte es sogar dankbar an, dass hiedurch die Krone nur das erfüllt habe, was ältere und neuere Gesetze deutlich anordneten „de partibus his maritimis ac praesertim portu Buccarensi regno Croatiae postliminio reapplicandis.“ Die Bemerkungen des königl. Statthalterei-Rathes zielten dahin ab, die Krone zu bewegen, dass sie diese Sache im Einvernehmen mit den Ständen erledige und diess umsomehr, als es sich im Sinne des Reskriptes vom 9. August darum handle, dass ein bedeutender Bezirk von Kroatien an die Militärgrenze abgetreten, dann die Stadt Zeng in die Jurisdiktion der Militärgrenze übergeben, ferner ein neues Comitat gebildet und zu diesem ein bedeutender Distrikt des Agramer Comitats geschlagen werde, endlich weil durch diese Veränderung die Interessen einiger adeliger Familien in Frage kommen. „Nachdem nun — so schliesst der Statthalterei-Rath — diese ganze Angelegenheit, möge es sich hiebei um einen Gewinn oder Verlust handeln, unmittelbar die Rechte der Stände des Königreichs berührt und letztere durch Räthe aus der Mitte des Statthalterei-Rathes nicht vertreten werden können, nachdem ferner Euere Majestät bei Gelegenheit der Errichtung dieses Statthalterei-Rathes die Stände mit dem a. h. Reskripte vom 1. und beziehungsweise vom 11. August a. g. zu versichern geruht haben, dass ihr Wirkungskreis in politischen Dingen des Königreiches, unter welche zweifelsohne auch die in Rede stehenden gehören, unverletzt bleiben wird: so erachtet dieser königl. Statthalterei-Rath unterthänigst, dass Euere Majestät geruhen sollten, bevor noch die a. g. ernannte Commission an ihre Arbeit geht, diesen ganzen Gegenstand mit den Ständen des Königreiches in Verhandlung zu ziehen. Nachdem hiedurch die gesetzlichen Bedenken ausgeglichen und die Geister vorbereitet sein würden, würde sich der Gegenstand leichter und fester abmachen lassen.“

---

[1] Siehe Beilage 11.

Auf diese Repräsentation des dalm.-kroat.-slav. Statthalterei-Rathes erliess die Königin Maria Theresia an denselben das Reskript vom 16. September 1776. In diesem Reskripte [1] hält sich die Königin an ihre Entschliessung vom 9. August 1776 und dies umsomehr, weil, wie sie sagt, die Bemerkungen und Bedenken, die der Statthalterei-Rath in seiner Repräsentation anführt, auch der Krone nicht unbekannt waren, ja alles dies früher schon durchdacht, erörtert und erschöpft worden ist. Deshalb fordert sie den Statthalterei-Rath auf, dass er sich der erwähnten Anordnung vom 9. August füge und dieselbe ausführe. In Folge dessen hat der Statthalterei-Rath, den unwiderruflichen Willen der Krone sehend, am 2. Oktober 1776 die a. h. Entschliessung vom 9. August allen Behörden und Munizipien des Dreieinen Königreichs [2] bekannt gegeben und dieselben beauftragt die weitere Verlautbarung in ihrem Bereiche zur Darnachachtung für diejenigen, die es angeht, zu veranlassen. In dem bezüglichen Cirkulare des Statthalterei-Rathes sind im getreuen Auszuge alle jene Absätze der a. h. Entschliessung vom 9. August wiedergegeben, welche sich auf die Einverleibung Fiume's mit Kroatien und die Errichtung des Guberniums in Fiume so wie des Severiner Comitats beziehen. Auf diese Art wurde bis zum 2. Oktober 1776 allen ungarischen, kroatischen und slavonischen Munizipien die Einverleibung Fiume's durch die betreffenden beiden obersten Landesbehörden, nämlich den ungarischen und den dalm.-kroat.-slav. Statthalterei-Rath kund gemacht.

Bei einem so entschiedenen Willen der Krone konnte der Statthalterei-Rath nicht länger zögern, sondern er entsandte aus seiner Mitte den Statthalterei-Rath Škrlec in's Küstenland. Diesem nun und Josef Majláth übergab der Commissair der vereinigten böhmisch-österreichischen Hofkanzlei, Baron Ricci, die Stadt Fiume mit ihrem Gebiete. Dieser feierliche Akt, durch welchen die Stadt Fiume nach so vielen Jahrhunderten in den Schooss des kroatischen Vaterlandes zurückkehrte und in den Verband der Länder der ungarischen Krone trat, wurde am 20. und den folgenden Tagen des Monats Oktober 1776 vollzogen. Und wie nahm Fiume dieses wichtige Ereigniss auf? Gerade so wie eine Tochter, die nach längerer Zeit wieder ihre Mutter umarmt. Fiume, welches noch am 9. März desselben Jahres vor Furcht erzitterte, dass es seinen früheren Herren vielleicht gelingen könnte, ihm die Rückkehr in seine alte Heimat [3] zu verhindern, zerfloss in Freude als der sehnlichst erwartete Tag kam. [4] In

---

[1] Siehe Beilage 12.
[2] Siehe Beilage 13.
[3] Vergl. den Brief aus dem städtischen Rathe an den Grafen Theodor Batthyani im städtischen Archiv zu Fiume. Bei mir in Abschrift.
[4] Bei dieser Gelegenheit wurden eine Menge Freudenlieder ausgegeben, von

dieser Freude hat jedoch Fiume nicht auf sich vergessen. Schon in diesen Tagen übergab der städtische Rath der ungarisch-kroatischen Commission ein kurzes Promemoria, in welchem es seine Wünsche bezüglich der Stellung der Stadt in dem neuen Verbande kund gab.[1] Darin wird gebeten, dass Fiume, so wie es bisher „keiner Provinz einverleibt oder mit derselben vereinigt war, auch in Hinkunft der heil. ungarischen Krone nur in der Art einverleibt und mit derselben vereinigt werde, wie alle übrigen zu Ungarn gehörigen Theile." Ferner, dass die der Stadt von Ferdinand I. und seinen Nachfolgern gegebenen Gesetze und Statute so wie die übrigen Vorrechte mit Ausnahme derjenigen, welche den Umständen gemäss geändert werden sollten, durch eine neue a. g. k. Urkunde bestätigt werden; dann, dass die Grundstücke und der Besitz der Stadt auch ferner von jeder Steuer und Auflage frei bleiben, ausser dem Zehente, der in der Regel dem Könige gegeben wird. Weiter, dass auch in Hinkunft der städtische Rath und die Stadtbehörde unter dem Vorsitze des Hauptmannes die städtischen Einkünfte verwalte. Schliesslich, dass den städtischen Patriziern und Adeligen die gleichen Rechte und Prärogative verliehen werden, wie sie der ungarische Adel geniesst. Im Uebrigen behielt sich der städtische Rath vor, sich mittels besonderer Repräsentation an Ihre Majestät selbst zu wenden.

Diess war die erste amtliche Berührung zwischen dem Stadtrathe von Fiume und der ungarisch-kroatischen Commission. In wie weit letztere die Wünsche der Stadt berücksichtigte werden wir weiter unten sehen.

Nachdem die Commission Fiume übernommen und einige Geschäfte erledigt, andere aber bis zu der Ankunft des Commissairs der Bank verschoben hatte, begab sie sich nach Buccari, wo derselbe Baron Ricci in Gegenwart der Beamten der Buccaraner Güter und des Kommerzialbezirkes auf der rechten Seite der Karolinenstrasse am 29. und 30. Oktober 1776 die Buccaraner Güter an die beiden Commissaire Nikolaus Škrlec und Josef Majláth übergab. Ausser diesen Beiden unterschrieb das betreffende Protokoll auch der Oberstlieutenant Franz Pavlić als Commissair von militärischer Seite. Die Beamten wurden aufgefordert, so wie ihrer früheren Behörde, jetzt „dem Gouverneur" und dem Severiner Comitate, dann sowohl der Civil- als auch der Kameralbehörde des Königreichs Kroatien und der heil. ungarischen Krone Gehorsam zu leisten (iurisdictionique tam provinciali cum et camerali J. regni Croatiae et s. regni Hungariae coronae.)"

---

welchen Engel einige Bruchstücke mittheilt: Staatskunde und Geschichte von Dalmatien, Kroatien und Slavonien. S. 346—47.

[1] Siehe Beilage 14.

Hierauf kehrte die Commission nach Fiume zurück, von wo am 5. November des genannten Jahres Nikolaus Škrlec dem königl. kroatischen Statthalterei-Rathe den Bericht sammt Protokollen über die Uebernahme und Uebergabe Fiume's und der Buccaraner Güter rechts von der Karolinenstrasse unterlegte.[1] Den zweiten Tag sollte die Commission wieder nach Buccari sich begeben und daselbst mit dem militärischen Commissair die Frage bezüglich der neuen Grenze auf der Karolinenstrasse zwischen dem Provinziale und dem Militärgrenz-Gebiete erledigen. Hierauf hatte sie die Absicht die innere Organisirung der Stadt Fiume in Angriff zu nehmen.

Bei Bestimmung der Grenze zwischen dem Provinziale und der Militärgrenze begegnete die Commission einigen Schwierigkeiten. Das Reskript vom 9. August 1776 bestimmte als Grenze die Karolinenstrasse, so zwar, dass die Gebietstheile auf der rechten Seite dieser Strasse zum Provinziale, und auf der linken zur Militärgrenze geschlagen werden sollte, welch' letztere hiedurch für Karlstadt entschädigt sein würde u. s. w. Hiernach hätte Buccari, Buccariza, Portoré und ein Theil des Kommerzialbezirkes auf der linken Seite der Karolinenstrasse an die Militärgrenze abgetreten werden sollen. In demselben Reskripte, Punkt 15. war, zur Vermeidung von Collisionen zwischen den Provinzial- und Militärgrenz-Behörden, auch festgesetzt, dass die damals auf einer Seite der Strasse wohnhaften Grundbesitzer, wenn der grössere Theil ihres Besitzes auf der anderen Seite liegt, auf diese übersiedeln sollen, nur damit sie nicht gleichzeitig Unterthanen von Provinzial- und Grenz-Kroatien würden, diese Verfügung entsprach nicht ganz der Willensmeinung der Militärbehörde. Sie verlangte, dass von Novigrad gegen Ogulin nicht die Karolinenstrasse, sondern der Fluss Dobra die Grenze bilde; dass ferner der Militärgrenze nicht blos ein Ufer der Fiumara zugewiesen werde, sondern das ganze Gebiet von der Brücke über die Fiumara längs der Karolinenstrasse. Diese Anstände bei Feststellung der Grenze zwischen dem Provinziale und der Militärgrenze berichtete die Commission dem königl. dalm.-kroat.-slav. Statthalterei-Rathe, welcher mit der Verordnung vom 18. Oktober desselben Jahres der Commission eine andere Instruktion ertheilte.[2] Zu diesen Schwierigkeiten kamen noch andere von Seite des Agramer Comitates hinzu. Aus seiner Congregation nämlich vom 18. November 1776 unterbreitete das genannte Comitat dem königl. Statthalterei-Rathe unterm 2. Oktober desselben Jahres eine Repräsentation,[3] in welcher es bittet, Ihre Majestät von der angeordneten Vereinigung des Distriktes auf der linken Seite der

---

[1] Siehe Beilage 15.
[2] Siehe Beilage 16.
[3] Siehe Beilage 17.

Karolinenstrasse mit der Militärgrenze so wie von der Abtrennung eines Theiles des Agramer zu Gunsten des neuen Severiner Comitats, abzubringen. Das Comitat motivirt seine Bitte vom Standpunkte der Verfassung, von welchem aus eine Abtrennung oder Zerstückelung irgend eines Theiles der Länder der ungarischen Krone ohne den Landtag weder beschlossen noch angeordnet, noch durchgeführt werden kann, und vom Standpunkte des Rechtes sowohl des Dreieinen Königreichs als auch des Agramer Comitats. Bezüglich des ersten bemerkt das Comitat unter Anderem Folgendes: „wir sind durch die Militärgrenze, welche nichts anderes als ein mit dem vergossenen Blute des treuen Adels erworbenes Erbe ist, bereits so zusammengeschrumpft, dass — vergleicht man das Warasdiner und Karlstädter Generalat und das übrige Militärgrenz-Gebiet mit dem jetzigen Provinziale uns kaum der achte oder neunte Theil des Ganzen gelassen wurde, was ein so kleiner Rest ist, dass von ihm zum besagten Zwecke wohl nichts mehr abgetreten werden kann.“ In Bezug auf den zweiten Standpunkte macht das Comitat geltend, die küstenländischen Territorien, die im Gesetze die Frankopan-Zrinjischen benannt werden, ein Bestandtheil des Agramer Comitates sind, desshalb möge man dieselben, so wie die Städte Fiume und Karlstadt, welch' letztere in politischer Beziehung nach Art der übrigen königl. ungarisch-kroatischen Freistädte verwaltet werden könnte — dem Agramer Comitat einverleibt werden. Das Agramer Comitat hat daher ebenfalls anerkannt, dass durch die Einverleibung Fiume's und des Litorales nur dem Gesetze Genüge geleistet wurde; aber es hat nicht gut geheissen, dass der Militärgrenze einige Territorien einverleibt werden, am allerwenigsten ohne Mitwirkung des Landtags, und dass zu Gunsten eines neuen Comitates, das nur im konstitutionellen Wege errichtet werden könnte, das Agramer verstümmelt werde. Das Agramer Comitat vertheidigte somit denselben Standpunkt, für welchen auch der königl. Statthalterei-Rath in seiner Repräsentation vom 2. September 1776 gekämpft hatte. So wach war das Rechtsbewusstsein unserer Vorfahren!

Während die Verhandlung über den Gegenstand dieser Repräsentationen fortdauerte, beschäftigte sich die Commission mit der Organisirung Fiume's. Um zu diesem Behufe zu erfahren, welche öffentliche Administration am meisten dieser Stadt in ihrem neuem Verbande mit den ungarischen Erbkönigreichen zusagen würde, verlangte die Commission vom städtischen Rathe unterm 14. Dezember 1776 eine Aeusserung über einige Fragen. Sie fragte nämlich um die städtischen Vorrechte und Statute, um die patrizischen Familien und ihre Rechte, um den Wirkunskreis des städtischen Rathes und des Vikargerichtes u. s. w., dann um die übrigen Angelegenheiten in Bezug auf Verwaltung, Einkünfte und Handel. Die Commission wollte zuerst genaue

Kenntniss haben von dem damaligen Zustande der Stadt, damit sie im Stande sei auf dieser sicheren Grundlage, dem erhaltenen Auftrage gemäss, die künftige Verfassung dieses Seeplatzes und sein Verhältniss zu den damaligen kroatischen und ungarischen Behörden zu beantragen. Die Aufforderung der Commission wurde in der, unter dem Vorsitze des Gouverneurs am 15. Jänner 1777 in Gegenwart der beiden Richter Anton V. Barčić und Franz Rossi-Sabbatini und der übrigen 23 Patrizier abgehaltenen Sitzung des städtischen Rathes verlesen. In dieser Sitzung wurde über Antrag des Stadtrichters beschlossen, die Ausarbeitung des Berichtes über die Aufforderung „der löbl. königl. kroatisch-ungarischen Commission" einem Ausschusse anzuvertrauen, in welcher die Räthe Anton Monaldi, Fr. de Steinberg, gewesener Richter des vergangenen Jahres, den A. N. Calli und M. de Zanchi mit der weiteren Bestimmung gewählt wurden, dass ihnen noch die beiden Richter des damals laufenden Jahres sowie der Sekretär Anton de Terzi beizugeben sind.[1]

Indem auf diese Art nach vorhergegangener Anhörung des städtischen Rathes die vorbereitenden Schritte zur definitiven Organisirung Fiume's gemacht wurden, fingen die obersten Behörden an, über Fiume ihr Amt auszuüben, wobei sie es als einen Bestandtheil Kroatiens betrachteten. So wurden die Fiumaner Schulen mit der a. h. Entschliessung vom 20. Dezember 1776 ausdrücklich dem Schulendirektor beim königl. dalm.-kroat.-slav. Statthalterei-Rathe untergeordnet. Diese oberste Behörde nahm Einfluss auf die Angelegenheiten Fiume's und sandte unterm 16. Jänner 1777 dem Gouverneur den Entwurf eines Zolltarifes zur Begutachtung. Dieselbe übermittelte durch den Civil-Kapitän dem städtischen Rathe seine Anordnungen, Erledigungen und Bekanntmachung, wie man diess z. B. aus dem Protokolle des Statthalterei-Rathes vom 26. Juni desselben Jahres u. s. w. ersehen kann. Josef Majláth fing in der Eigenschaft eines Civil-Kapitäns seine Amtswirksamkeit an. Er präsidirte in den Sitzungen des städtischen Rathes; er ernannte durch seinen Bevollmächtigten de Orlando in der Sitzung vom 11. November 1776 den Anton Barčić zum Gubernial-Richter (judex capitanialis), für das künftige Jahr, während der städtische Rath zu seinem Gemeinderichter den Franz Rossi-Sabbatini erwählte. Er erliess aus der Rathssitzung vom 3. Februar 1777 einige Anordnungen bezüglich einer besseren und pünktlicheren Gerichtspflege.[2] Fiume wurde daher schon nach dem 20. Oktober 1776 als ein Theil von Kroatien betrachtet, nur blieb dessen innere Verfassung noch unvollendet.

Langsamer ging die Errichtung des Severiner Comitats vor sich. Wohl hatte der königl. dalm.-kroat.-slav. Statthalterei-Rath, wie aus

---

[1] Siehe Beilage 18.

[2] Aus dem Landesarchive theils in Originale, theils in Abschrift.

seinem Erlasse vom 14. Jänner 1777 an Josef Majláth hervorgeht, dem Agramer Comitate aufgetragen, seine Vertreter zu senden, welche bei der Durchführung der a. h. Entschliessung vom 9. August 1776 mitzuwirken hätten; aber das Comitat beschloss in einer besondern Kongregation, bei seinem Beschlusse vom 18. November zu verharren. Obwohl nun der königl. Statthalterei-Rath in seinen Vorträgen vom 11. und 28. April 1777 die Motive des Comitats bei der Krone unterstützte, so hat doch die Königin mit dem Reskripte vom 2. Mai des genannten Jahres sowohl den Statthalterei-Rath als auch das Comitat zur unverweilten Durchführung ihrer oft erwähnten Entschliessung angewiesen. Und dennoch blieben die Bemühungen des königl. Statthalterei-Rathes und des Agramer Comitates nicht ohne Erfolg, insbesondere in Bezug auf die Vergrösserung des Severiner Comitats. Denn, zur Erweiterung des Handels und „um den wiederholt geäusserten Wünschen Kroatiens bezüglich des Küstenlandes so viel als möglich zu entsprechen," ergänzte die Königin ihre Entschliessung vom 9. August 1776 mit ihrem Reskripte vom 5. September 1777, indem sie anordnete, „dass noch die Häfen Buccari, Buccariza und Portoré mit den Kolonien an der Karolinenstrasse und dem daselbst bestandenen Kommerzialbezirke Kroatien unmittelbar einverleibt werden."

Auf diese Art wurden die ehemaligen Frankopan-Zrinjischen oder Buccaraner Güter, von welchen der links an der Karolinenstrasse gelegene Theil der Militärgrenze vorbehalten war (9. August 1776), Civil-Kroatien wieder einverleibt. Von den Buccaraner Gütern wurden die Häfen Buccari, Buccariza und Portoré mit den zugehörigen Ortschaften der Jurisdiction des Gouverneurs von Fiume unterordnet, und der Kommerzialbezirk längs der Karolinenstrasse sammt den dortigen Kolonien, als Kameralherrschaft, bis auf weiteres der königl. ungar. Hofkammer übergeben. Mit diesem Gebiete wurde die neue Severiner Gespanschaft vergrössert.

Nach derselben a. h. Entschliessung waren die „Bestandtheile dieses Comitates: die Stadt und der Hafen Fiume mit Podbreg und Lopača, mit den drei andern Häfen: Buccari, Buccariza und Portoré, ferner sechs Kastellanate der Buccaraner Güter und die sogenannte Kolonialherrschaft, hiezu noch die Batthyánischen Herrschaften Brod und Grobnik so wie die Kameral-Gebirgsherrschaft Čabar; überdiess die jenseits der Kulpa gelegenen Severiner Herrschaften Bosiljevo, Ozalj, Ribnik, Berlog und Novigrad, endlich die Stadt Karlstadt." Die Gebietstheile des Agramer Comitats jenseits der Kulpa sollten am 1. November 1777 mit dem Severiner Comitat vereinigt werden, zu welchem Ende Josef Majláth zum königlichen Commissair ernannt wurde. Hingegen wurden zur Entschädigung der Militärgrenze für die ihr mit der a. h. Entschliessung vom 9. August 1776 zugedachten, jedoch nunmehr an das gedachte Comitat abgetretenen Gebietstheile, derselben zugewiesen: der Bezirk von Stenjičnjak mit dem Besitzthume der Paulaner in Kamensko, die Güter des Agramer Bischofs und Kapitels in der Banalgrenze, nämlich Sisek, ferner Sunja, Besitzung des Grafen Keglević, dann der Sichelburger Bezirk, endlich die Festung Karlstadt mit einem angemessenen Territorium, welches von der königl. Freistadt abzutheilen ist.

Buccari und die Buccaraner Güter, dann der Kommerzialbezirk sollten sogleich an Josef Majláth als kön. politischen und Kameral-Commissair übergeben werden, und in so lange die oben angeführte Entschädigung der Militärgrenze nicht geleistet wurde, mussten die Einkünfte jener Gebiete aus der Kameralkassa an dieselbe abgegeben werden. Zur Durchführung alles dessen wurde eine Commisson bestimmt, bestehend von politisch-kameralistischer Seite aus Josef Majláth und dem Rath Nikolaus Škrlec, von militärischer Seite für das Karlstädter und Banal-Generalat aus dem General Posche und dem Banal-Brigadier; endlich wurde auch der dalm.-kroat.-slav. Landtag aufgefordert, aus seiner Mitte zwei Commissaire zu wählen. [1] Die a. h. Entschliessung vom 5. September theilte der königl. Statthalterei-Rath am 25. desselben Monats dem Commissair Škrlec und dem Gouverneur Josef Majláth mit, um das darin Anbefohlene zu vollziehen und über den Vollzug zu berichten. [2]

Zu diesem Zweck und damit alles diess mit Wissen der Stände des Königreichs geschehe, wurde durch den Banus der Landtag auf den 27. Oktober 1777 nach Agram einberufen. Die Stände antworteten auf das Reskript vom 5. September mittels einer Repräsentation. [3] Sie nahmen zur angenehmen Kenntniss die a. h. Anordnung: „dass die Stadt und der Hafen Fiume, so wie die Buccaraner Güter und die Stadt Karlstadt, die zur königlichen Freistadt erhoben wird, unmittelbar dem Königreiche Kroatien einverleibt werden, ferner, dass aus diesen neu einverleibten Gebietstheilen ein neues Comitat gebildet werde, welches gleich allen übrigen Comitaten des Königreiches in Allem (ausser jenen Angelegenheiten, welche der Verwaltung des Fiumaner Guberniums vorbehalten sind) dem für diese Königreiche errichteten königl. Statthalterei-Rathe unterordnet werden.“ „Diese gesetzliche und wahrlich mütterliche Sorgfalt Euerer Majestät — so schreiben die kroatischen Stände — so wie die mit Erfolg gnädigst und mütterlich unternommene Durchführung jener Gesetze des Königreichs, welche in Betreff der Wiedereinverleibung der zur heil. Krone des König-

---

[1] Siehe Beilage 23. [2] Siehe Beilage 24. [3] Siehe Beilage 25.

'eichs Ungarn nach dessen Rechten gehöriger Theile bestehen — verɔhren wir unterthänigst und sagen dafür Euerer Majestät, unserer ıllergnädigsten Herrin, den unauslöschlichen Dank unserer Herzen."

Wie man aus diesen Worten deutlich sieht, hat der kroatische Landtag mit Freuden die a. h. Entschliessung bezüglich Vereinigung Fiumes und des Litorales mit Kroatien unmittelbar aufgenommen; ja ɾr betrachtete diese Einverleibung als einen Akt, den „die Gesetze les Königreiches" erheischten und seit lange schon verordneten; ɪielt ihn daher nur für eine Durchführung des Landesgesetzes. In lieser Beziehung gab es daher keinen Anstand. Aber die Stände hielten ɪich darüber auf, dass „das Küstengebiet, indem es dem Kölgreiche einverleibt wird, grossen Theils der Jurisliction und den Gesetzen des Königreichs entzogen und ɐiner abgesonderten gubernialen Verwaltung vorbeɪalten und untergeordnet werde." Denn nach den bestelenden Gesetzen (1715: 3, 1741: 8) dürften Gebietstheile und Beɪirke, die einverleibt werden „nicht nach dem Systeme anderer (österɾeichischer) Provinzen, sondern nach den eigenen, auf den Landtagen les Königreichs Ungarn votirten Gesetzen verwaltet werden; wenn laher (Küstentheile) nach den bestehenden Gesetzen mit dem Königreiche und seiner Jurisdiction wieder vereinigt werden, so kann die Jurisdiction oder Verwaltung eines Gouverneurs von Fiume in denselben ɪm so weniger zugelassen werden, als diese Verwaltung nicht im Sinne der Landesgesetze eingerichtet, ɪondern dem Wirkungskreise des Triester Gouverneurs nachgebildet ist." Deshalb baten die Stände „dass das Küɪtenland weder dem Fiumaner Gubernium noch irgend welcher andern, sondern im Sinne und Geiste der Geɪetze, der allein rechtmässigen Verwaltung unterordnet werde; und dass die neueingeführte Bezeichnung des Küstenlandes mit dem Namen „Bezirk von Fiume," wie einst die Benennung „österreichisches Küstenland," gegen welche sich ler Art. 30 des Landtags vom Jahre 1765 verwahrte, nicht zum Schaden den Rechten und der Jurisdiction des Königreiches gereiche. Der kroatische Landtag verwahrte sich daher nur gegen die Errichtung eines Guberniums in Fiume, als einer Behörde, die in der ungarisch-kroatischen Constitution nicht begründet ist, ja vielmehr ohne Einwilligung des Landtages von Aussen eingeführt wurde. Aus demselben Grunde widersetzten sich die Stände bezüglich des Severiner Comitats hauptsächlich der Absicht, dass im Sinne der a. h. Entschliessung dieses Comitat entgegen der Constitution des Königreichs „der gemischten Verwaltung theils des Obergespans und theils des Gouverneurs von Fiume"

*

anvertraut werden sollte, ganz abgesehen davon, dass an dasselbe ein Theil des Agramer Comitats, ohne Einvernehmen des ungarischen Landtags, abgetreten werden soll. In dieser Beziehung waren die Stände der Ansicht, dass auch ohne Verstümmlung des Agramer Comitats ein neues Comitat „aus dem ganzen Küstenlande, oder mit anderen Worten aus den Frankopan-Zrinjischen Herrschaften und aus dem Vinodoler Bezirke" gebildet werden könnte, und ein solches Comitat käme seinem Umfange nach vielen ungarischen Comitaten gleich.

In Bezug endlich auf die Bestimmung, dass zur sogenannten Entschädigung der Militärgrenze, Theile von Civil-Kroatien an dieselbe abgegeben werden sollen, drückten die Stände, ihren grossen Schmerz aus: „Allergnädigste Herrin! — lauten ihre Worte, nachdem sie angeführt hatten, wie viel schon zur Errichtung der Militärgrenze vom Königreiche abgetrennt worden — so grosse und so häufige Abtrennungen (excorporationes), haben dieses an sich kleine, aber stets treue Königreich betroffen, und es hat fast Alles, was es besitzt, zum Schutze des allgemeinen Besten, nämlich der heil. Krone und der erbländischen Provinzen, daher zu Nutzen und Diensten der durchlauchtigsten Herrscher geopfert; wir können daher nicht umhin, diese Abtrennung tief zu empfinden, und wenn ihren durch die Gnade Euerer Majestät und im Sinne der allergnädigsten Versprechungen und Diplome nicht schliesslich ein Ende gemacht wird, und sowohl die gegenwärtig beabsichtigten als alle künftigen nicht verhindert werden, dann müsste jede politische Behörde dieses Königreichs von selbst aufhören, was jedoch der Monarchie nicht zum Vortheile gereichen würde. Was hingegen jene Entschädigung für die küstenländischen Gebietstheile betrifft, geruhen Euere Majestät a. g. zu erwägen, „dass durch die Einverleibung des Küstengebietes dem Königreiche kein neues Territorium zuwächst, sondern hiedurch nach den Versprechungen der ung. Könige, Euerer Majestät Vorfahren, und Euerer Majestät selbst, nur dem Gesetze Genüge geleistet wird, wesshalb aus diesem Titel dem Königreiche die Leistung einer Entschädigung nicht zugemuthet werden kann." In Folge dessen baten die Stände, dass man von der Errichtung eines neuen Komitates und von der Abtrennung irgend eines Theiles von Civil-Kroatien abstehe; und wenn schon etwas in der einen oder der anderen Beziehung geschehen müsste, dass das Ganze „an den künftigen allgemeinen Landtag des Königreichs Ungarn gewiesen werde."

Auf diese Repräsentation erfolgte das a. h. königl. Reskript[1] vom 10. November 1777, in welchem die Königin bemüht ist, die

[1] Siehe Beilage 26.

Stände zu beruhigen und ihr konstitutionelles Gewissen zu beschwichtigen. Die Bestimmungen — sagt sie — dass aus den küstenländischen neueinverleibten Theilen ein neues Comitat gebildet und dasselbe dem königl. dalm.-kroat.-slav. Statthalterei-Rathe unterordnet werde, sei schon ein deutlicher Beweis, „dass die neueinverleibten Theile im Sinne und Geiste der Gesetze der rechtmässigen Verwaltung des Königreiches unterworfen werden.“ Und was das Gubernium anbelangt — bemerkt die Königin — so werden die Stände selbst einsehen, dass die Handelsangelegenheiten, wegen ihrer nothwendig schnellen Erledigung, einer besondern Verwaltung überwiesen werden mussten, wobei es wohl von keinem Belange sein kann, „ob dieser Verwaltung eine Person mit dem Titel eines Gouverneurs oder mit einem andern Titel vorstehe, und ob sie Gouverneur von Fiume oder Gouverneur des ganzen ungarischen Litorales heisse. Betreffend den Umstand, dass dem Gouverneur der gleiche Wirkungskreis wie jenem von Triest gegeben wurde, so sollten die Stände hierin mit Dank die a. h. Rücksicht erkennen, welche nur die Nation ehren wollte, in dem sie dem Gouverneur (von Fiume) keinen engeren Wirkungskreis (als jenem von Triest) anwies.“ In Bezug auf das neue Severiner Comitat bemerkt die Königin: dass sie mit ihrer diesfälligen Anordnung nur dem Wunsche der kroatischen Stände entsprochen, welche im letzten Landtage, 1764-5, baten, dass aus dem kroatischen Küstenlande das Vinodoler Comitat gebildet werde; und sie vermeint, dass es auch hierbei auf den blossen Namen nicht ankomme. — Auf die Bemerkung wegen Abtrennung einiger Theile erwiederte das königliche Reskript, dass man nur Gerechtigkeit gegen die Militärbehörde übe, welche einige Gebietstheile an das Provinzial abtrete, und dass diess auch höhere Rücksichten erheischen. Auf jenes Verlangen endlich, dass die Sache an den allgemeinen ungarischen Landtag gewiesen werde, spricht die Krone die Ueberzeugung aus, dass die ungarischen Stände nicht nur mit Freuden diese Anordnungen aufnehmen, sondern auch „ihre Inartikulirung“ verlangen werden. Aus diesem Grunde verlangt die Königin von unserem Landtage, dass er seine Bevollmächtigten im Sinne der besagten a. h. Reskripte absende.

Auch eine zweite Repräsentation der kroatischen Stände hatte keinen günstigeren Erfolg. Die Königin antwortete hierauf mit dem Reskripte vom 21. Dezember 1777 und sagte den Ständen unter anderem: „Wir sind genöthigt zu glauben, dass Euere Getreuen mehr Gewähr in ihren Beweisführungen suchen, als sie Vertrauen in unsere mütterliche Gnade und Sorgfalt haben.“

Bei dieser Unnachgiebigkeit der Krone übernahm der Obergespan Josef Majláth am 1. November 1777 aus den Händen der Militärbehörden Buccari, Buccariza und Portoré, so wie das Gebiet an der linken Seite der Karolinenstrasse, wies an demselben Tage den Bezirk jenseits der Kulpa des Agramer Comitates dem Severiner Comitate faktisch zu, und ordnete für den 10. November desselben Jahres die erste General-Kongregation dieses Comitates an; in dieser Kongregation sollte er beeidet, installirt und das neue Munizipium organisirt werden.

Die Organisirung Fiumes schritt in gleichem Masse fort. Wir sind daher schuldig, uns den innern Angelegenheiten dieser Stadt zuzuwenden, welche auch ein „integrirender Theil" des bisher ausführlicher besprochenen Severiner Comitates war.

Wir erwähnten weiter oben, dass in dem am 15. Jänner 1777 versammelten städtischen Rathe von Fiume ein Ausschuss gewählt wurde, welcher auf jene 20 Fragepunkte der ungar.-kroat. Commission die Antwort verfassen sollte. Nach einem halben Jahre, am 17. Juli, versammelte sich der städtische Rath, in der Anzahl von 22 Räthen, um die vom Ausschusse ausgearbeitete Antwort in Verhandlung zu nehmen. Der Sekretair de Terzi las den diesfälligen Entwurf vor.

Nach dreistündiger Berathung wurde der Entwurf angenommen und beschlossen, denselben baldigst der königl. ungar.-kroat. Commission zu übergeben. Diese erste Kundgebung des städtischen Rathes in dem neuen Verbande ist von grosser Wichtigkeit; denn in derselben werden nicht nur die Vergangenheit und der damalige Zustand Fiumes beschrieben, sondern auch seine Wünsche bezüglich seines künftigen Verhältnisses in dem neuen Verbande und seiner inneren Einrichtung ausgedrückt.[1] In dieser umfangreichen Schrift antwortet der städtische Rath zuerst auf die an ihn gestellten Fragen. Wir haben hievon bereits Einiges angeführt, als wir von der innern Einrichtung Fiumes vor dessen Vereinigung mit Kroatien sprachen und wollen uns hiebei nicht weiter aufhalten. Wichtiger für unseren Zweck sind die Wünsche der Stadt in Bezug auf ihr künftiges Verhältniss und ihre Einrichtung. Diese Wünsche formulirte der städtische Rath in 30 Punkten. In den ersten fünf derselben wird fast wörtlich alles dasjenige wiederholt, was bereits in der früher besprochenen, im Monat Oktober 1776 derselben Commission übergebenen Bittschrift angeführt wurde. Es wurde nämlich der Hauptwunsch wiederholt, dass Fiume mit seinem Territorium in derselben Weise, „wie die übrigen mit dem Königreiche Ungarn vereinigten Theile und Provinzen der heil. Krone des Königreichs Ungarn einverleibt werde;" dass der Stadt die ihr von Kaiser Ferdinand I. und seinen Nachfolgern verliehenen Gesetze und Statute mittels einer

---

[1] Siehe Beilage 19. Damit uns die Beilagen nicht zu sehr anwachsen, übergehen wir die historische Einleitung des Berichtes, da wir sie ohnehin im I. Theil dieser Abhandlung benützt haben.

neuen Urkunde bestätigt werden; dass sie auch ferner ihre Einkünfte selbst verwalte; dass ihre Patrizier und Adeligen als ungarische Adelige anerkannt werden. Den ersten Wunsch hat der städtische Rath in seinem neuen Memorandum, im Punkte 30, noch mit folgenden Worten wiederholt: „dass schliesslich diese Stadt, die mit dem Titel der getreuesten geschmückt ist, mit ihrem wenn gleich kleinen Territorium in Hinkunft als eine besondere Provinz betrachtet werde, wie wir bereits im 1. Punkte in ihrem Namen ergebenst gebeten haben, und dass sie an jenem Platze der löblichen Stände mit ihren Abzeichen geziert erscheine, an welchem sie sich selbst zum Ruhme und der heil. apostolischen Krone des Königreichs zur Ehre gereiche.“

Die übrigen Punkte beziehen sich grösstentheils auf Erleichterungen, die mit Berufung auf alte Privilegien für die Stadt verlangt werden; sie berühren unseren Gegenstand nicht, wesshalb wir sie übergehen. Wir wollen hier nur den Inhalt des Punktes 18 und 25 anführen. In dem erstern dieser Punkte wird gebeten, dass in Fiume ein Gericht erster Instanz für Civil- und Strafsachen errichtet werde; dieses Gericht sollte aus sieben Personen ausser dem königl. Fiskus bestehen und aus der Mitte des städtischen Rathes gewählt werden. Mit diesem Gerichte würden alle übrigen getrennten Gerichte vereinigt werden können, als da sind: das Handels- und Wechselgericht und Consulatus maris, ferner das Gericht in causis personalibus regiorum consiliariorum et officialium, endlich das Gericht in causis summi principis et commissorum. Im Punkte 25 bittet der Rath: dass der Fiumaner Bezirk vom Bisthum Pola getrennt und ein Bisthum in Fiume in der Art errichtet werde, dass entweder das Fiumaner Archidiakonat zu dieser Würde erhoben, oder das Bisthum von Pedena (in Istrien) nach Fiume verlegt werde; oder wäre es vielleicht angezeigt, das Pedenaer Comitat zu kaufen, selbes mit der königl. ung. Kammer und dem Severiner Comitate zu vereinigen, um hiedurch die Errichtung eines Bisthumes in Fiume leichter zu ermöglichen. Der städtische Rath war um sein neues Vaterland der Art besorgt, dass er den Wunsch aussprach: es mögen sich „die Grenzen des apostolischen Königreiches immer mehr und mehr zum Meere ausbreiten, damit hiedurch dessen Marine, dessen Handel und jeder Verkehr erwachse und erblühe.“

Dieses Memorandum der Stadt Fiume wurde am 1. Aug. 1777 von den beiden Richtern Barčić und Rossi-Sabbatini unterschrieben, den beiden königl. Commissairen und überdies auch dem Gouverneur Majláth übergeben.

Diese eben genannten königl. Bevollmächtigten nahmen dieses Memorandum in Verhandlung, verfassten darüber ein Protokoll mit ihrem Antrage bezüglich der Organisirung von Fiume und unterlegten das Ganze dem königl. dalm.-kroat.-slav. Statthalterei-Rathe. Aber während alles diess verhandelt wurde und bevor noch der königliche Statthalterei-Rath seine Anträge a. h. unterbreitete, unterlegte der Gouverneur Majláth, der sich indessen in den Angelegenheiten von Fiume orientirt hatte, im Sinne des ihm zu Theil gewordenen Auftrages der Königin am 13. August 1777, also einige Tage nach Erhalt des Fiumaner Memorandums, einen ausführlichen Bericht mit den bezüglichen Anträgen. In diesem Berichte [1] setzte der Gouverneur in Kürze die Art und Weise auseinander, in welcher die Fiumaner Angelegenheiten früher unter der Verwaltung der Triester Intendanz behandelt wurden, und stellt hierauf die Anträge, wie sie in Hinkunft zu behandeln wären. Der städtische Rath sollte in seinem Wirkungskreise verbleiben, und statt wie früher der k. k. Hauptmann, oder sein Stellvertreter, sollte der Gouverneur, in der Eigenschaft eines Civil-Kapitäns, oder sein Stellvertreter in demselben den Vorsitz führen. „Mit dem königl. dalm.-kroat.-slav. Statthalterei-Rathe sollte im Sinne des Hofreskriptes vom 9. Aug. 1776 in politischen und Verwaltungs-Angelegenheiten ein regelmässiger Verkehr unterhalten und demselben sowohl die Protokolle als auch die Repräsentationen des städtischen Rathes unterbreitet werden. Und der königl. Statthalterei-Rath sollte umgekehrt seine Intimate an den Gouverneur als städtischen Hauptmann richten.“ Die Gerichtsbarkeit sollte nach Majláths Antrag folgender Massen eingerichtet werden: Für Handelsprozesse bestände ein Handels- und Wechselgericht erster und zweiter Instanz, man würde sich daher von der ersten auf die zweite berufen, d. i. auf den Gerichtshof „revisorium guberniale,“ und von diesem sollte keine weitere Berufung stattfinden; denn die Natur solcher Prozesse leidet keinen Verzug;“ nur sollte der Rekurs an Seine Majestät im Wege der königl. ung. Hofkanzlei gestattet sein. „Was jedoch die Civilprozesse anbelangt — sagt der Gouverneur — in welchen man sich vom städtischen Gerichte berufen kann, so muss hiebei in Betracht gezogen werden, dass die Stadt Fiume einerseits in den Verband der ungarischen erblichen Provinzen getreten ist, anderseits aber würde es sich mit ihrem innern politischen Wesen nicht vertragen, noch würde es den Interessen des Handels entsprechen, wenn sie in eine königl. Freistadt umgewandelt werden sollte. Da aber die ungar. Gesetze Seiner Majestät dem Könige überlassen, Gerichte in jenen Fällen zu bestellen, für welche Richter und Gerichte nicht bestimmt sind: so wäre ich der Ansicht, dass die Berufungen in allen Prozessen von dem Gerichte der städtischen Richter an den städtischen Rath zu

[1] Siehe Beilage 20.

gehen hätten, welch' letzterem zur Vollständigkeit des Gerichtshofes ausser dem vorsitzenden Gouverneur, dem Sekretär und Schriftführer wenigstens noch zehn Beisitzer beizuwohnen hätten. Von diesem Revisionstribunale des städt. Kapitanats wären die einen mindern Werth als 1000 fl. betreffenden Rechtsangelegenheiten gänzlich inappellabel zu erklären; hingegen in den übrigen Prozessen, einen grössern Werth betreffend, an die Banaltafel und von da weiter an die königliche und ungar. Septemviraltafel gestattet sein."

Bezüglich der Verwaltung von Handelsangelegenheiten beruft sich Majláth auf die a. h. Entschliessung vom 9. Aug. 1776, mittels welcher diese Verwaltung dem Gouverneur unmittelbar anvertraut ist. Hier stellt er den Antrag, dass der Gouverneur jene Gegenstände, in welchen er allein ohne jede andere Mitwirkung zu entscheiden hat, selbst unter eigener Verantwortung zu erledigen hätte, die übrigen sollten in den Sitzungen des Guberniums verhandelt und entschieden, die bezüglichen Schriftstücke vom Gouverneur oder dessen Stellvertreter und dem Sekretär unterschrieben werden. In den Handelsangelegenheiten würde das Gubernium mit der königl. ungarischen Hofkanzlei unmittelbar verkehren, derselben auch die Handels- und Sanitätsberichte unterlegen. Majláth schlug ferner den Personalstand für das Handels- und Wechselsgericht und das Gubernium vor. Das erstere würde aus einem Präsidenten und einem Aktuar, die Ihre Majestät die Königin ernennt, dann aus zwei Kaufleuten zusammengesetzt sein, die jedes dritte Jahr aus dem Handelsstande gewählt werden sollten. Das Gubernium sollte aus dem Gouverneur, seinem Stellvertreter (Vice-Gouverneur), drei Beisitzern und zwei Sekretären bestehen. Endlich stellte Majláth auch bezüglich des zweiten der ungar. Behörde unmittelbar unterstehenden Theiles des Kommerzienbezirkes, der aus den Städten Buccari, Buccariza und Portoré, den zwischen diesen Häfen und der Stadt Fiume liegenden Ortschaften zu bestehen hätte, den Antrag: „diese Orte mögen der Fiumaner Handelsbehörde (Gubernium) in der Art zugewiesen werden, dass sie zu gleicher Handelskommunität wie Fiume erhoben und gleich diesem zwar dem Comitate einverleibt werden; aber gleich Fiume eine Handelsbezüglich Hauptmanns-Behörde erhalten, und diess aus dem Grunde, damit in der Administration dieser Art von Gegenständen Gleichförmigkeit und in der Rechtspflege möglichste Kürze erzielt werde."

Diess sind somit die Anträge des Gouverneurs Majláth in seiner Repräsentation vom 13. August 1777. Sie reduziren sich in Kürze auf folgendes: Der Stadtrath in Fiume sollte seinen bisherigen Wirkungskreis beibehalten, der Gouverneur die Stelle eines k. k. Hauptmannes einnehmen. In politisch-ökonomischen Angelegenheiten sollte Fiume von der obersten dalmat.-kroat.-slav. Landesbehörde, nämlich vom königl. Statthalterei-Rathe in Agram abhängig sein. Das Gerichtswesen sollte so eingerichtet werden: dass für Handelsprozesse ein Handels- und Wechselgericht in Fiume und das Gubernium als diesfälliges Gericht zweiter Instanz zu fungiren hätte; eine weitere Berufung sollte nicht stattfinden. Für Civil- und Strafprozesse sollte das städtische Gericht die erste Instanz bilden, von diesem sollte die Berufung an das Fiumaner Hauptmannsgericht und von diesem in Prozessen über 1000 fl. Werth an die Banaltafel in Agram, dann an die königl. und ungar. Septemviraltafel geschehen. Zur Verwaltung von Handelsangelegenheiten wurde das Gubernium bestimmt.

Auf diese Repräsentation des Gouverneuers erflossen zwei allerhöchste Reskripte an die königl. Landesbehörden von Kroatien, von welchen das eine mit dem Datum vom 29. August 1777 an die Banaltafel gerichtet, den Lauf der Berufungen von den Fiumaner Gerichten bestimmt, das andere, mit dem Datum 5. September desselben Jahres an den königl. dalm.-kroat.-slav. Statthalterei-Rath gerichtet, den Personalstand beim Fiumaner Gubernium festsetzt. Mit dem ersteren Reskripte[1] verfügt die Königin: „damit der Lauf der Rechtspflege, bezüglich der aus Fiume kommenden appellatorischen Prozesse wieder hergestellt, und damit Fiume, welches durch seine unmittelbare Vereinigung mit dem Königreiche Kroatien in den Verband unserer ungar. Erbkönigreiche getreten ist in die gegenwärtige Verfassung in eine bestimmte Form aufgenommen werde; ferner mit Rücksicht auf den Umstand, dass auch nach den Gesetzen des Königreichs Ungarn unserer Majestät zusteht, Gerichte in jenen Fällen aufzustellen, wo Richter und Gerichte nicht bestellt sind, haben wir bezüglich der appellatorischen Civilprozesse aus Fiume a. g. anzuordnen befunden: dass die Berufung in allen solchen Prozessen vom Gerichte der städtischen Richter an den Stadtrath geschehe, welch letzterer zur Vollständigkeit des Gerichtshofes ausser dem vorsitzenden Gouverneur, oder Kapitän, oder dessen Stellvertreter, oder Ersatzmann, dann dem Sekretär und dem städtischen Schriftführer (cancellarius) noch mindestens aus zehn Beisitzern zu bestehen hat; von diesem Gerichte soll an das weitere Gericht der städtischen Hauptmannschaft in Prozessen unter 1000 fl. Werth keine Berufung stattfinden, während in allen übrigen Prozessen grösseren Werthes die Berufung an die Banaltafel u. s. w. an unsere königliche und an die Septemviraltafel gestattet ist. Diese Verfügung hat auch für den zweiten Theil des Kommerzialbezirkes zu gelten und dieser hat aus den der ungar. Behörde unmittelbar unterstehenden Orten, nämlich aus Buccari, Buccariza und Portoré, so

[1] Siehe Beilage 21.

wie aus jenen Orten zu bestehen, welcher der Fiumaner Handelsbehörde zuzuweisen und zu gleichen freien Handelskommunitäten zu erheben sind."

Aus diesem Reskripte sieht man deutlich, dass die Königin den Lauf der Berufungen in den Fiumaner Prozessen gerade so festgesetzt hat, wie ihn der Gouverneur Majláth beantragt hatte; ja das Reskript bedient sich der eigenen Worte des Gouverneurs.

Im zweiten [1] an den königl. Statthalterei-Rath gerichteten Reskripte (vom 5. September) sagt die Königin, dass „nach Uebergabe der Stadt und des Hafens von Fiume dem Gubernium nicht gleich eine definitive Einrichtung gegeben werden konnte, sondern es mussten alle politischen, Handels- und Gerichtsangelegenheiten vorläufig dem Gouverneur anvertraut werden;" da aber nunmehr der Gouverneur im Sinne des erhaltenen Auftrages, den Entwurf, in welchem Verbande der einverleibte Bezirk „mit den übrigen ung. Erbkönigreichen zu stehen habe" — unterlegt hat, so fand sie jetzt schon den Personalstand beim Fiumaner Gubernium und dessen Inhalt zu bestimmen. Nach dieser Bestimmung theilte sich das Gubernium in drei Sektionen: die erste politisch-kommerzielle hatte folgendes Personale: den Gouverneur (Gehalt 6000 fl.), seinen Stellvertreter (Vices gerens, 1500 fl. Gehalt und 200 fl. Quartiergeld), zwei Sekretäre (je 600 fl.), einen Registrator und einen Expeditor (je 500 fl.), drei Kanzellisten und einen Amtsdiener; die zweite, justizielle, als Handels- und Wechselgericht zweiter Instanz, gleichzeitig als „iudicium delegatum in causis extraordin" hatte den Gouverneur zum Präsidenten und vier Beisitzer, von welchen der erste der Stellvertreter des Gouverneurs zu sein hat; die Geschäfte des Aktuars haben die Gubernial-Sekretäre zu verrichten; die dritte, die Sanitäts-Sektion bestand: aus dem Gouverneur als Präsidenten, dem Gerichtsadjunkten, als seinem Stellvertreter, aus drei Proveditoren, dieselben Beamten, die in der zweiten Sektion Beisitzer sind, einem Notar, einem Unternotar, dem Vorsteher des Lazarethes, einem Aufseher, einem Arzte, einem Kapellan u. s. w. Ueberdies hatte das Handels- und Wechselgericht erster Instanz an Personale: einen Vorsitzenden (mit 600 fl.), zwei Rechtskundige und zwei Kaufleute zu Beisitzern und einen Aktuar. Die Kosten für das Personale und die übrigen Auslagen des Guberniums betrugen 30.000 fl. jährlich und waren aus der Kameralkassa in so lange zu bestreiten, bis die Handelskassa von Fiume sie zu tragen im Stande sein würde.

Mit demselben Reskripte ordnete die Königin über Antrag des Gouverneurs an, dass die näher am Meere liegenden Orte des Kommerzialbezirkes, nämlich Buccari, Buccariza, Portoré, Tersat, Kostrena

---

[1] Siehe Beilage 22.

und Draga, sobald die Militärbehörde im Sinne des zweiten a. h. Reskriptes dieselben übergeben haben wird, der Verwaltung des Fiumaner Guberniums zugewiesen werden, während der übrige Theil des Kommerzialbezirkes der Verwaltung der königl. ungar. Hofkammer vorbehalten bleibt.

Dieses Reskript theilte der königl. Statthalterei Rath am 25. September 1777 seinem Commissair, dem Rathe Nikolaus Škrlec mit; während der Gouverneur Majláth es direkte von der königl. ungar. Hofkanzlei bekam. Auf diese Art war man bemüht gleichen Schrittes das Gubernium in Fiume und das Severiner Comitat zu organisiren. Mit dem Reskripte vom 29. August 1777 wurde der „cursus iustitiae“ in den Fiumaner Prozessen festgesetzt, und mit den Reskripten vom 5. September wurden einerseits die Einrichtung des Fiumaner Guberniums und anderseits der Umfang des. Severiner Comitates bestimmt. Der letztere Umstand hatte zur Folge, dass nachdem die Militärbehörde Buccari, Buccariza, Portoré und den Theil des Kommerzialbezirkes zur linken Seite der Karolinenstrasse den königl. Commissäre übergeben hatte, der Obergespan die Generalkongregation auf den 10. November 1777 einberufen konnte.

In diese Kongregation wurde auch Fiume als „integrirender Theil“ des Comitates berufen. Im städtischen Rathe, welcher in Gegenwart des Gouverneurs selbst, als Civil-Kapitäns, seines Stellvertreters Paul Almásy, der beiden Richter und von 20 Räthen, am 4. November 1777, abgehalten wurde, kamen zwei wichtige, unseren Gegenstand berührende Zuschriften in Verhandlung. Die eine Zuschrift war von Seite des Guberniums vom 27. Oktober des genannten Jahres und wurde durch dieselbe die a. h. Anordnung bezüglich der politischen, ökonomischen und Justizverwaltung der Stadt Fiume, nämlich die Bestimmungen vom 5. September des genannten J. Nr. 4458 dem Stadtrathe eröffnet. In Folge dieser Eröffnung beschloss der Stadtrath: *a)* dem königl. dalmat.-kroat.-slav. Statthalterei-Rathe zu berichten, dass die a. h. Anordnung bezüglich der politischen, ökonomischen etc. Verwaltung der Stadt Fiume dem Stadtrathe in aller Form mitgetheilt wurde und dass der Gouverneur, als Civil-Kapitän, sich und den städtischen Rath „der Gnade und dem Schutze des kön. kroat. Statthalterei-Rathes“ empfiehlt; ferner *b)* wird die Rechtspflege in den im Statute bestimmten Angelegenheiten in erster Instanz den Stadtrichtern zugewiesen; *c)* der Vice-Gouverneur und Vice-Kapitän hat sowohl die Richter als die Advokaten in die ungarische Prozessordnung einzuführen; *d)* Schriften, welche Prozesse bis zum Werthe von 1000 fl. betreffen, können in italienischer Sprache abgefasst sein, in den übrigen, (bei welchen die Berufung an die Banaltafel stattfindet) ist sich der lateinischen Sprache zu bedienen; *e)* bezüglich der Prozesse, die an das Gericht des Civil-Kapitäns gehen, bleibt es bei dem bisherigen Verfahren; ausgenommen hievon sind jedoch jene Prozesse, welche „Edelleute des Königreichs Ungarn betreffen und welche Kraft des persönlichen Vorrechtes der Entscheidung des löbl. Severiner Komitates vorbehalten bleiben; *f)* „der königl. kroat. Statthalterei-Rath wird in einer besondern Repräsentation gebeten, die in jenem löbl. Königreiche üblichen richterlichen Gebühren bekannt zu geben;" endlich *g)* „da eine a. h. Entschliessung über jenen Bericht, welcher der hohen königl. kroat.-ung. Commission bezüglich der neuen Verfassung der Stadt unterbreitet wurde, noch nicht erflossen ist, und da die Herren Anton Barčić und Vincenz Rossi-Sabbatini die in jenem Berichte dargestellten Gegenstände gut im Gedächtniss haben, so wurde für gut befunden, sie im Amte als Richter-Rektoren auch für das künftige Jahr umsomehr zu bestätigen, als sie dieses Amt im laufenden Jahre lobenswerth, ohne Verkürzung der Rechte dieser Gemeinde verwaltet haben." [1]

Die zweite Zuschrift war von Seite des Gouverneurs Majláth, wo er in seiner Eigenschaft als Obergespan des Severiner Comitats die Richter der Stadt Fiume einlud, entweder persönlich oder durch Delegirte der Stadt der General-Congregation des Severiner Comitates, welche am 10. November in Mrkopalj abgehalten werden wird, beizuwohnen. Ueber diese Einladung sagt das Sitzungs-Protokoll wörtlich folgendes: „Die angenehme Nachricht von der baldigen Installation Seiner Excellenz des hochgeborenen Herrn Gouverneur in sein Amt als Obergespan des neuen löbl. Severiner Comitates, erfüllte die ganze Gemeinde mit Freuden. Die Herren Stadtrichter erkannten in der Einladung eine bosondere Ehre und dankten höflichst Seiner Excellenz dem genannten hochgeborenen Herrn Gouverneur, indem sie gleichzeitig ihr tiefes Bedauern ausdrückten, dass sie persönlich von Seiner Gnade keinen Gebrauch machen könnten; denn die grosse Menge von Dienstgeschäften hindern sie nicht allein sich nach Mrkopalj zu begeben, sondern mache auch ihre Kräfte für die grosse Last der Justizverwaltung unzulänglich. Mit Rücksicht auf die vor angeführten Gründe wurden zu Delegirten für die nach Mrkopalj einberufene Congregation der Herr Sigmund de Zanchi für den Herrn Gubernial-Richter und Herr Ludwig de Orlando für den Herrn Gemeinderichter gewählt. Zur Erleichterung der grossen Last, die die Herren Richter durch die justiziellen Geschäfte zu tragen haben, wurde beschlossen, ihnen beim Gerichte erster Instanz eine geeignete Person in der Eigenschaft eines Beisitzers beizugeben." Was oben unter *a)* beschlossen war, wurde auch genau ausgeführt. Der städtische Rath von Fiume unterbreitete im Namen der ganzen Stadt dem königl. kroat. Statthalterei-Rathe eine

---

[1] Siehe Beilage 27.

besondere Repräsentation[1] und berichtete in derselben nicht allein, dass die a. h. Anordnung, mit welcher die Verwaltung Fiumes den kroatischen Behörden anvertraut wird, im städtischen Rathe verlesen und veröffentlicht wurde, sondern drückte auch seine Freude darüber aus, dass Fiume in den Verband mit Kroatien getreten. Die Fiumaner Gemeinde fand umsomehr Grund sich dieses Verbandes zu freuen: „als sie fest überzeugt war, dass sie in dem hohen königl. Statthalterei-Rathe einen wahren Vater und den sorgsamsten Beschützer gefunden habe.“

Auf diese Art ist die Stadt Fiume auch gesetzlich und formell am 4. November 1777 in den Verband mit Kroatien getreten, nachdem sie fast ein Jahr in demselben faktisch schon gestanden. Fiume wurde ein lebendiges Glied nicht nur des Dreieinen Königreiches, sondern auch des Severiner Comitates und diess hat die Stadt freiwillig dadurch bewiesen, dass sie ihre öffentlich im städtischen Rathe gewählten Vertreter in die erste Comitats-Generalkongregation entsendete, in welcher das Severiner Comitat zu Leben und Wahrheit gelangen sollte.

Und in der That wurde am 10. November 1777 diese erste General-Kongregation in Mrkopalj, einem in der Mitte des neuen Comitates liegenden Marktflecken abgehalten. Die Kongregation eröffnete mit einer Rede der Obergespan selbst. Er sagte hiebei unter anderem folgendes[2]: „Dasjenige, was wir gewünscht, haben wir durch die Gerechtigkeit und Güte unserer durchlauchtigsten Herrscher erlangt. Sie wollen, dass dieses Severiner Comitat, welches sich aus der Asche des Modrušer und Vinodoler Comitates erhebt, in der Art eingerichtet werde, dass sich der Handel aus demselben über die weiten Länder der heil. Krone, ja selbst der ganzen Monarchie ausbreiten könne. Desshalb wurden mit dem Severiner Comitat, beziehungsweise den ungarischen Königreichen ausser dem im Sinne der Landesgesetze so oft verlangten Buccari, auch die für den Seehandel sehr geeignete nahe Stadt des alten Liburnien, Fiume, sammt dem ganzen Gebiete und dem ausgezeichneten Vorrechte eines Freihafens vereinigt.“ Hierauf wurde sowohl das königl. Reskript vom 26. April 1776, mit welchem Josef Majláth zum Obergespan ernannt wurde, als auch jenes vom 5. Sept. desselben Jahres, mit welchem der Rath Nikolaus Škrlec beauftragt wird, dem neuernannten Obergespan den Eid abzunehmen, vorgelesen. Škrlec sagt in seiner Begrüssungsrede an den Obergespan unter Anderem über die Vorzüge des Severiner Comitates folgendes: Es hat in seinem Schoosse den wichtigen Seehandelsplatz Fiume und den im Sinne der Landesgesetze von Seite Kroatiens so

---

[1] Siehe Beilage 28. [2] Siehe Beilage 29.

oft verlangten Hafen Buccari, und wird nächster Tage auch den Handelsplatz auf dem festen Lande Karlstadt haben.“ Hierauf wurde das mit dem Reskripte vom 5. September 1777 — als erstes — von Ihrer Majestät ernannte Beamtenpersonale des neuen Comitates verlautbart: Vicegespan Georg Ivančić, Obernotär Josef Vojković, Notär Josef Trputec. Das Comitat wurde in zwei Kreise oder Prozesse eingetheilt: in den Kulpaner und den Seeprozess; im erstern wurden ernannt: zum Stuhlrichter Fr. Dolovac, zum Gerichtsadjunkten A. Špišić und zum Kassaperceptor G. Lovinčić; im Seebezirke zum Stuhlrichter Georg Sakmari, zum Gerichtsadjunkten Andreas Marochini, zum Kassaperceptor S. Karina u. s. w. Aus der Rede, welche der Obernotär im Namen der Beamtenschaft an den Obergespan gerichtet, heben wir folgende Worte aus: „Wenn jene Regenten und Regentinnen, welche die gerechten Wünsche ihrer Unterthanen erfüllen, gerecht und gut genannt werden, so müssen diejenigen, welche noch mehr thun als diese Wünsche verlangen, nicht für Herren, sondern für Väter und Mütter ihres Volkes gehalten werden. Da nun Ihre Majestät dieses Comitat (wie diess die Stände am letzten Landtage des Königreichs gebeten) nicht allein wieder errichtet, sondern überdies durch die Stadt und den Hafen von Fiume vergrössert haben, so sind wir in der That verpflichtet Allerhöchst derselben mütterliche Güte zu verehren.“ Hierauf wurden die Beisitzer des Comitatsgerichtes ernannt. — Der Obergespan theilte der Congregation mit, dass er am 1. November Buccari, Buccariza u. s. w. übernommen habe und hiedurch der Commerzialbezirk gebildet ist; derselbe bestehe aus Buccari, als Mittelpunkt des Bezirkes, dann aus Tersat, Kostrena und Draga bis zum Zollamte St. Cosmas, von hier laufe seine Grenze längs der Karolinenstrasse bis zu dem andern gegen Buccariza und Portoré sich hinabsenkenden Flügel dieser Strasse und umfasse auch diese beiden Orte mit ihren Territorien. Ueber das Verhältniss dieses Bezirkes zum Comitate berichtete der Obergespan: „dass der Kommerzialbezirk im Sinne der a. h. Entschliessung nach Art des Seeplatzes in Fiume als ein Kapitanat werde verwaltet werden, das seine Behörde, sein Gericht und sein Oekonomat hat und welches dem Gouverneur, zugleich Civil-Kapitän untergeordnet ist; allein sowohl dieses als auch das Fiumaner Kapitanat würden in der Art mit der Jurisdiction des Comitates vereinigt sein, dass das Comitat nicht nur in demselben seine Gerichte halten, sondern auch allen in dessen Bereiche lebenden Edelleuten Recht sprechen kann, ausser in Prozessen der innern Territorien von Fiume und Buccari, in welche wie in allen mit den Comitaten vereinigten königl. Freistädten die Ortsrichter entscheiden.“ In Folge dieses Verhältnisses von Fiume und Buccari zum Severiner Comitate, wurde schon in dieser Kongregation beschlossen, dass die Erhaltung der Karolinenstrasse von Fiume bis

Buccariza der Stadt Fiume und Buccari, und von Buccariza bis Bosiljevo dem Comitate obliege. Eben so bestimmte die Kongregation, dass zur Deckung der Domestikal-Auslagen, im Betrage von 7050 fl. jährlich 45 kr. auf jedes Haus zugeschlagen werden, und dass diese Comitatssteuer auch die der Fiumaner Akademie gehörigen Güter Podbreg und Lopača, statt ihrer bisherigen unter dem Namen „sbir und straža“ geleisteten Abgabe, zu entrichten haben. Die Kommunität des Comitates unterlegte diese Beschlüsse in einer besondern Repräsentation dem königl. kroat. Statthalterei-Rathe. [1]

Bisher weigerte sich das Agramer Comitat seine Einwilligung dazu zu geben, dass der jenseits der Kulpa liegende Theil desselben mit dem Severiner Comitat vereinigt werde, wiewohl vom a. h. Orte angeordnet wurde, dass dieser Theil des Agramer Comitates, vom 1. November 1777 an, seine Steuerquote in die Kasse des Severiner Comitats abzuführen habe. Als der Severiner Obergespan mit seiner Zuschrift vom 17. Oktober 1777 seinen Agramer Collegen eingeladen hatte, Vertreter auf die erste General-Kongregation des neuen Comitates zu schicken [2], blieb diese Einladung ohne Erfolg, wie diess aus der angeführten Repräsentation zu ersehen ist. Aber diese Weigerung verschwand bald; denn die Kommunität des Agramer Comitates meldet dem königl. Statthalterei-Rathe schon mittels Repräsentation vom 14. Jänner 1778, dass sie den Vicegespan Benedikt Arbanas, den Notär Johann Zdenčaj und den Kassaperceptor Ladislaus Labaš gewählt habe, um die an das Severiner Comitat abzutretenden jenseits der Kulpa liegenden Gebietstheile (die Herrschaften Severin, Bosiljevo, Ozalj, Ribnik und Novigrad) an das genannte Comitat sogleich zu übergeben. Die Uebergabe ging so schnell vor sich, dass der kön. Statthalterei-Rath schon am 2. März 1778 das diessfällige Commissionsprotokoll der Königin unterbreiten konnte.

Auf diese Art wurden nach und nach alle der Errichtung des Severiner Comitates entgegenstehenden Hindernisse behoben. Jetzt konnte die Königin diesem Comitate ein besonderes Diplom hinausgeben; dies geschah auch am 10. April 1778 im Wege der königl. ungar. Hofkanzlei unter Beobachtung der gewöhnlichen Formalitäten. [3] In diesem Diplome sagt die Königin, wie sie — um den Versprechungen ihrer Vorfahren und ihrem eigenen, bei der Krönung gegebenen Worte nachzukommen, „die nach Auflösung der See-Komitate des Königreichs Kroatien, verschiedenen Regierungen subordinirt gewesenen See-Gebietstheile einverleibt hat.“ Dann führt sie diese namentlich an, nämlich: die Seehäfen Buccari, Buccariza und Portoré; „überdiess die Stadt und den Freihafen von Fiume.“ Weiter erwähnt sie in der

[1] Siehe Beilage 30. [2] Siehe Beilage 31. [3] Siehe Beilage 32.

Anordnung, „dass aus den neueinverleibten Gebietstheilen, statt des alten Vinodoler, das neue Severiner Comitat gebildet," zu demselben der jenseits der Kulpa liegende Bezirk des Agramer Comitates geschlagen und dieses Comitat gleich allen übrigen ungar.-kroat. Comitaten eingerichtet werde. Ausdrücklich bemerkt sie hierbei, „dass das Severiner Comitat in denjenigen Beziehungen dem dalm.-kroat.-slav. Statthalterei-Rathe untergeordnet sei, in denen es die übrigen kroatisch-slavonischen Comitate sind. — Schliesslich verleiht die Königin dem neuen Comitate ein eigenes rechtsgiltiges Siegel, das im Diplome genau beschrieben wird, und dem Comitate selbst ertheilt sie mit diesem Diplome die „volle Bestätigung und den eigentlichen Bestand." Dieses Diplom wurde in der am 14. und den folgenden Tagen des Monats Juli 1778 in Karlstadt abgehaltenen General-Kongregation verlesen und veröffentlicht.

So ist das Severiner Comitat in seiner ersten General-Kongretion am 10. November 1777 in's Leben getreten und hat durch das a. h. Diplom vom 10. April 1778 „die volle Bestätigung und den eigentlichen Bestand" erhalten. Es fing seine Amtswirksamkeit im Sinne der durch die ungar.-kroat. Verfassung bestimmten Grenzen an. Seine äussersten Punkte waren Karlstadt und Fiume, zwei wichtige Handelsplätze, es hatte von einer Seite zur Grenze den Fluss Kulpa und das Herzogthum Krain, von der andern das Meer und die Karlstädter Militärgrenze. In zwei Kreise oder Prozesse getheilt: in den Kulpaner und Seeprozess, [1] hatte es in seinem Bereiche zwei Civil-Kapitanate, das von Buccari und von Fiume, beide unmittelbar der Jurisdiction des Civil-Kapitäns untergeordnet, welcher in einer Person die Würde des Obergespans des Severiner Comitates und des Gouverneurs von Fiume vereinigte. Fiume betrachtete sich als einen „integrirenden Theil" und als ein lebendiges Glied des Severiner Comitates; es war — wie wir gesehen haben — durch seine Delegirten in der ersten General-Kongregation dieses Comitates vertreten; eben so hat es in der Sitzung des städtischen Rathes am 18. Aug. 1777 den Felix Baron Jerliczy und Anton de Gaus zu seinen Vertretern, bei der nach Karlstadt für den 26. August einberufenen Kongregation, gewählt. In Fiume wurden Comitatskongregationen abgehalten, so am 16. und den folgenden Tagen des Monats März 1778. Auch zu dieser Kongregation wurde der Fiumaner städtische Rath

[1] Das Comitat hatte vier Bezirke: den Kommerzial-Bezirk, den wir besprochen haben, ferner den Seebezirk (maritimus) mit den Kastellanaten Vinodol und Fužine, den Herrschaften Grobnik, Lopača und Podbreg, dann den Broder Bezirk (Brodensis) mit den Herrschaften Brod, Čabar und Vrbovsko, endlich den Kulpaner Bezirk (colapinus) mit der Stadt Karlstadt und den Herrschaften Novigrad, Bosiljevo, Ozalj, Ribnik und Severin.

durch Georg Sakmary, den Oberstuhlrichter des Seeprozesses, mittels Zuschrift vom 6. März eingeladen, welche Zuschrift in der Sitzung des städtischen Rathes am 10. des genannten Monats vorgelesen und hierauf beschlossen wurde, dass die Stadtrichter selbst an der erwähnten Kongregation theilzunehmen haben. Im Sitzungsprotokolle der Kongregation heisst es, dass die Kongregation „in libera urbe maritima Fluminensi, capitaneatui nominis eiusdem, et incl. comitatui Severinensi ingremiata,“ abgehalten wurde. Die Beschlüsse der Comitatskongregationen, in so weit sie Fiume berührten, wurden dem städtischen Rathe bekannt gegeben; so z. B. theilte J. Majláth in der Sitzung dieses Rathes vom 27. Mai 1778 die Artikel 4., 8., 11. und 13. der Comitatskongregation vom 10. November des vorhergehenden Jahres mit. Im Artikel 4 war beschlossen worden, dass die Stadt Fiume jährlich 978 fl. 19½ kr. in die Comitatskassa zu zahlen habe, worauf der Stadtrath verordnete: „dass die städtischen Richter einen Fond zu ermitteln haben, aus welchem dieser Steuerzuschlag zu decken wäre, und dass sie sich dieses Auftrages in einer gemischten Kommission, welche mit dem hohen Gubernium des ungarischen Litorales abgehalten werden wird, zu entledigen haben.“

Auf den Artikel 13, Vorspannsgebühren betreffend, ging der städtische Rath ein, indem er beschloss, „dass die diesfalls bestimmten und vom löbl. Severiner Comitate eingeführten Gebühren auch für die Stadt zu gelten haben.“ In derselben Sitzung wurden auch die Beschlüsse der zwei Comitatskongregationen veröffentlicht, von welchen die eine am 30. und 31. Dezember 1777 in Karlstadt und die andere, schon früher erwähnte, am 16. März 1778 in Fiume abgehalten worden war. In der letzteren Kongregation wurde bestimmt, dass die Fiumaner Gemeinde die in ihrem Bereiche liegende Strasse zu erhalten habe. [1]

So wie mit dem Severiner Comitate kam die Stadt Fiume, im Sinne der a. h. Entschliessung, auch mit dem königl. dalmat.-kroat.-slav. Statthalterei-Rathe in politisch-ökonomischen und mit der Banaltafel in gerichtlichen Angelegenheiten in Berührung.“ Die Sitzungsprotokolle des städtischen Rathes wurden dem königl. Statthalterei-Rathe unterlegt; diess that Josef Majláth als Civil-Kapitän mittels Berichtes vom 24. November 1778 mit 35 Protokollen auf einmal, nämlich „vom Zeitpunkte der Einbeziehung Fiumes in die Jurisdiction der Krone des Königreiches Ungarn,“ nachdem er damals, wo er als königl. Commissair fungirte, schon einige unmittelbar Ihrer Majestät unterlegt hatte. [2] Ebenso erhielt Fiume, wie jede andere kroatische Stadt, die Intimate des königl. Statthalterei-Rathes, welche

---

[1] Aus dem Protokoll des Severiner Comitates.
[2] Diese Protokolle befinden sich im kroat. Landesarchiv.

in den städtischen Sitzungen veröffentlicht wurden, auch wendete sie sich in ihren Angelegenheiten mittels Repräsentationen an die genannte Stelle. Für eines und das andere gibt es genug Zeugnisse in den Sitzungsprotokollen und es wäre überflüssig hierüber sich des Weitern auszulassen. Wir können aber doch nicht umhin der Repräsentation des städtischen Rathes vom 18. August 1778. zu erwähnen, welche die freie Religionsausübung der Fiumaner Nichtkatholiken betrifft; denn in ihr ist folgende Stelle enthalten: „Censuit sedes isthaec capitanealis totum negotium . . . ex eo etiam incidenti ad arbitrium huius excelsi r. consilii referre, quod per novum urbis huius cum inclyto Croatiae regno nexum novis in religionaria sit affectum relationibus.“ In gleicher Weise verkehrte der Gouverneur mit dem königl. Statthalterei-Rathe. Letzterer theilte dem erstern am 20. Jänner 1778 das Patent über die Schifffahrt auf der Donau mit und ersuchte um seine Wohlmeinung, in wie ferne dasselbe als Regulativ auch für die Schifffahrt auf der Save und Kulpa benützt werden könnte. Der Gouverneur unterlegte dem königl. Statthalterei-Rathe am 26. Februar des genannten Jahres das Protokoll betreffend das am 1. November desselben Jahres auch in Fiume eingeführte ungarische System der Dreissigstämter; dann am 1. Juli jenes Jahres den Entwurf über die Einrichtung der Zollgebühr u. s. w.

Das Jahr 1778 verzeichnet noch ein wichtiges Ereigniss für das Severiner Comitat und für das ganze kroatische Littorale. Buccari nämlich, diese alte kroatische Stadt, am 5. September 1777 unserem Vaterlande zurückgegeben, wurde am 13. Mai 1778 zum Freihafen erhoben, und ihr das Gebiet von Tersat bis in der Nähe von Portoré mit der gleichzeitigen Befugniss zugewiesen, dass die städtischen Richter in demselben über Prozesse nach dem städtischen Statute wie in Fiume entscheiden. Hiedurch ist die Stadt Buccari mit dem ihr zugewiesenen Gebiete, das ein von den oben angeführten Kommerzialbezirke verschiedenes war, der Stadt Fiume mit ihrem Hafen gleichgestellt worden. Buccari und Fiume waren Freihäfen, Städte mit einem städtischen Territorium und autonomen Gemeinden im Sinne ihres eigenen städtischen Statutes.

Nachdem auf diese Art die dringenderen Arbeiten vollendet worden waren, legte die königl. Commission am 18. und den folgenden Tagen des Monats August ein umfangreiches Protokoll „über die innere Einrichtung der Städte und Handels-Kommunitäten Fiume und Buccari.“ Da dieses Protokoll in unserer Frage von grosser Wichtigkeit ist, so halten wir uns für verpflichtet grössere Auszüge aus demselben mitzutheilen.[1]

---

[1] Siehe Beilage 33.

*

Dem Protokoll dient das Memorandum der Stadt Fiume vom 1. August 1777, das wir eingehend besprochen haben, zur Grundlage. Auf dieser Basis beschreiben die Commissaire zuerst die Regierungsform von Fiume und Buccari, bis zu ihrer Vereinigung mit Kroatien; hierauf führen sie das mit den a. h. Reskripten vom 29. Aug. und 5. September 1777 Nr. 4458 und 4526 festgesetzte „Regierungssystem“ in Kürze an. Obwohl diese Reskripte unserem Leser bekannt sind, so stehen wir doch nicht an deren sehr klaren Auszug aus dem Protokoll zu übersetzen.

„Nach Aufhebung des Hofkommerzienrathes und der Triester Intendanz, geruhten Ihre Majestät am 9. August 1776 allergnädigst zu bestimmen, dass die Handelsangelegenheiten in Hinkunft durch die betreffenden Hofkanzleien verwaltet werden; dass Fiume, Buccari und Portoré einen eigenen Gouverneur erhalten, welcher mit seinem Stellvertreter und dem ihm beigegebenen Personale die Handelsangelegenheiten zu verwalten habe. Dieses Gubernium soll unmittelbar von der königl. ungar. Hofkanzlei abhängen und daher sowohl die Hofreskripte durch dieselbe erhalten, als auch seine Berichte dahin erstatten. Da aber die Handelsverwaltung auf die Städte allein nicht beschränkt werden könnte, geruhten Ihre Majestät a. g. einen Handelsbezirk, dessen Grenze von oberhalb Portoré, unterhalb Hreljin bis zur Karolinenstrasse, dann längs dieser Strasse bis Draga und Tersat, und weiter längs des Meeres lief, auszuscheiden und zu bestimmen, dass die in demselben befindlichen Ortschaften als Vorstädte von Fiume und Buccari zu betrachten seien, dieser ganze Bezirk in allen kommerziellen, gerichtlichen und ökonomischen Angelegenheiten dem Gouverneur unmittelbar untergestellt werde, dann, dass ein Gericht erster Instanz für Handels-, Wechsel- und Seeprozesse auch ferner bestehen, hingegen jenes zweiter Instanz, oder das Appellationsgericht, der Gouverneur mit seinem Stellvertreter und den bezüglichen Beisitzern bilden soll, dass von da weiter eine förmliche Berufung nicht gestattet sei, sondern nur in besonders wichtigen Fällen ein Rekurs an Ihre Majestät im Wege der ungar. Hofkanzlei ergriffen werden könne. Zur Erhaltung dieser kommerziellen Verwaltung geruhten Ihre Majestät der Handelskassa 30.000 fl. aus dem ungar. Kameralfonde als Dotation anzuweisen, gleichzeitig aber anzuordnen, „dass die ganz gleiche Verwaltung auch in Buccari eingeführt werde. Bezüglich der Verwaltung der öffentlichen politisch-ökonomischen Gegenstände geruhten Ihre Majestät in Berücksichtigung des Umstandes, dass das System der königl. Freistädte denselben nicht entspreche, zu bestimmen, dass sie auch ferner als freie See- und Handelsplätze zu betrachten sind. Von diesem Standpunkte aus geruhten Ihre Majestät das bestandene Regierungssystem mit Richtern und Rektoren, so wie den kleinen und den grossen Rath von 50 Patriziern zu bestätigen und weiter zu verfügen, dass der Gouverneur die Würde eines Kapitäns sowohl von Fiume als auch von Buccari bekleide; dass er in dieser Eigenschaft, oder in seiner Abwesenheit, sein Stellvertreter im Gemeinderathe beider Städte den Vorsitz führe; ferner, dass er mit diesem Rathe die öffentlichen politisch-ökonomischen Geschäfte dieser Städte besorge, so wie deren Waisen- und Wohlthätigkeits-Fonde verwalte, übrigens aber in allen diesen Civil-Angelegenheiten abhängig sei vom kön. kroatischen Statthalterei-Rathe, dem er die erforderlichen Berichte zu erstatten und die Sitzungsprotokolle des Gemeinderathes beider Städte zur Wissenschaft und Gebrauchsnahme zu unterlegen hat. Eben so sollen diese Städte — so wie sie systemmässig dem Severiner Comitate dadurch einverleibt sind, dass sie in demselben Sitz und Stimme haben — auch in allen jenen öffentlichen Verwaltungsangelegenheiten, in welchen die übrigen Städte der Comitatsbehörde untergeordnet sind, von dieser Behörde abhängen; aus diesem Grunde können die Comitatsrichter ihr Amt nicht nur in denselben, sondern beziehungsweise auch über dieselben ausüben. — Bezüglich der Rechtspflege haben Ihre Majestät kraft der Allerhöchstdenselben gesetzlich zukommenden Befugniss, sowohl das Amt eines Vikars als auch die Verschiedenheit der Gerichte „pro causis personalibus consiliarom regiorum et officialium nec non pro causis summi principis et commissorum“ aufzuheben und die ganze Justiz zwei städtischen Richtern, die alle Jahre gewählt werden sollen (denen, damit eine Stimmengleichheit vermieden werde, eine Stimme des kleineren Rathes fallweise zu zugesellen sei), in der Weise anzuvertrauen befunden, dass von da eine Berufung an das Kapitanatsgericht, welches der grosse Rath unter Vorsitz des Gouverneurs oder seines Stellvertreters zu bilden hat, stattfinden könne. Von diesem Gerichte kann in Prozessen unter 1000 fl. Werth eine Berufung nicht geschehen; in jenen hingegen, die einen höhern Werth betreffen, geschieht solche an die Banaltafel und von da an die königliche Tafel. Uebrigens sei dieses ganze politische und gerichtliche System in gleicher Weise auch in Buccari einzuführen.“

Auf diese Weise schilderten die Commissaire die Einrichtung Fiumes und Buccaris, wie solche im Monat August 1778 im Sinne der bis dahin erflossenen a. h. Entschliessungen gewesen.

Nachdem in der angeführten Weise — so setzten die Commissaire fort — Ihre Majestät die Grundlage der inneren Verwaltung für die genannten Städte festgesetzt haben, so erübrige jetzt zur Vervollständigung der Form dieser Verwaltung nichts anderes, als einerseits die von der Stadt Fiume beantragten 30 Punkte und anderseits die Statute dieser Stadt in Erwägung zu ziehen, um hiernach zu sehen:

ob und was noch allenfalls zur bessern innern Verwaltung der beiden Städte bestimmt werden könnte? Bezüglich des ersten Punktes erscheint es auch dieser Commission gerecht: dass die Stadt Fiume mit ihrem Territorium als ein besonderer, mit der h. Krone des Königreiches Ungarn vereinigter Körper betrachtet, und in keiner Weise mit dem von jeher zum Königreiche Kroatien gehörigen Buccaraner Gebiete vermengt werde. In Bezug auf den zweiten Punkte erachtet es die Commission ebenfalls für gerecht: dass die Statute (von Fiume) in so weit sie sich mit den Umständen und dem gegenwärtigen (ungar.-kroat.) Systeme vereinbaren lassen, nicht allein von Ihrer Majestät a. g. zu bestätigen, sondern auch auf die innere Verwaltung von Buccari und dessen Kommerzialbezirkes auszudehnen wären."

Weiter schlägt die Commission vor: „dass diese Statute durch einen Ausschuss, der aus Vertretern beider Städte zu bilden wäre, dem gegenwärtigen Systeme und Gebrauche entsprechend modificirt und sonach im Wege des königl. Statthalterei-Rathes Ihrer Majestät zur Bestätigung unterlegt werden sollten, damit auf diese Weise jede Stadt ein Direktiv habe, wie sie in Civil- und Strafprozessen, so wie in politisch-ökonomischen und polizeilichen Angelegenheiten vorzugehen habe." Ueber einige Punkte dieser Statute äussert auch die Commission ihre Meinung. Auf die übrigen Punkte des Fiumaner Memorandums übergehend bemerkt dieselbe beim 4. folgendes: „Nachdem der Wirkungskreis des städtischen Rathes in öffentlich-politischen und ökonomischen Gegenständen wieder hergestellt worden ist, so erscheint es auch gerecht, dass derselbe die städtischen Einkünfte durch seinen Kassier (camerarius) unmittelbar verwalte, nur sollte er gehalten sein, „die gelegten Rechnungen über die Einnahmen und Ausgaben im Wege des königl. kroatischen Statthalterei-Rathes alljährlich Seiner Majestät zu unterlegen."

Dasselbe wird auch weiter unten für Buccari in Antrag gebracht. Bezüglich des 5. Punktes schlägt die Commission vor: „da die Einrichtung des grossen und kleinen Rathes bestätigt ist, so sollten die Familien der Räthe oder Patrizier den patrizischen Adel dieses politischen Körpers bilden; im Uebrigen sollten ihnen gesetzlich vorgeschriebene Wege eröffnet sein, um den Adel des Königreichs Ungarn zu erwerben." — Zum Punkte 18 macht die Commission die Bemerkung: „dass die Allgemeinen über jene Prozesse, in welchem nach den Gesetzen des Königreiches die Vicegespäne und die adeligen Richter zwischen den Partheien entscheiden, hier ebenfalls die städtischen Richter und Rektoren in erster Instanz die Entscheidung fällen sollten; hingegen wären jene Prozesse, welche in erster Instanz bei den Comitats-Sedrien zur Entscheidung gelangen, so wie diejenigen, welche ihrer Natur nach zu den sogenannten oktavalen gehören, stets bei der Kapitanaltafel, in erster Instanz zu behandeln." In Bezug auf das künftige Verhältniss von Fiume und Buccari zu den höheren Behörden schlägt die Commission als erspriesslich vor: dass die Handelsberichte, welche der Gouverneur direkte der königl. ungar. Hofkanzlei unterbreitet, von dieser Stelle dem einen und dem andern, d. i. dem ungarischen und kroatischen Statthalterei-Rathe zur Kenntniss und Darnachachtung mitgetheilt werden. Ferner trägt sie an: „dass alle Allerhöchsten Anordnungen, mit Ausnahme jener, die sich auf Handel und Rechtspflege beziehen, den beiden Gemeinden (Fiume und Buccari) nur im Wege des königl. kroatischen Statthalterei-Rathes bekannt gegeben werden; und dass der genannte Statthalterei-Rath alle Anordnungen, selbst die bereits ergangenen, und insbesondere jene, welche die Einreichung von periodischen Eingaben betreffen, diesen Gemeinden mittheile. Bezüglich der Pflichten dieser Gemeinden gegenüber dem Severiner Comitate, stellte die Commission den Antrag, dass Fiume mit seinem Gebiete die Summe von 978 fl. 19½ kr., die es auch früher für die Hebung des Handels zahlte, nach der in Ungarn und Kroatien bestehenden Einrichtung künftighin als Kontribution in die Steuerkassa des Severiner Comitates zu zahlen habe; und die Stadt Buccari sollte, nach der diessfalls mit dem Comitate getroffenen Vereinbarung, unter demselben Titel jährlich 1428 fl. 15 kr. zu entrichten haben. Die erstere Summe zahlt Fiume „als eigene Feuerstellen (Porte) besitzend," die zweite zahlt Buccari als Bezirk „eigene Feuerstellen besitzend." Eben so habe die Stadt mit dem Comitate wegen Limitirung der Viktualien sich in's Einvernehmen zu setzen; und für die Militär-Vorspann eine „angemessene Gebühr" zu entrichten.

Obwohl nach diesem Antrage und nach den a. h. Entschliessungen Buccari in seiner innern Verwaltung Fiume gleichgestellt wird, so bildeten doch diese beiden Städte zwei getrennte freie Handelsgemeinden mit getrennten Gebieten. Getrennt war ihre Verwaltung, getrennt ihr Gebiet. Die Grenze zwischen den Territorien beider Städte macht der Bach Fiumara. Als daher der Fiumaner Rath gebeten (Punkt 9, 10, 11), dass die Wirthshäuser jenseits der Fiumara, die durch ihren Weinschank die Einkünfte der Stadt beeinträchtigen, aufgehoben werden, dass ferner dem Richter von Tersat ein jeder Verkauf und Tausch, der die Entwicklung des Fiumaner Handels behindert oder den städtischen Privilegien zuwiderläuft, verboten werde; endlich, dass der Stadt Fiume „zur Erweiterung ihrer Grenzen" gestattet werde, „die Herrschaft Tersat" anzukaufen — glaubte die Commission, dass alles diess nicht genehmigt werden könnte, weil es die Rechte und das bestehende Verhältniss von Buccari und seines Bezirkes verletzen würde; „da jenes Gebiet (jenseits der Fiumara) — bemerkt die Commission — zum Bezirke von Buccari gehört, so muss, im Einklange mit dem, was im ersten Punkte gesagt wurde, nach dem im Königreiche Ungarn herrschenden Systeme vorgegangen werden. Im Uebrigen — sagt wieder die Commission — soll das Tersater Gebiet auch nach diesem System verwaltet werden; die Vereinigung der Herrschaft Tersat mit dem Gebiete von Fiume wiederstreitet daher dem im ersten Punkte angenommenen Grundsatze. Deshalb sollte die Stadt und das Territorium von Fiume stets in seinem gegenwärtigen Umfange belassen werden."

Obschon daher die Commission vorgeschlagen hatte, dass die Statute der Stadt Fiume mit einigen Abänderungen auch auf Buccari ausgedehnt werden sollen, und obschon sie für diese Stadt um Autonomie gebeten, so war sie doch nicht dafür, sondern vielmehr dagegen, dass diese beiden nachbarlichen Bezirke mit einander vereinigt werden. Da aber Fiume in frühern Zeiten einige Rechte und Privilegien sich erworben, von denen seine Einkünfte abhingen, so beantragte die Commission, dass diese Vorrechte Fiume auch ferner zu belassen wären, Buccari hingegen „als von jeher zu Kroatien gehörig," den in Kroatien und Ungarn herrschenden allgemeinen Gesetzen und Uebungen unterworfen werden sollte.

Die königl. Commissaire Josef Majláth und Nikolaus Škerlec unterlegten das eben besprochene Protokoll mit dem Fiumaner Memorandum und den übrigen Beilagen am 30. August 1778 dem kön. kroat. Statthalterei-Rathe in Agram. Dieser beförderte es aus seiner am 19. September des genannten Jahres unter dem Präsidium des Barons Malenić im Beisein der Statthalterei-Räthe: Bischof Vernek, Graf Batthyáni, Škerlec, Komaromy, als Referent und Pástory abgehaltenen Sitzung mittels einer einbegleitenden Repräsentation [1] an Ihre Majestät. Diese Repräsentation beginnt folgendermassen: „Euere Majestät! Die Fiumaner königl. Commission unterlegte diesem königl. Statthalterei-Rathe das über die innere Einrichtung der Städte und Handelsgemeinden Fiume und Buccari verfasste und hier in aller Unterthänigkeit beigelegte Protokoll; dieser kön. Statthalterei-Rath schliesst sich der Meinung der Commission an, nur äussert er über nachstehende Punkte seine Ansicht: die im Punkt 21 des Commissions-Protokolls erwähnte Summe von 978 fl. 19$^1/_2$ kr. soll für jetzt als Contribution, wie die genannte Commission meint, gezahlt werden; wenn aber die Contribution gemäss der vaterländi-

---

[1] Siehe Beilage 33. B.

schen Verfassung im Königreiche Ungarn und den zugehörigen Theilen erhöht werden sollte, so soll auch diese Stadt, als eine mit der heil. Krone des Königreichs vereinigte, ihrer Seits hiezu beitragen und verpflichtet sein, den vom Landtage auferlegten höheren Betrag zu leisten . . . . Bezüglich des Punktes 70 wiederholt dieser königl. Statthalterei-Rath seine unterthänigste, in der Repräsentation vom 8. April d. J. ausgesprochene Bitte auch diessmal, dass wegen der besseren Ordnung und zur ununterbrochenen Uebersicht des Geschäftsbetriebes Euere Majestät geruhen mögen, alle allergnädigsten Entschliessungen in öffentlich-politisch-ökonomischen Gegenständen, an diese beiden Städte nur im Wege dieses kön. Statthalterei-Rathes zu erlassen."

Auf diese Repräsentation vom 19. September 1778 erfolgte an den königl. dalm.-kroat.-slav. Statthalterei-Rath die a. h. Entschliessung vom 23. April 1779 Nr. 1540.[1] Dieselbe beginnt wie folgt: „Maria Theresia. Auf einige Punkte des am 19. Sept. v. J. Nr. 814 mit einigen Bemerkungen von Eure Getreuen hieher unterthänigst unterlegten Commissions-Protokolls, betreffend die innere Einrichtung der Städte und Handelsgemeinden Fiume und Buccari geben wir — nachdem dieses Protokoll hier in genaue Erwägung gezogen und Unsere Majestät in gehöriger Weise über den Gegenstand informirt worden ist — nachstehende a. g. Entscheidung und bestätigen bezüglich der übrigen Punkte die Anträge der Commission." Nun bestätigt das königliche Reskript zuerst den 1. und 2. Punkt des Antrags der Commission und des Statthalterei-Rathes, indem es sich derselben Worte bedient: „ut urbs Fluminensis cum districtu suo tanquam separatum regni Hungariae adnexum corpus porro quoque tractetur, neque cum alio Buccarensi, velut ad regnum Croatiae ab ipsis incunabulis pertinente districtu, ulla ratione confundatur; de hoc ipso praefatam Fluminensem civitatem supremo nomine Nostro per fidelitates Vestras affidari et securam reddi; ita et ad 9 um conformiter eiusdem opinioni statuta per eandem civitatem exhibita in quantum circumstantiis, systematique moderno congruunt, clementer adprobantes, haec ad internam etiam urbis Buccarensis et commercialis sui districtus administrationem extendi benigne volumus." Dann verspricht die Königin, dass sie in Baldem die Diplome für Fiume und Buccari dem Statthalterei-Rathe zusenden wird; in diesen Diplomen werde alles diess mit dem Beifügen bestätigt werden, dass diese Statute ein besonderer Ausschuss zu prüfen und sodann der a. h. Bestätigung zu unterbreiten haben wird. „Pro quarum utraque,

[1] Siehe Beilage 34. A.

qua pro liberis commercialibus civitatibus et communitatibus consideratis, specialia quoque privilegia fidelitatibus vestris pro congruo notitiae statu in paribus communicanda, iuxta impertitam eatenus benignam resolutionem nostram proximius expedientur.“

Was die Commission und der königl. Statthalterei-Rath wegen des Beitrages, den Fiume und Buccari als Militärsteuer in die Comitatskassa zu zahlen hätten, vorgeschlagen haben, wird im königlichen Reskript bestätigt und hiebei bemerkt, dass nicht das Comitat, sondern diese Städte selbst für den Rückstand in der Zahlung verantwortlich sein sollen und dass in dieser Beziehung der Provinzial-Commissair des Königreichs Croatien mit denselben direkte zu verkehren habe, („cuius etiam intuitu concernens regni Croatiae provincialis commissarius immediatam cum iisdem fovendam habebit correspondentiam.“) Die übrigen Punkte bestätigt die Königin nach dem Antrage der Commission und des königl. Statthalterei-Rathes und trägt diesem unter Rückschluss des Fiumaner Memorandums auf, alles was in diesem Reskripte angeordnet wird, durchzuführen. Der königliche Statthalterei-Rath theilte dieses a. h. Reskript am 20. Mai 1779 Nr. 478 „dem pl. tit. Capitain, Vice-Capitain, Richtern, Rektoren, dem ganzen grossen und kleinen Rathe der königl. freien Seestadt und des Kommerzialbezirkes von Fiume und der Stadtbehörde von Buccari mit.[1] Der Capitain Josef Majláth übermittelte es am 3. Juni 1779 dem Beisitzer und seinem Stellvertreter beim Gubernium Alois de Orlando.[2] Ferner gab der kön. Statthalterei-Rath am 21. Juni desselben Jahres die Stelle des kön. Reskriptes, betreffend den von Fiume und Buccari in die Severiner Comitatskassa zu leistenden Beitrag, dem genannten Comitate im Auszuge bekannt, nachdem er schon früher, u. z. unterm 20. Mai auch dem „provinciali commissaris superiorio districtus“ hievon Kenntniss gegeben hatte.[3]

Der Erlass des Statthalterei-Rathes an den städtischen Rath von Fiume beginnt folgendermassen: „Nachdem die Stadt und der Hafen von Fiume durch die Gnade Ihrer geheiligten königl. Majestät, mit dem Königreiche Kroatien, folglich mit der heil. Krone des Königreichs Ungarn vereinigt worden ist (adnexa ... regno Croatiae), und nachdem von Ihrer Majestät die allgemeinen Bestimmungen diesfalls erlassen worden sind, so bleibt zur Vervollständigung der Art und Weise ihrer

---

[1] Siehe Beilage 35 A und B. Wie man aus der Zuschrift sieht, wurde dieses Reskript am 2. Juni von Agram expedirt.

[2] Siehe Beilage 36.

[3] Siehe Beilage 37. Beide Zuschriften, nämlich jene an das Severiner Comitat und jene an den kroat. Provinzial-Commissair sind gleichlautend.

inneren Verwaltung nichts übrig, als die von dieser Stadt am 1. Aug. 1777 eingereichten 30 Punkte, so wie die vorgeschlagenen Statute in Erwägung zu ziehen, um zu entnehmen: ob und was noch zur bessern innern Verwaltung der Stadt zu bestimmen wäre. Nachdem nun diess von Seite der königl. Commission geschehen und im Wege dieses königl. Statthalterei-Rathes Ihrer Majestät zur a. h. Schlussfassung vorgelegt und von Ihrer Majestät a. g. in Verhandlung gezogen worden war, haben Ihre Majestät geruht nachstehende a. g. Entschliessung zu erlassen: ad 1-um: ut urbs haec Fluminensis cum districtu suo tanquam separatum regni Hungariae coronae adnexum corpus porro quoque tractetur, neque cum alio Buccarensi, velut ad regnum Croatiae ab ipsis incunabulis pertinente districtu, ulla ratione confundatur, clementer annuit eadem sua ssma Majestas, de quo ipso civitatem hanc Fluminesem supremo nomine regiso affidandam et securam reddendam habet regium istud consilium . ." Hierauf erwiedert der kön. Statthalterei-Rath auf jeden Punkt des Fiumaner Memorandums in der Weise, wie er über Antrag der königl. Commission in der a. h. Entschliessung vom 23. April des genannten Jahres erledigt worden ist. Beim 4. Punkte, wo es heisst, dass der städtische Rath seine Einkünfte durch seinen Kassier verwalte, ordnet der Statthalterei-Rath bezüglich der Rechnungslegung an: „formatas tamen rationes super perceptione et errogatione medio regii istius consilii Suae Majestati quotannis submittat."

Im Punkte 9 und 11 wird der Unterschied zwischen Fiume und Buccari angeführt und hiebei gesagt, dass bezüglich des Gebietes von Buccari, „welches von jeher zum Königreiche Kroatien gehörte, nach dem Systeme des Königreichs Ungarn zu verfahren ist." In Bezug auf den Punkt 14 ordnet der königl. Statthalterei-Rath an, dass die Stadt Fiume jene 978 fl. $19\frac{1}{2}$ kr. in die Severiner Comitatskassa zu zahlen und in dieser Beziehung direkte mit dem Commissair des Königreichs Kroatien zu verkehren hat: „civitatem hanc ad fovendam immediatam cum praefato (regni Croatiae) provinciali commissario corespondentiam inviandam habet regium istud consilium."

Im Punkte 18 wird wegen der Rechtspflege und der Berufung an die Banaltafel das Nöthige verfügt, der Stadtrath bezüglich der Gebühren in gerichtlichen Angelegenheiten auf den Erlass des Statthalterei-Rathes vom 19. September 1778 hingewiesen und versprochen, dass ihm das „militare regulamentum pro necessaria civitatis istius Fluminensis in accursuris directione" ehestens zukommen werde. Schliesslich eröffnet der königl. Statthalterei-Rath den Willen Ihrer Majestät: dass alle öffentlich-politischen, ökonomischen und justiziellen Anordnungen an den städtischen Rath nur im Wege dieser obersten kroatischen Landesbehörde hinausgegeben werden sollen, und verspricht alle älteren Verordnungen: „namentlich jene, welche die Einsendung periodischer Eingaben betreffen," demnächst zuzusenden. — Wie wir vorbemerkt haben, theilte der städtische Kapitän und Gouverneur Josef Majláth das a. h. Reskript vom 23. April seinem Stellvertreter aus Karlstadt mit, und trug ihm auf „selbes in der nächsten Kapitanal-Sitzung oder im städtischen Rathe zu verlautbaren und durchzuführen. Zur Bescheinigung der Sache gab derselbe zu jedem einzelnen Punkte eine Instruktion. So zum Punkte 1 und 2, dass der städtische Rath Ihrer Majestät seinen Dank für eine solche Erledigung der Wünsche der Stadt auszusprechen habe, und dass drei Ausschussmänner zu wählen sind, welche unter dem Vorsitze des Kapitäns oder seines Stellvertreters, die städtischen Statute zu prüfen und zu modificiren haben. Dem Punkte 3 fügt der Gouverneur unter Anderem bei, dass die Summe von 978 fl. 19½ kr. sogleich vorzuschreiben ist, „da sie mit Ende des Militärjahres in die Kriegskassa zu Agram abzuführen kömmt. Bezüglich des Punktes 4 bestimmt er, dass die Rechnungen über den Beitrag in die Kriegskassa und über die städtischen Einkünfte getrennt zu führen sind: „und dass beide Rechnungen, nachdem sie in der Kapitanial-Sitzung oder im städtischen Rathe geprüft und richtig gestellt worden sind, dem königl. dalm.-kroat.-slav. Statthalterei-Rathe am Schlusse eines jeden Militärjahres, zu unterlegen sind. Wegen Einverleibung von Podbreg und Lopača (Punkt 8), soll man sich mittels einer Repräsentation an den königl. Statthalterei-Rath wenden, da das hierüber befragte Severiner Comitat schon vor längerer Zeit dem genannten Statthalterei-Rathe geantwortet hat. Wichtig ist Dasjenige, was Majláth zum 11. Punkt bemerkt, in welchem Fiume mit seinem Ansuchen um Vereinigung von Tersat mit seinem Gebiete deshalb abgewiesen wird, weil Tersat zu Buccari gehört. „Weil auch die a. g. kön. Entschliessung anbefiehlt, dass das Gebiet von Fiume als ein besonderes mit der heil. Krone des Königreichs Ungarn vereinigtes, stets in seinem gegenwärtigen Umfange zu erhalten ist, und weil überdiess über Bestimmung von Grenzen zwischen den mit der heil. Krone des Königreichs Ungarn vereinigten Königreichen und Landestheilen, nur auf dem allgemeinen Landtage des Königreichs Ungarn verhandelt werden kann: so ist nicht nur von dem daselbst angeregten Begehren abzustehen, sondern auch der diesen Gegenstand betreffende dritte Punkt des Sitzungsprotokolls des städtischen Rathes vom 26. März d. J. einfach zu streichen, da er dem Systeme der ungar. Satzungen und meinem Wirkungskreise zuwiderläuft." Est ist ferner erwähnenswerth was der städtische Kapitän beim Punkt 19 bemerkt: „Da die Limitationen der Lebensmittel beim Comitat (Severiner) bestimmt werden, so wird der städtische Rath dieselben stets durch seine Vertreter, die es in die Comitatskongregation schickt, erfahren und darnach die eigenen regeln zu können. Zum Schlusse ordnet der städtische Kapitän an, dass künftighin die Protokolle auch beim städtischen Rathe in Fiume, „nach der bei den übrigen politischen Behörden des Königreichs bestehenden Uebung in der lateinischen Sprache zu führen sind.“

Mit der a. h. Entschliessung vom 23. April 1779 wurde die innere Einrichtung der Stadt Fiume vollendet, und jene innere Verfassung, so wie die Sphäre seiner autonomen Wirksamkeit endgiltig festgesetzt. Wie ein jeder sich überzeugen kann, werden durch dieses Reskript die früher ergangenen a. h. Bestimmungen, nämlich vom 9. August 1776, 29. August und 5. September 1777 endlich 10. April 1778, mit welchen das staatsrechtliche Verhältniss der Stadt Fiume zum Königreiche Kroatien, zu dessen politischen und Gerichtsbehörden, und zum neuen Severiner Comitate festgestellt wurde, nicht umgestossen, sondern vielmehr bestätigt. Dieses so zu sagen äussere Verhältniss der Stadt Fiume wird in dem Berichte der königl. Commission vom 30. August 1778, in der Repräsentation des königl. dalm.-kroat.-slav. Statthalterei-Rathes vom 19. September desselben Jahres und selbst in dem a. h. Reskripte vom 23. April 1779 als ein schon früher bestimmtes betrachtet. Deswegen berufen sich diese Schriftstücke auf jene früheren a. h. Bestimmungen; handeln aber nur von der innern Einrichtung Fiumes, welches schon vom königl. Statthalterei-Rathe Verordnungen empfangen und ihm seine Sitzungsprotokolle und Vorstellungen unterlegt, welches sich schon in den vorgezeichneten Fällen an die Banaltafel des Königreichs Dalmatien, Kroatien und Slavonien berufen, welches an den Kongregationen des Severiner Comitates theilgenommen, in dessen Kassa die vorgeschriebene Steuer gezahlt u. s. w.

Dieselbe Bedeutung haben auch die Diplome, welche die Königin Maria Theresia den beiden Städten Fiume und Buccari ertheilt hat. Wir haben schon oben die Worte angeführt, mit welchen die Königin versprochen, dass sie demnächst an die genannten Städte durch den königl. kroat. Statthalterei-Rath die Diplome zur Bestätigung ihrer Rechte, Freiheiten und Privilegien erlassen werde. Solche Diplome pflegten allen städtischen und Comitats-Municipien hinausgegeben zu werden, und in unserem Falle erhielt auch das Severiner Comitat am 10. April 1778 ein solches Diplom. Die den Städten Fiume und Buccari gegebenen Diplome tragen das Datum des a. h. Reskriptes vom 23. April 1779 und enthalten von Wort zu Wort die Hauptpunkte dieses königl. Reskriptes, welche sich auf die Rechte und Privilegien beider Städte beziehen, während alle jene Punkte übergangen werden, die entweder nur vorübergehender oder administrativer Natur sind. Beide Diplome sind ganz gleich, nur dass der zweite Punkte des Fiumaner Diploms im Buccaraner der erste ist, der dritte und vierte Punkt des Diploms[1] von Fiume, in jenem von Buccari als zweiter und dritter stehen. Im ersten Punkte des Fiumaner Diploms werden dieselben Worte des ersten Punktes des Commissionsprotokolls vom 18. August 1778 angeführt, die auch später in der Repräsentation des königl. dalmat.-kroat.-slav. Statthalterei-Rathes vom 19. September 1778 und hierauf in dem a. h. Reskripte vom 23. April 1779 aufgenommen erscheinen. Und diess ist gerade jener einzige Punkt, auf welcher sich allein aus jener Zeit die Kämpfer für die unmittelbare Vereinigung Fiumes mit dem Königreiche Ungarn berufen. Aber auf wie schwachen Füssen ihre diessfällige Deduktion beruht, wird Jedermann leicht erkennen, der weiss: dass ein jeder Satz nur im Zusammenhange mit dem Ganzen gedeutet werden kann, und der nach dem Vorhergehenden, von dem Entstehen und der Geschichte dieses Punktes halbwegs Kenntniss genommen hat. Wir haben nämlich gesehen, wie der städtische Rath von Fiume in seinem Memorandum vom Aug. 1777 im 1. Punkte gebeten hat, dass Fiume „eadem ratione, qua omnes aliae inclyti regni Hungariae coronae adnexae partes provinciaeque adnexa, ac incorporata habeatur et possideatur." Und diesen seinen Wunsch unterstützte Fiume in seinem Memorandum vom 1. Aug. 1777 durch die Berufung auf seine Vergangenheit, wo es im Verbande mit Oesterreich „nulli provinciae subdita aut adnexa, seorsim et eadem prorsus ratione, qua singillatim quaeque alia haereditaria Austriae provincia, eidem Archiducatui incorporata, habita et possessa fuit." Was aber diess zu bedeuten habe, dass Fiume bezüglich der Verwaltung „keiner erbländischen Provinz untergeordnet oder einverleibt" war, ersehen wir aus dem Memorandum selbst, welches von dem früheren Verhältniss der Stadt spricht, und auch aus dem Protokoll der königl. kroatisch-ungarischen Commission. Fiume hatte in jener Zeit der österreichischen Regierung ein getrenntes Gebiet, welches mit keinem Munizipium vereinigt war, es hatte seine städtische Autonomie im Sinne des Statuts und der erlangten Privilegien; aber bei allem dem war es in den letzten Jahren ein Theil „des österreichischen Küstenlandes" und in Handelsangelegenheiten abhängig von der Handels-Intendanz in Triest, in allen übrigen aber vom niederösterreichischen Gubernium in Graz und vom obersten Gerichtshof in Wien. Es kann daher der Wunsch des städtischen Rathes, dass Fiume in dem neuem Verbande (mit den Königreichen und Landestheilen der ungar. Krone) „in gleicher Weise wie alle übrigen Königreiche und Landestheile mit der heil. Krone des Königreichs Ungarn vereinigt werde," keinen andern Sinn haben, als dass dieser Stadt das frühere Gebiet und die Autonomie belassen werde, und dass sie dem Gebiete und der Verwaltung nach auch ferner

[1] Siehe Beilage 34. B. Wir stellen beide Diplome neben einander, damit der Leser selbst entnehmen könne, wo sie von einander abweichen.

ein getrenntes Munizipium verbleibe. In dem neuen Verbande ersetzte die Triester Intendanz das Fiumaner Gubernium, den Hofkommerzienrath, die ungar. Hofkanzlei, in den politischen und gerichtlichen Angelegenheiten kamen an die Stelle der bezüglichen niederösterreichischen Behörden der königl. dalmat.-kroat.-slav. Statthalterei-Rath, die Banaltafel in Agram und die königl. Tafel in Pressburg. Wenn man den angeführten Worten einen entgegengesetzten Sinn unterstellen wollte, so müsste man beweisen, dass Fiume im Jahre 1776 als unmittelbar dem Königreiche Ungarn einverleibt, in der politisch-ökonomischen Verwaltung nicht dem königl. dalmat.-kroat.-slav., sondern dem ungarischen Statthalterei-Rathe, beziehungsweise nicht der Banal- sondern unmittelbar der königl. Tafel untergeordnet war. Aber einer solchen Auslegung wiederstreiten, wie oben sonnenklar bewiesen wurde, die angeführten königl. Reskripte von den Jahren 1776-79, wiederstreiten die Schriften des Fiumaner städtischen Rathes, indem sie bezeugen, dass Fiume in jenen Jahren ein lebendiges Glied des Königreichs Kroatien und des Severiner Comitates gewesen ist.

Einer solchen Auslegung widerstreitet weiter selbst das a. h. Reskript vom 23. April 1779, aus welchem das Diplom hervorging; denn in demselben wird dem königl. dalm.-kroat.-slav. Statthalterei-Rathe, der Banaltafel und dem Severiner Comitate jene Amtswirksamkeit gegenüber dem städtischen Rathe von Fiume, wie solche in den frühern a. h. Entschliessungen bestimmt worden ist, unverkürzt belassen, und weiter sogar verordnet, dass kein Erlass in öffentlich-politisch-ökonomischen Gegenständen an den städtischen Rath von Fiume auf einem andern Wege als durch den königl. kroat. Statthalterei-Rath zu gehen haben; dass der städtische Rath verpflichtet sei dieser Stelle seine Jahresrechnungen zu unterlegen; dass die Stadt Fiume ihren Beitrag in die kroat. Kriegskassa zu zahlen habe u. s. w. Alle diese Anordnungen hätten keinen Sinn, wenn die im ersten Punkte des angeführten a. h. Reskriptes stehenden Worte: „tanquam separatnm s. regni Hungariae adnexum corpus“ das bedeuten würden, was unsere Gegner wollen, nämlich dass Fiume nicht durch Kroatien, sondern unmittelbar der ungarischen Krone einverleibt worden ist. Aber es wird Jemand fragen: wozu sind dann jene Worte im Diplome? darauf antworten wir in der nachfolgenden Auseinandersetzung, aus welcher hervorgehen wird, welchem Körper gegenüber Fiume mit seinem Gebiete als ein „separatum corpus“ zu betrachten ist.“ Wir haben nämlich gesehen, wie die Stadt Buccari mit ihrem Gebiete nach ihrer Vereinigung mit Kroatien, als eine freie Handelsgemeinde, dieselbe Stellung gegenüber dem Gouverneur, wie die Stadt Fiume mit ihrem Gebiete, erlangt hat; wir haben ferner gesehen, wie die Königin über Antrag der kön. Commission und des Statthalterei-Rathes mit ihrem Reskripte vom 23. April 1779, die Fiumaner städtischen

Statute auf Buccari ausgedehnt und diess in dem ersten Punkte des Diploms dieser Stadt bestätigt hat . . . . In allem dem wurde Buccari Fiume gleichgestellt; es bekam eine gleiche Autonomie, aber mit einem getrennten Gebiete. Anderseits aber haben wir auch gesehen, wie man gegenüber von Buccari den Grundsatz festgehalten, dass es in allen jenen Punkten des staatlichen Lebens, in welchen ihm nicht ausdrücklich eine besondere, privilegirte Stellung gegeben wurde, nach den allgemeinen Satzungen verwaltet werde, wie solche die kroatisch-ungarische Verfassung für sämmtliche kroatische Munizipien vorschreibt. Diese Anordnung wird durch den Umstand begründet, dass Buccari „von jeher zum Königreiche Kroatien gehörte;“ nach seiner Vereinigung mit diesem Lande musste es daher in Allem, was nicht ausgenommen wurde, mit ihm das gleiche Schicksal theilen. Fiume hingegen wurden einige seine Einnahmsquellen betreffende Vorrechte, die es sich im Laufe einiger Jahrhunderte, während es vom Königreiche Kroatien getrennt war, erworben hatte, belassen. Mit Rücksicht auf diesen obersten Grundsatz wurden im ersten Punkte zur Erläuterung des Ausdruckes „tamquam separatum corpus“ die Worte: „neque cum alio Buccarano, velut ad regnum Croatiae ab incunabulis ipsis pertinente districtu ulla ratione commisceatur“ angefügt. Diess bestätigt uns jene Besorgniss, welche die königl. Commission veranlasste das Anerbieten Fiumes bezüglich des Kaufes von Tersat, abzuweisen, weil letzteres von jeher als ein integrirender Theil von Kroatien betrachtet wurde. Diess bestätigt uns endlich auch der ganze Inhalt des königl. Reskriptes vom 23. April 1779, nach welchem Buccari und Fiume in einem gleichen Verhältnisse gegenüber den kroat. politischen und Gerichtsbehörden verbleiben sollen und deshalb kann jener Widerspruch, den die angeführten Worte im ersten Punkte des aus demselben a. h. Reskript geschöpften Fiumaner Diploms enthalten, nicht auf dieses Verhältniss bezogen werden. Im Gegentheile, liefert schon die ängstliche Vorsorge, dass Fiume „in keiner Weise“ mit dem „von jeher zu Kroatien gehörigen Gebiete von Buccari,“ vereinigt werde, den Beweis, dass das Diplom das Gebiet von Fiume und Buccari für zwei Munizipien eines und desselben Landes hält; sonst hätte jene Besorgniss keinen Sinn. Dass aber das Fiumaner Diplom vom 23. April 1779 das bestandene Verhältniss Fiumes gegenüber von Kroatien nicht geändert hat, dass es daher auf der Basis der a. h. Entschliessung von demselben Tage steht, zeigt uns deutlich die Bezeichnung „porro quoque,“ was so viel sagen will, dass Fiume mit seinem Gebiete auch „ferner,“ also wie bis zum 23. April des genannten Jahres, als ein „getrennter Körper“ zu betrachten und dem gemäss mit demselben zu verfahren ist. So wie daher Fiume vor dem 23. April Ungarn nicht unmittelbar einverleibt war, so wurde es auch durch dieses Diplom Ungarn nicht unmittelbar einverleibt. Endlich konnte Fiume mit seinem Gebiete, und eben so Buccari, in seiner Eigenschaft als freie Handelsgemeinde, mit Rücksicht auf den Unterschied, der zwischen ihm und den königl. Freistädten besteht, als „separatum corpus“ im Sinne der ungarisch-kroatischen Verfassung angesehen werden.

Der erste Punkt des Diploms ist von Wort zu Wort aus dem königl. Reskript abgeschrieben, und schon deshalb kann er im Diplom keinen andern Sinn als im Reskripte selbst haben, Der zweite Punkt, der von den städtischen Statuten und der vierte, welcher vom Adel der Patrizier handelt, sind dem Antrage der königl. Commission und des kroat. Statthalterei-Rathes entnommen. Der dritte Punkt des Fiumaner Diploms enthält einen Zusatz, den wir in Kürze besprechen müssen.

Im kön. Reskript vom 23. April 1779. wird der vierte Punkt des Commissions-Antrages stillschweigend bestätigt, hingegen führt ihn der Erlass des königl. dalmat.-kroat.-slav. Statthalterei-Rathes ausdrücklich mit den Worten an: „ut senatus urbis huius immediatam proventuum etiam civitatis medio cammerarii sui habeat administrationem, formatas tamen rationes super perceptione et errogatione medio regii istius (sc. croatici) consilii suae majestati quotannis submittat.“ Diese Worte des Statthalterei-Erlasses sind dem Antrage der Commission entnommen, welcher also lautet: „restabilita clementer in publico politicis et oeconomicis consilii seu senatus urbis activitate, iustum est, ut illud immediatam proventuum etiam civitatis medio cammerarii habeat administrationem; formatas tamen rationes super perceptione et errogatione medio regii croatici consilii Suae Majestati quaotanis submittat.“

Dieser Punkt lautet im Fiumaner Diplom folgendermassen: „ut restabilita per nos in politicis et oeconomicis consilii seu senatus urbis activitate illud immediatam proventuum etiam civitatis medio cammerarii sui, qui usus reliqua etiam in Hungariae regni parte respectu liberarum regiarumque ac montanarum civitatum obtinet, habeat administrationem; formatae nihilominus rationes super perceptis et errogatis summis pecuniariis, dissoluto novissime e benigne Nobis visis rationum momentis eo, quod in regnis Dalmatiae, Croatiae et Sclavoniae ad pertractationem quorumvis praedicta regna respicientium negotiorum publico-politicorum, contributionalium et oeconomico-militarium ante aliquot annos errectum ac constitutum fuerat, consilio, ope regii locumtenentalis Consilii Hungarici demisse nobis submittentur."

Es unterscheidet sich daher der Punkt des Fiumaner (beziehungsweise Buccaraner) Diploms von demselben Punkte im königl. Reskripte, respektive im Antrage und im Protokoll vom 18. August 1778, ferner in den Akten des königlichen Statthalterei-Rathes vom 19. September desselben Jahres und vom 20. Mai 1779 nur durch den Zusatz, dass die städtischen Rechnungen im Wege des königlich ungar. Statthalterei-Rathes einzureichen sind, da der kroatische vor Kurzem aufgehoben wurde. Aber wie konnte sich diese Aenderung in das Diplom einschleichen, da dieses den Datum vom 23. April trägt, während das a. h. Reskript von demselben Tage, dann der Erlass des königl. dalm.-kroat.-slav. Statthalterei-Rathes vom 20. Mai, endlich die Verordnung Josef Majláth's vom 3. Juni 1779 bestimmen und auftragen, dass die Jahresrechnungen der Stadt Fiume durch den kroatischen und nicht ungarischen Statthalterei-Rath einzureichen sind? Wenn wir in unserem Urtheile voreilig wären, würden wir auf diese Frage einfach antworten: dass dieser Punkt später absichtlich gefälscht worden ist. Aber wir bedürfen solcher Waffen nicht. Wir erklären uns die Aenderung dieses Punktes in folgender Weise: Die Königin Maria Theresia hat, wie wir gesehen haben, in Erledigung der bezüglichen Anträge der königl. Commission und des kroatischen Statthalterei-Rathes, mit dem Reskripte vom 23. April die innere Einrichtung Fiumes definitiv festgesetzt. Was sie diessfalls im Wege der betreffenden Behörden veranlasst, versprach sie der Stadt mittels eines besondern Diploms zu bekräftigen. Sie gab in dem vorerwähnten Reskripte dem königl. kroat. Statthalterei-Rathe bekannt, dass sie die Ausfertigung dieser Diplome anbefohlen, und dass dieselben demnächst („proximius") in Parien dem genannten Statthalterei-Rathe übersenden werde.

Aber diese Diplome waren entweder nicht fertig, oder es geschah ihre Expedition aus einem andern Grunde nicht sogleich und wurden dann auch in Folge der mit dem königl. kroatischen Statthalterei-Rathe vor sich gegangenen Veränderung in jenem Punkte entsprechend modificirt. Die Königin hob nämlich mit der a. h. Entschliessung vom 30. Juli 1779 den Statthalterei-Rath der Königreiche Dalmatien, Kroatien und Slavonien auf, welchen sie im Jahre 1767 mit der a. h. Entschliessung vom 31. August eingesetzt hatte, und übertrug dessen Wirkungskreis via facti an den königl. ungarischen Statthalterei-Rath. Der Wirkungskreis, den der kroat. Statthalterei-Rath, so wie bezüglich von ganz Kroatien und Slavonien eben so in den öffentlich-politisch-ökonomischen Angelegenheiten bezüglich Fiumes hatte, überging somit jetzt an den ungarischen Statthalterei-Rath, folglich auch die Einreichung der städtischen Jahresrechnungen.

Und dieses und weiter nichts ist im dritten Punkte des Fiumaner und Buccaraner Diploms ausgedrückt. Dieses Diplom ist daher jedenfalls nach dem 30. Juli 1779 erschienen, trägt aber das Datum vom 23. April 1779 deshalb, weil es auf dem a. h. Reskripte dieses Datums beruht und in demselben versprochen wird. Im Uebrigen gerade diese Aenderung erläutert einerseits den ersten Punkt und bezeugt anderseits die unmittelbare Vereinigung Fiumes mit Kroatien. Denn wäre Fiume nicht unmittelbar dem Königreiche Kroatien einverleibt und in Folge dessen dem kroat. Statthalterei-Rathe untergeordnet gewesen, wozu hätte man im Diplome auch nur mit einem Worte erwähnt, dass jetzt, nachdem der königl. kroat. Statthalterei-Rath aufgehoben worden ist, die Jahresrechnungen der Stadt Fiume nicht mehr diesem, sondern dem ungarischen Statthalterei-Rathe, welcher dessen Wirkungskreis übernommen, zu überreichen sind? Auch die blosse Erwähnung des königl. kroat. Statthalterei-Rathes wäre im entgegengesetzten Falle ein diplomatisches und stylistisches Absurdum.

Aus dem Haupttheile des Fiumaner und Buccaraner Diploms können unsere Gegner für ihre Behauptung nichts anführen. Wohl ist es wahr, dass im ersten Theile nur vom Königreiche Ungarn und seinen Theilen gesprochen wird, und während es im Commissions-Protokolle und in den Erlässen des kön. kroat. Statthalterei-Rathes, auf welchen die a. h. Entschliessung vom 23. April 1779 beruht, ausdrücklich heisst: „adnexa de clementia suae sacrae caes. reg. et apost. majestatis regno Croatiae per consequens sacrae regni Hungariae coronae urbe, portuque Fluminensi..“ während daher in diesen und in den vorhergehenden Akten die mittelbare Vereinigung Fiumes mit dem Königreiche Kroatien ausdrücklich erwähnt wird, heisst es im Diplome: „urbe quoque hac, portuque Fluminensi eidem (regno Hungariae) in singularem benevolentiae et clementiae nostrae tesseram incorporatis.“ Aber hieraus kann nichts gegen unsere Behauptung angeführt werden; weil das Diplom aus dem a. h. Reskripte jenes Tages fliesst und das Reskript Verfügungen erlässt, welche die unmittelbare Vereinigung Fiumes mit dem Königreiche Kroatien voraussetzen, weil das Diplom in den staatsrechtlichen Verhältnissen Fiumes nichts ändert, sondern im Gegentheil im ersten Punkte bestimmt, dass es „auch ferner (porro quoque)“ in demselben Verhältnisse, in jenem nämlich, in welchem es damals stand, zu verbleiben hat; und weil „regnum Hungariae“ zu jener Zeit öfter dasselbe bedeutet wie „sacra corona regni Hungariae,“ nämlich die Gesammtheit der Königreiche und Länder der ungarischen Krone, zu welche auch Kroatien gehörte. Es wäre überflüssig hier die Identität beider Begriffe weiter auseinander zu setzen; es genügt, den Leser auf das ungarische Gesetzbuch und an die Repräsentation der dalm.-kroat.-slav. Stände vom 27. Okt.

1777 zu verweisen. — In diesem Sinne ist freilich unser Fiume dem Königreiche Ungarn einverleibt worden, aber nur durch Kroatien, was am unzweideutigsten die Königin Maria Theresia selbst in ihrem Reskripte vom 24. August 1777 in den Worten ausdrückt: „postquam urbs Fluminensis per sui regno Croatiae immediatam incorporationem nexum nostrorum regnorum haereditariorum hungaricorum ingressa est . . .“

Wohl ist es wahr, wenn diese klaren und der Wahrheit allein entsprechenden Worte in das Fiumaner Diplom vom 23. April 1779 wären aufgenommen worden, so würde man eine falsche Auslegung dieses Diploms verhindert und dadurch den Streit zwischen zwei verbundenen Königreichen im Keime erstickt haben. Auch wollen wir die Vermuthung nicht unterdrücken, dass man vielleicht in der kön. Hofkanzlei, wiewohl aus derselben mehrere die Vereinigung Fiumes mit Kroatien berührende klare Akten hervorgegangen sind, die Erwähnung Kroatiens in dem Diplome absichtlich und um so leichter unterlassen hat, weil der königl. kroat. Statthalterei-Rath schon aufgehoben war. Was wir aber entschieden in Abrede stellen, ist, dass durch das Diplom vom 23. April 1779 an dem a. h. Reskripte von gleichem Tage oder an dem durch dieses Reskript und durch frühere a. h. Enschliessungen hergestellten staatsrechtlichen Verhältnisse der Stadt und des Hafens von Fiume gegenüber von Kroatien und der ung. Krone irgend etwas geändert worden wäre.

Am 30. Juli 1779 hörte der königl. kroat. Statthalterei-Rath „de iure“ und etwas später „de facto“ auf. Der letzte Fiume betreffende Akt desselben ist vom 11. August 1779. Dadurch, dass die Verwaltung der Fiumaner Angelegenheiten an den königl. ungar. Statthalterei-Rath übergingen, entstand zwischen Ungarn und Fiume ein engerer Verband; aber dieser Verband war nur administrativer und nicht auch staatsrechtlicher Natur und umfasste nicht allein Fiume, sondern in gleicher Weise auch ganz Kroatien und Slavonien.

Hiemit endet die erste Periode des wieder hergestellten Verhältnisses von Fiume gegenüber von Kroatien. Hier beschliessen auch wir diesen Abschnitt; aber es sei uns noch ein kurzer Rückblick auf denselben gestattet.

Fiume mit seinem Gebiete war in alter Zeit ein integrirender Theil von Gesammt-Kroatien. Als solchen betrachteten es sowohl die Krone als auch die kroatischen Stände und deshalb hielten beide Theile dafür, dass durch die Einverleibung Fiumes und des Küstenlandes nur „iure postliminio“ einer Hauptforderung des ungar.-kroat. Staatsrechtes entsprochen wurde, da nach demselben ein jeder Regent bei der Krönung sich verpflichten musste, dass er getrennte, zur ung. Krone gehörige Theile, sobald die diessfälligen Hindernisse beseitigt sind, mit ihr wieder vereinigen werde. Die Krone hat daher bezüglich Fiumes diese Forderung durch den Akt der Einverleibung erfüllt. Die kroatischen Stände haben deshalb auch die kön. Botschaft, dass Fiume Kroatien einverleibt ist, mit Freuden begrüsst und hatten keinen Zweifel über die Rechtmässigkeit des Aktes selbst. Worin sie die Mitwirkung des gemeinschaftlichen Landtages verlangten, war, dass ohne ihre Einwilligung aus den einverleibten küstenländischen und aus den Theilen des Agramer Komitates nicht ein neues Komitat gebildet, und dass in Fiume nicht eine neue der ung.-kroat. Verfassung fremde Behörde (Gubernium) errichtet werde.

Die Krone hat ferner die Einverleibung Fiumes mittels seiner gesetzlichen ungar.-kroat. Behörden durchgeführt. Alle Fiume betreffenden Reskripte, Entschliessungen und Bestimmungen der Königin Maria Theresia erschienen in der vorgeschriebenen Form aus der königl. ungar. Hofkanzlei. Diese Schriften sind vom königl. Hofkanzler und vom betreffenden Hofrathe unterfertigt, an den königl. Statthalterei-Rath für Dalmatien, Kroatien und Slavonien direkte erlassen, und wurden, in so weit es nöthig war, auch dem ungar. Statthalterei-Rathe bekannt gegeben; ferner veröffentlichte der königl. Statthalterei-Rath die a. h. Entschliessungen, in welchen die Krone selbst spricht und anordnet, durch seine Unterbehörden. Ueberdiess wirkten bei der Einverleibung Fiumes alle kompetenten ungarischen und österreichischen Behörden mit; es wirkten die Commissaire des königl. dalm.-kroat.-slav. Statthalterei-Rathes, der königl. ungar. Hofkammer, der Triester Intendanz, u. s. w. mit. Und Fiume ist werkthätig der a. h. Absicht entgegengekommen. Es gab unzweideutige Zeichen aufrichtiger Freude darüber, dass es seinem ehemaligen Verbande zurückgegeben wurde; es hat durch seinen städtischen Rath in einem umfangreichen Memorandum seine Wünsche bezüglich seines Verhältnisses im neuen Verbande offen kundgegeben u. s. w.

Und in allen von der Krone, von den ungarischen, kroatischen und österreichischen Behörden ausgegangenen Entschliessungen, Reskripten und Erlässen, in allen diesen öffentlichen Urkunden wird ausdrücklich der unmittelbaren Vereinigung Fiumes mit Kroatien Erwähnung gemacht und wo (nur an einigen Stellen) von Ungarn die Rede ist, da wird darunter die Krone verstanden, zu welcher auch Kroatien gehört. Kann man daher vernünftiger Weise annehmen, dass so viele öffentliche Urkunden gefälscht worden sind? oder dass die ung. Dikasterien schweigend zugesehen haben, wie durch die Vereinigung Fiumes mit Kroatien das Recht des Königreichs Ungarn verletzt wurde? oder soll alles diess, was vom Jahre 1776 bis zum 23. April 1779 mit Fiume vorsichgegangen, eine blosse Täuschung, ein leeres Spiel gewesen sein? oder wäre ein einziger Punkt des Diploms, und zwar ein falsch ausgelegter, im Stande gewesen, so viele öffentliche

Kundgebungen zu Nichte zu machen, die seit drei Jahren bestehende Ordnung umzukehren?

Am Schlusse dieses Abschnittes wollen wir noch anführen, in welcher Weise die Stadt Fiume selbst, in ihrer an den ungarischen Landtag im Jahre 1825 gerichteten Repräsentation [1] die Worte des Diploms: „separatum s. regni Hungariae andnexum corpus" auffasste. Fiume wünschte nämlich, dass im Sinne des Diploms vom 23. April 1779 und des Artikels 4: 1807 seinen Vertretern auf dem Landtage eine „competens sessio" nicht zwischen den königlichen Freistädten gegeben werde, weil Fiume als freie Handelsstadt und als Freihafen demselben nicht zugezählt werden könne. Diese Behauptung wird in der Repräsentation folgendermassen vertheidigt: Fiume war noch zur Zeit der österreichischen Regierung „eine von den übrigen Provinzen getrennte Stadt (ab aliis provinciis seiuncta civitas), und wurde deshalb auch bei seiner Vereinigung mit der ungarischen Krone für „einen getrennten Körper" erklärt, der seinen städtischen, die Angelegenheiten der Stadt verwaltenden Rath hat. Ferner sei Fiume (J. 1825) „bezüglich der Steuer keinem Comitate einverleibt; es sei in dieser Hinsicht ein Bezirk für sich, indem es eigene Feuerstellen habe. Deshalb „käme Fiume fast den Comitaten des Königreiches gleich; noch war es in die Zahl der kön. Freistädte aus der Gerichtsbarkeit irgend einer Grundherrschaft jemals aufgenommen worden; in Folge dessen hänge es auch in ökonomischen Gegenständen nicht von der königl. ung. Hofkammer und in gerichtlichen nicht von der Tavernikal- oder von der Tafel des königl. Personals ab." [2]

Wie man hieraus deutlich ersieht: bezog die Stadt Fiume im Jahre 1825 die Worte „separatum corpus" auf seine innere besondere von den königl. ungarisch-kroatischen Freistädten verschiedene Einrichtung und Stellung, wornach es wirklich in dem ungarisch-kroatischen Staatsorganismus einen besonderen, getrennten Körper bildete, dessen gleichen es im Bereiche der ungarischen Krone nicht gegeben hat. Und in der That war Fiume gegenüber Buccari und gegenüber den königl. ungarisch-kroatischen Freistädten und freien Distrikten ein „separatum corpus" ohne alle Rücksicht auf sein sonst bestimmtes Verhältniss gegenüber Kroatien und der ungarischen Krone.

So wie wir fasste auch der Zeitgenosse Josef Keresztury den Stand der Dinge im kroatischen Küstenlande und das Verhältniss

---

[1] Acta comit. a 1825-7. I. 510.

[2] Abid: „Quasi ad systema regni comitatuum accedit, neque in numerum liberarum regiarumque civitatum ex dominii cuiuspiam terrestris iurisdictione aliquando excepta extitit, adeoque nec in oeconomicis a camera regia hungarico-aulica, nec in iuridicis a sede tavernicali vel personalitia pendet."

Fiumes auf: „Itaque augusta imperatrice — so schreibt er — de statu rerum edocta anno 1776. tam collegium commerciale vindobonense, quam tergestinum dicasterium Intendenza sublata, universum littorale in partes tres divisum, et adiacentibus provinciis adiectum est. Hac proinde ratione Tergestum tanquam portus liber cum adsita regione provinciis germanicis: Flumen cum maritima urbe Buccari Portu etiam regio, totoque tractu Vinodolensi finitimae Croatiae, regnoque Hungariae, Segnia denique et Carlobagum Carlostadiensi confinio adplicata sunt. Eum in finem pro germanicis provinciis Tergesti, pro hungaricis vero partibusque ei adnexis Flumine gubernium constitutum; directio autem comercii Segniensis supremae armororum praefecture Carlostadiensi comissa est.“ [1]

III.

Die Königin Maria Theresia starb am 29. November 1780. Sie führte den grössten Theil der Verwaltungs-Neuerungen in den Ländern der ungarischen Krone ohne Mitwirkung der Stände durch, welch' letztere sie im Jahre 1764-5 zum letzten Mal zum Landtage einberufen hatte. Ihr Sohn und Thronfolger Josef II. versicherte mit dem Reskripte vom 30. November, also gleich am ersten Tage seiner Regierung, alle Komitate, dass er die Rechte des Königreiches schützen und selbst achten werde. Diess schien jedoch nur anfänglich seine Absicht gewesen zu sein, während seine späteren Neuerungen dahin abzielten, in Ungarn eine starke Centralgewalt zu schaffen. Denn, nachdem er die allgemeine Hofkammer aufgehoben hatte, übertrug er alle ihre Geschäfte, in so weit sie die Länder der ungar. Krone betroffen, an die königl. ung. Hofkanzlei (17. Mai 1782); desgleichen vereinigte er die besondere siebenbürgische Hofkanzlei mit der ungarischen (14. August 1782) und schuf auf diese Art für sämmtliche Länder der ung. Krone eine Hofstelle. Er versetzte den kön. Statthalterei-Rath (1783), die königl. Tafel und das Militär-General-Commando (1784) von den Grenzen des Landes, von Pressburg, in das Herz desselben, nach Ofen, und zur Kräftigung der obersten Landesbehörde vereinigte er die ungar. Hofkammer mit dem königl. Statthalterei-Rathe (26. März 1785).

Josef fand den königl. dalmat.-kroat.-slav. Statthalterei-Rath nicht mehr vor, und es war ihm daher um so leichter die Königreiche und Länder der ungar. Krone zu centralisiren. Kroatien und Slavonien unterstanden in den letzten Tagen Maria Theresias dem

[1] Introductio in opus collect. normal. constit. Viennae 1788. P. I. p. 148.

ungar. Statthalterei-Rathe. Bei all' dem hatte unser Vaterland damals für seine staatsrechtliche Stellung eine hinreichend starke Schutzwehr in der Banalwürde, dann in den Landtagen, in deren Wirkungskreis die wichtigsten staatlichen Angelegenheiten gehörten, endlich auch in den Komitaten. Aber kurze Zeit darauf wurden auch diese altehrwürdigen Institutionen von grosser Gefahr bedroht.

Mit der Verordnung vom 18. März 1785, Freitag vor dem Palmsonntag, wurden die 47 ungarischen und 7 kroatisch-slavonischen Komitate in zehn Distrikte, und jeder Distrikt in Komitate eingetheilt. Die Königreiche Kroatien und Slavonien, dieses Namens beraubt, gehörten zu zwei Distrikten: zum Agramer, welcher aus dem Agramer, Warasdiner, Kreuzer, Požeganer und Salader Komitat; dann zum Fünfkirchner Distrikt mit dem Baranyer, Syrmier, Tolnaer und Viroviticer Komitat. Jeden Distrikt verwaltete ein königl. Commissair, welcher den Komitaten gegenüber die Würde eines Obergespans oder Administrators bekleidete.

Unter den Komitaten des Agramer Distriktes wird der Leser das ihm bekannte Severiner Komitat vermissen.. Nach dem Tode Maria Theresias verblieb das Severiner Komitat in demselben Verhältniss zu Kroatien, in welchem es vor Aufhebung des königl. dalm.-kroat.-slavon. Statthalterei-Rathes gestanden. Die Städte Fiume und Buccari, die beiden Civil-Kapitanate, der Kommerzialbezirk, alles das verblieb im alten Verhältnisse zur Komitatsbehörde und zur Banaltafel. Im Jahre 1779, am 3. Dezember, wurde die Partikular- und am 6. April 1780 die General-Kongregation des Severiner Komitates „unter dem Vorsitze des Obergespans Josef Majláth in der mit dem löblichen Severiner Komitat vereinigten freien Seestadt Fiume“ [1] abgehalten. Die Städte Fiume und Buccari sandten ihre Vertreter in die Komitats-Kongregationen, zahlten im Sinne des a. h. Reskriptes vom 23. April 1779 ihren Theil der Kontribution und den Steuer-Zuschlag des Komitates in die Kriegs- und Komitats-Kassa u. s. w. In der am 12. und den folgenden Tagen des Monats September 1780 in Karlstadt abgehaltenen General-Kongregation des Severiner Komitates wurde die Zuschrift des kroatischen Commissairs Ludwig Köröskényi vom 3. September desselben Jahres vorgelesen, wornach der Kassier des Komitates den Steuerbetrag des Komitates bis zum 2. November nach Agram abzuführen beauftragt wurde; dieselben Beträge sollen nach dieser Zuschrift, „auch die Städte Fiume und Buccari rechtzeitig einsenden.“ In derselben Kongregation wurde auch das Intimat des kön. ung. Statthalterei-Rathes vom 21. Aug. 1780 Nr. 5260 vorgelesen; es enthielt den Auftrag, dass der Ausweis über

[1] Siehe die Komitats-Protokolle: „in libera urbe maritima Fluminensi inclyto comitatui Severinensi ingremiata.“

die Steuerrepartition jährlich dem genannten Statthalterei-Rathe eingesendet, dann die Kontribution „im Betrage von 7913 fl. 30½ kr., in welchem auch jene von Fiume und Buccari und des Kommerzialbezirkes eingerechnet ist, so wie die Domestikal-Steuer mit 8164 fl., daher die Gesammtsumme von 16.077 fl. 30½ kr. pünktlich eingezahlt werde." Unter andern wurde die Partikular-Kongregation des Severiner Komitates am 3. Jänner 1785 wieder „in der freien Seestadt Fiume abgehalten."

Aber bald darauf hörte das Severiner Komitat auf. Denn gleichzeitig als Kaiser Josef II. im Jahre 1785 Ungarn, Kroatien und Slavonien in zehn Distrikte eintheilte und nach ihnen die Komitate einrichtete, wurde mit der a. h. Entschliessung vom 20. März 1786 das im Jahre 1776 errichtete Severiner Komitat aufgehoben und zertheilt, indem ein Theil desselben, nämlich die Bezirke von Fiume, Buccari und Vinodol ein getrenntes Gebiet unter dem Namen ungarisches Littorale bildeten, der Rest des Komitates aber mit dem Agramer Komitat vereinigt wurde, welch' letzteres unter die Verwaltung des königlichen Commissairs des Agramer Distriktes (districtus) kam.

Josef II. organisirte das „ungarische Küstenland" mit den a. h. Entschliessungen vom 19. Juli und 11. Oktober 1787. Dasselbe bildete, wie gesagt, einen getrennten politischen Körper, eine eigene Jurisdiktion, [1] unabhängig sowohl vom königl. Cammissair in Agram als auch vom Komitate, und war nur dem Gouverneur untergeordnet, welcher vom königl. ungar. Statthalterei-Rathe als der obersten Landesstelle abhängig war. Das Gubernium hatte ausser dem Gouverneur als Präsidenten, vier Beisitzer, zwei Sekretaire, einen Protokollisten und das übrige Hilfspersonale. In den Sitzungen des Guberniums wurden politische, ökonomische, kommerzielle und sanitäre Angelegenheiten erledigt. Nachdem mit der a. h. Entschliessung vom 30. November 1786 das Handels- und Wechselgericht in Buccari aufgehoben wurde, verblieb für das Küstenland nur das Handels- und Wechselgericht in Fiume, von welchem in allen Handelsprozessen die Berufung an's Gubernium stattfand, eine weitere jedoch nicht gestattet war. Auch die städtische Verwaltung wurde zu dieser Zeit geändert. Es wurde nämlich für Fiume, Buccari und Vinodol nur ein Magistrat mit dem Sitze in Fiume nach Art der Magistrate in den kön. Freistädten Ungarns und Kroatiens aufgestellt. In diesen Magistrat verwandelte sich der altehrwürdige städtische Rath. Demselben präsidirte statt des Gouverneurs, als Civil-Kapitäns, der Vice-Kapitän, als Stellvertreter des Gouverneurs. Beisitzer waren: der Kapitanal-Richter, als

[1] Der Inhalt der betreffenden Reskripte ist in dem angeführten Werke des Josef Kerestury S. 148—154 zu lesen.

erster Rath und Referent, dann zwei Gemeinde-Richter der beiden Gemeinden Fiume und Buccari, beide zugleich Referenten, endlich der referirende Vertreter der Fiumaner Bürgerschaft und zwei Sekretaire etc. Der Kapitanal-Richter wurde lebenslänglich ernannt, die Gemeinderichter aber auf drei Jahre gewählt. In den Wirkungskreis dieses Magistrates gehörten alle politischen, ökonomischen und gerichtlichen Angelegenheiten von Fiume und Buccari. In politischen und ökonomischen Gegenständen war der Magistrat vom Gouverneur in Fiume und dem königl. ungar. Statthalterei-Rathe abhängig, von welchem er Verordnungen erhielt und an welche er Berichte erstattete. In gerichtlicher Beziehung berief man sich in Strafsachen vom Magistrate an die Agramer Distriktualtafel (tabula districtus zagrabiensis), und in Civil-Prozessen an die königliche und die Septemviraltafel. Die Amtswirksamkeit des Fiumaner Magistrates erstreckte sich über das ganze Küstenland; doch war für minder wichtige Gegenstände und zur Entscheidung in Klagefällen von geringerem Belange, in Fiume, Buccari und Novi ein Gerichtsbeisitzer bestellt, von welchen jener in Buccari den Titel eines Gubernial-Commissärs führte, weil er auch die öffentliche Sicherheit zu überwachen hatte. Durch diese so geartete Organisation verloren die Patrizier ihre alten Rechte, die ihnen auch die Kaiserin Maria Theresia bestätigt hatte. Sie durften sich nur einmal des Jahres versammeln, sich berathen und ihre Anträge höheren Orts unterlegen, dann für einige Dienststellen beim Magistrat die Wahlen vornehmen. Die städtischen Rathssitzungen, wie sie früher üblich waren, hatten aufgehört, die Patrizier mussten sich damit begnügen, dass im Magistrate ein Vertreter von ihnen sass.

So war die Organisation des „ungarischen Küstenlandes“ und der Gemeinden Fiume und Buccari unter Kaiser Josef II. beschaffen. Die Buraukratie und die Centralisation stechen auch hier wie in dem übrigen Ungarn, Kroatien und Slavonien hervor. In den ersten fünf Regierungsjahren Josef II. verblieb Fiume und das Küstenland bei jener innern Einrichtung und in jenem staatsrechtlichen Verhältnisse, wie solche mit dem a. h. Reskripte vom 23. April 1779 und dem betreffenden Diplome von demselben Tage festgestellt wurden. Aber durch die Aufhebung des Severiner Komitats hörte Fiume auf ein integrirender Theil, sowohl dieses als jedes anderen Komitates zu sein, und das „ungarische Küstenland“ wurde als ein besonderes Gebiet unter die unmittelbare Verwaltung des Gouverneurs gestellt, welcher in politischen und ökonomischen Angelegenheiten ungefähr dieselben Befugnisse hatte, wie der kön. Commissair in seinem Distrikte. In Folge dessen hörte die specielle Verwaltung Buccaris und dessen Bezirkes auf, da dieselbe mit dem gemeinschaftlichen Magistrate für das ganze Küstenland in Fiume vereinigt wurde. Aber bei allen diesen wichtigen Veränderungen war doch nicht ein jeder administrative Verband zwischen Fiume und Kroatien, oder besser gesagt, und dem Agramer Distrikte aufgehoben; denn auch nach dem Jahre 1785 fand in Strafsachen die Berufung vom Magistrate an die Distriktualtafel in Agram statt. [1] Es verblieb daher auch jetzt noch ein engerer administrativer Verband zwischen Fiume und Agram, als zwischen diesem und dem Syrmier und Viroviticer Komitate, welche Josef II. dem Fünfkirchner Distrikte zugewiesen hatte.

Unter der Regierung Kaiser Josefs wechselten drei Gouverneure: im Jahre 1783 ersetzte den uns bekannten Josef Majláth der jüngere Paul Almásy de Zladány [2] und diesen nach drei Jahren (1786) der Graf Johann Szapáry. Von diesen Gouverneuren wird dem ersteren ein verdientes Andenken in der Geschichte Kroatiens im Allgemeinen und unseres Küstenlandes und Fiumes insbesondere bleiben. Er, obwohl ein geborner Ungar, erkannte mit seltenem klaren Verstande, dass die Wohlfahrt dieses Seeplatzes nur in dessen Verbande mit Kroatien, zu welchem Fiume nach seiner Vergangenheit, nach seiner territorialen Lage und nach seiner Nationalität gehört, gefördert werden kann. Von diesem Gesichtspunkte ging auch seine höchst wichtige, a. h. Orts unterbreitete Repräsentation vom 13. August 1777 aus, welche allen späteren Entschliessungen und Verordnungen die Richtung gegeben hat. Josef Majláth hielt dafür, dass er der Krone und dem Königreiche Ungarn am meisten nütze, wenn er in dieser Beziehung Kroatien und die kroatischen Behörden unterstütze; in Folge dessen finden wir auch in allen einschlägigen Schriften jener Zeit den grössten Einklang zwischen dem Gouverneur von Fiume einerseits und dem königl. dalm.-kroat.-slav. Statthalterei-Rathe, so wie dessen Vertreter, dem intelligenten Nikolaus Škrlec, andererseits. Als Beweis hiefür sind unter anderen die Zuschrift Majláths vom 23. August 1776 an den Banus, bevor der neuernannte Gouverneur Kroatiens Boden betreten, so wie das Protokoll vom 18. August 1778. Josef Majláth machte auch einen gewissenhaften Unterschied zwischen seinen Pflichten, die er als Gouverneur und Civil-Kapitän von Fiume hatte und jenen, die ihm in seiner Eigenschaft als Obergespan des Severiner Komitates oblagen. Und so wie er in erster Beziehung alle Bedingungen aufsuchte, unter welchen der Handel im Küstenlande gefördert werden konnte, so pflegte er in letzterer das Band zwischen Fiume und dem Komitate und trachtete, dass die Grenzen des letzteren erweitert werden. Seinen Bemühungen muss es hauptsächlich zugeschrieben

[1] Ibid. p. 153. In causis criminalibus ab hocce magistratu appellatio est ad tabulam districtualem zagrabiensem.

[2] Oratio occasione solemnis inaugurationes illmi d. gubernatoris littoralis hungarici iunioris Pauli Almassi de Zladány. unaque valedictionis eiusdem antecessoris exc. ac illmi d. Jos. Majláth de Székhely in aede commerciali 3. Oct. 1783.

werden, dass Buccari, Buccariza, Portoré und das übrige Gebiet rechts der Karolinenstrasse Kroatien, beziehungsweise dem Severiner Komitate, einverleibt wurde, und dass Buccari so wie gleichzeitig auch Portoré und Buccariza das Privilegium eines Freihafens erhielten. [1]

Von Majláth gingen auch verschiedene andere Anträge aus, welche auf Förderung des Handels in unserem Küstenlande abzielten; dahin gehören z. B. seine Repräsentation vom 28. Jänner 1778 an den kroatischen königl. Statthalterei-Rath wegen Ausfuhr des Weines durch die Häfen unseres Küstenlandes, jene vom 11. Juli 1778 an denselben königl. kroat. Statthalterei-Rath über die Einrichtung des Zollwesens in den Ländern der ungar. Krone mit Rücksicht auf den Handel im Küstenlande, jene vom 18. März 1780 an den ungarischen königl. Statthalterei-Rath wegen Regelung der Schifffahrt auf der Save und Kulpa, jene vom 20. Oktober 1781 wegen des Handels mit Salz u. s. w. [2] Unter der umsichtigen und weisen Verwaltung dieses Gouverneurs entstanden in Fiume Fabriken, erblühte daselbst und im ganzen Küstenlande der Handel und während der Verkehr in Fiume im Jahre 1775 1,028.841 fl. 25½ kr. betrug, stieg er schon im Jahre 1780 auf 2,580.096 fl. 49 kr.; er hatte sich daher in fünf Jahren verdoppelt. Eben so wuchs die Schifffahrt; denn im Jahre 1780 kamen nach Fiume 1419, nach Buccari 285, nach Portoré 90 Schiffe, und gingen ab von Fiume 1362, von Buccari 248 und von Portoré 90 grössere und kleinere Schiffe. [3]

Als Josef Majláth von seinem Posten abtrat, hinterliess er das Severiner Komitat, das Küstenland, die Städte Fiume und Buccari unverändert in jenem Stande, in welchen sie die Kaiserin Maria Theresia im Sinne der ungarisch-kroatischen Verfassung wieder eingesetzt hatte. Deswegen konnte man ihm zum Lobe auch noch sagen: „wir sahen die patrizischen Vorrechte unverletzt, die Munizipalgesetze bestätigt, die alte Form der Verwaltung auch fernerhin beibehalten ohne andere Aenderung als jene, die nach den Zeitumständen und der allgemeinen Wohlfahrt nothwendig war." Aber unter Majláths Nachfolgern wurde alles geändert: der Absolutismus hob das Severiner Komitat auf, verletzte die Freiheiten Fiumes und Buccaris, indem er eine ganz neue Regierungsform einführte. Diesem konnten sich die kroatischen Stände eben so wenig widersetzen als die ungarischen; denn der Absolutismus versperrte ihnen den Landtags- und den Komitats-Saal. Die Stände wurden in den ersten Regierungsjahren Kaiser Josefs nur zur Wahl der Beamten des Königreichs und zur Installirung des Banus einberufen. Ja als Franz Eszterházy, der zugleich königl. Hof-

---

[1] Cfr. repraesentatio gubernatoris Jos. Majláth circa libertatem portus Buccari et reliquorum littoralis hungarici anno 1778.

[2] Engel op. cit. p. 355 et seq.

[3] Ibid. p. 386.

kanzler war, die Banuswürde abgelegt hatte, wurde diese nur dem Namen nach am 6. Mai 1785 dem übelberüchtigten Franz Balassa de Balassa-Gyarmath verliehen, der nichts anderes als königl. Commissair des Agramer Kreises und ein gehorsamer Vollstrecker der absolutistischen Anordnungen war.

Josef II. arbeitete 9 Jahre mit unumschränkter Macht an seinem reformatorischen Plane; aber erst 24 Tage vor seinem Tode kam er zur vollen Ueberzeugung, dass sein Werk in den Königreichen und Ländern der ungarischen Krone auf keinem festen Grunde beruhe. Mit dem Reskripte vom 28. Jänner 1790 versetzte er die ung.-kroat.-Verfassung wieder in jenen Stand, in dem sie sich am Todestage seiner Mutter befunden; er versprach, dass er den Landtag einberufen und durch die Krönung und das Inauguraldiplom das Werk der Aussöhnung krönen werde. Aber noch während der Ausführung dieses Werkes ereilte ihn am 20. Februar der Tod und machte dass er solches seinem Nachfolger, Leopold II., der schon am 29. März 1790 den Thron bestieg, überlassen musste. Gross war die Freude auch in unserem Vaterlande über diesen Wechsel und die Rückgabe der alten Verfassung, durch welche sich den Komitats-Kongregationen und dem Landtage die Thür eröffnete. Gleich am dritten Tage seiner Regierung ernannte Kaiser Leopold mit dem Reskripte vom 31. März den Grafen Johann Erdödy-Bakač zum Banus und mit dem Reskripte vom 12. April wurde die Banaltafel verfassungsmässig wieder in's Leben gerufen. In Johann Erdödy erlangte unsere Nation eine Bürgschaft, wie ihm solche nur ein Sohn des Landes und Enkel so vieler berühmter Männer, so wie ein wegen seiner Verfassungstreue bekannter Mann bieten konnte; denn als Erbobergespan des Warasdiner Komitates „wollte er in der Zeit des Absolutismus dessen Versammlungen niemals besuchen, weil er sah, wie deren Heiligkeit durch die Gegenwart der bewaffneten Macht verletzt wurde."

Am 12. Mai 1790 versammelten sich die kroat.-slavon. Stände in Agram. Der neuernannte Banus Johann Erdödy wurde in seine Würde durch den Agramer Bischof Vrhovec installirt, der bei dieser Gelegenheit eine sehr schöne Rede hielt, wo er die Freude der Nation über die wiedererlangte Verfassung schilderte und die Tugenden des neuen Banus hervorhob. Dieser Landtag bemühte sich mit aller Entschiedenheit, dass die alten Institutionen des Königreichs so wie die Landeswürden hergestellt und Bürgschaften gewonnen werden, die eine Wiederverletzung der Verfassung unmöglich machten. Hiernach wurde die Banaltafel wieder verfassungsmässig hergestellt, Anton Bedeković als Vice-Banus bestätigt, Donat Lukavsky zum Protonotär des Königreiches ernannt. Der Landtag war auch mit dem Reskripte vom 29. März aufgefordert worden, Ablegaten des Königreichs für den ung. Landtag zu wählen, welcher für den 6. Juni desselben Jahres nach Ofen einberufen wurde. In Folge dessen wählten die Stände einen Ausschuss, der die Instruktion für die Ablegaten zu verfassen hatte. In diesem Ausschusse waren: Graf Johann Szapáry, Gouverneur von Fiume, Graf Peter Sermage, Baron V. Magdalenić, Franz Popović, Emerich Pastory, A. Zdenčaj, A. Ferk, J. Galjuf, Fr. Rafaj, der erwähnte Vice-Banus Bedeković, Fr. Bedeković Statthalterei-Rath, der Protonotär Lukavski, M. Bornemissa, Thaddäus Bedeković, G. Pogledić und die vornehmsten Vertreter der Komitate und Städte.

Dieser Ausschuss, welcher aus den ersten Persönlichkeiten der Nation zusammengesetzt war, hat eine umfangreiche, sehr wichtige nud den kritischen Verhältnissen des Königreichs entsprechende Instruktion ausgearbeitet, welche der Landtag zur seinigen machte. Einen der ersten Plätze in dieser Instruktion nahm das Verlangen nach der territorialen Integrität des Königreiches ein, und dass zu diesem Behufe die Warasdiner Grenze aufgelöst, die übrigen in politischen, justiziellen und ökonomischen Angelegenheiten den Gesetzen und Behörden des Königreichs unterordnet, ferner die Stadt Zeng einverleibt werde, u. s. w. Jetzt kam die Gelegenheit, dass sich die kroatischen Stände über Fiume und das Küstenland äussern konnten. Wir sagten schon oben, dass auch der Gouverneur von Fiume Johann Szápary auf dem Landtage gegenwärtig war. Er wirkte neben den andern kroatischen Magnaten bei der feierlichen Installation des Banus Johann Grafen Erdödy mit; er war in den Ausschuss zur Ausarbeitung der Instruktion gewählt u. s. w., hiedurch haben die Stände und der Gouverneur selbst am deutlichsten die Bestimmungen der Königin Maria Theresia bezüglich Fiumes ausgelegt. Auf demselben Landtage wurde das Diplom vom 23. April 1779 veröffentlicht und ihm hierauf durch den Protonotär des Königreichs dieser Zusatz gegeben: „Anno domini 1790 in generali ii. dd. Statuum et Ordinum regnorum Dalmatiae, Croatiae et Slavoniae pro 12. et sequentibus mensis Maji diebus Zagrabiae celebrata congregatione praesens benignum privilegium lectum et publicatum et salvis publicis et municipalibus legibus, nemine contradicente acceptatum est. Magister Donatus Lukavszky, praelibatorum regnorum protonotarius m. p. Lectum et cum originali collatum per M. Donatum Lukavszky, praefatorum regnorum protonotarium m. p.“ Wie man hieraus ersieht, hat unser Landtag das Diplom vom 23. April 1779 gerade so wie wir gedeutet und in demselben nichts gefunden, was „die öffentlichen und Munizipalgesetze“ des Königreiches verletzen würde, dem gemäss trug er im dreizehnten Punkte der Instruktion den Ablegaten auf, auf dem ungarischen Landtage zu verlangen, dass die Einverleibung des Hafens von Fiume inartikulirt werde, da diese im Jahre 1778 ohne den Landtag ausgeführt wurde: „Fluminensis antem portus extra diaetam anno 1778 sacrae regni coronae factae incorporationis inarticulatio.“ Die kroatischen Stände betrachteten daher die Einverleibung Fiumes schon seit dem Jahre 1778 als eine geschehene Sache und verlangten nur, dass dieses Faktum auf dem gemeinschaftlichen Landtage Gesetzeskraft erlange. Und auf welche Art diess zu geschehen hätte, kann man deutlich aus dem bezüglichen Antrage entnehmen, den die Ablegaten des Königreichs im Namen der Stände dem Landtage unterlegt haben. Hierüber so wie im Allgemeinen über die Fiumaner Frage auf dem ungar. Landtage haben wir jetzt näher zu sprechen.

Ausser der Stadt Fiume, die sich an den Landtag mit einer besonderen Repräsentation gewendet hatte, regten die Ablegaten unseres Königreiches und die ungarischen Stände die Fiumaner Frage an. „Jetzt — sagen die Fiumaner — wo wir neuerdings zu Ungarn gehören, unseren Ruhm und unser Glück darin erblicken, dass wir unter einem neuen gesetzlichen Titel mit der heil. ungarischen Krone verbunden sind — jetzt sei uns gestattet bei den Ständen des Königreiches um die Sicherung unserer Zukunft, nämlich, um unsere Einverleibung und die gesetzliche Inartikulirung noch im Laufe dieses Landtages, ergebenst zu bitten.“ Der Ausschuss, welcher bestimmt war über die Beschwerden des Königreichs Anträge zu stellen, hob aus der grossen Menge dieser Beschwerden, die sich von allen Seiten gesammelt hatten, die dringenderen hervor. In der 42. Landtagssitzung, am 2. December 1790, begann der Protonotär des Königreichs, Johann Németh den vom Ausschuss ausgearbeiteten Entwurf einer Repräsentation über die wichtigeren Beschwerden (praeferentia gravamina) und die hieraus abgeleitenden Anliegen (postulata) des Königreichs vorzulesen. In der nachfolgenden Sitzung (43.) des nächsten Tages wurde das Verlesen und die Debatte fortgesetzt. Im Punkte 11. kömmt die Fiumaner Frage vor. Der Ausschuss formulirte das Anliegen bezüglich Fiumes folgendermassen: „da die Stadt und der Hafen von Fiume, welchen das durchlauchtigste österreichische Kaiserhaus als eine getrennte, keiner deutschen Provinz einverleibte Jurisdiktion besessen hatte, eine solche Lage hat, dass sie auf eine andere Art nicht aufblühen könne, als indem sie zum Ausfuhrsthor des ungarischen Handels gegen das adriatische Meer gemacht werde: so hat die Kaiserin Maria Theresia, seligen Andenkens, bei jener Gelegenheit, als sie das Küstengebiet einverleibte, auch diese Stadt und ihren Hafen der h. Krone des Königr. Ungarn zuzuweisen und in ihr eine eigene Behörde für den ungar. Handel aufzustellen geruht. Aus diesem Grunde wünschen die Stände, dass dieser Gesetzartikel ein ewiges Denkmal an diese hohe königl. Gnade bilde, und Sr. Majestät gleichzeitig sie versichere, dass diese Stadt mit ihrem Hafen, als schon mit der heil. Krone des Königreichs durch ein unlösbares Band vereinigt, niemals von ihr getrennt, sondern in ihrem privilegirten Verhältniss fortan erhalten werde.“ [1] Diesen Ausschuss-Antrag nahmen die Stände an, jedoch in einer andern Redaktion. Sie wollten nämlich, dass in der Repräsentation ausdrücklich das Diplom der Königin Maria Theresia, mit welchem Fiume einverleibt und in ein priviligirtes Verhältniss versetzt wurde, angeführt werde. Ueber diesen Beschluss erscheint im Landtagsprotokoll folgendes bemerkt: „Das Verlangen des Königreichs, bezüglich der Vereinigung des Seeplatzes Fiume, seines Hafens und des zugehörigen Territoriums mit dem Königreiche Ungarn in der Absicht, dass diese Vereinigung der genannten Stadt und ihres Freihafens mit dem Königreiche Ungarn auch durch ein Gesetz des Königreiches bestätigt, und dass sowohl die Stadt als der Hafen mit dem zugehörigen Territorium fortan in ihren Privilegien erhalten werde, wird gutgeheissen. Aber, damit diese Einverleibung im Sinne des von weiland Ihrer Majestät der Kaiserin und Königin Maria Theresia hinausgegebenen Diploms geschehe, glaubte man diess in der Repräsentation erwähnen zu müssen, und wurde die Lösung der in diesem Sinne zu verfassenden Repräsentation auf einen andern Tag verschoben.“

In Folge dieses Beschlusses modificirte der Ausschuss den erwähnten Antrag in folgender Weise: „Nachdem schon die römische apostol. Kaiserin und Königin Maria Theresia, glorreichen Andenkens, zum Zeichen ihrer besondern Gnade und Gewogenheit gegenüber der ungarischen Nation geruht hatte, die Stadt und den Hafen von Fiume dem Königreiche einzuverleiben und auf diese Art das uralte Recht und die mit ihm verbundene Hebung des ungarischen Handels zu erneuern: so bitten wir unterthänigst, zum ewigen Andenken unserer ergebenen Dankbarkeit für diese hohe königliche Gnade, Euere geheiligte Majestät geruhen anzuordnen, dass diese Einverleibung in die Landesgesetze eingereiht werde, ferner den Ständen die Versicherung zu geben, dass diese Stadt mit ihrem Hafen niemals vom Königreiche Ungarn getrennt, sondern dass sie stets als ein getrennter der heil. Krone des Königreichs Ungarn zugehöriger Körper betrachtet, dass hiernach

[1] Siehe Beilage 38. B.

mit ihr in Allem verfahren, sie fortwährend in ihrem privilegirten Verhältnisse erhalten und auf keine Weise mit dem von jeher zum Königreiche Kroatien gehörigen Buccaraner Gebiete vermengt werden wird." [1] Als diese Formulirung in der nächsten, der 44. Sitzung, am 4. December 1790 vorgelesen wurde, fand man sie im Einklange mit dem Beschlusse vom vorhergehenden Tage; deshalb wurde sie mit dem Beifügen gutgeheissen, dass auch dieser Punkt unter die Anliegen des Königreiches eingereiht werde.

Hiemit war jedoch die Fiumaner Frage auf dem ungarischen Landtage noch immer nicht gelöst. Nachdem der Protonotär Németh die Repräsentation bezüglich der dringenderen und wichtigeren Beschwerden Ungarns vorgelesen hatte, fing der Protonotär der Königreiche Dalmatien, Kroatien und Slavonien, Donat Lukavszky an die Anliegen der Stände dieser Königreiche, welche bereits im Ausschusse vorberathen wurden, vorzulesen. Es gibt deren 23 und aus denselben sollten gleich nach der Krönung Gesetzartikel formulirt werden. Im ersten Punkte stellten unsere Stände den Antrag: dass der Wirkungskreis des mit dem Gesetzartikel 98 vom Jahre 1723 gegründeten kön. ung. Statthalterei-Rathes auch auf die Königreiche Dalmatien, Kroatien und Slavonien ausgedehnt werde. Wie man aus der Instruktion für unsere Ablegaten ersieht, beschloss unser Landtag die oberste Verwaltung unseres Vaterlandes an die oberste Landesbehörde Ungarns für so lange zu übertragen, „bis nicht durch die Wiedervereinigung Kroatiens mit jenen Theilen desselben, welche damals die Türken und Venetianer im Besitze hatten — eine dem Wirkungskreise eines solchen Dikasteriums entsprechende Anzahl von Komitaten würde errichtet werden können."

Aber dieses ihr Anerbieten knüpften unsere Stände an zwei Bedingungen: „Dass in dem gemeinschaftlichen Statthalterei-Rathe eine angemessene Anzahl der Unsrigen zur Wahrung der Interessen dieser Königreiche angestellt würde, dann, dass der Banus im Sinne des 42: 1492 in demselben Sitz und Stimme hätte so oft er sich einfände, endlich dass die das ganze Königreich betreffenden öffentlichen Anliegen in den Regnikolar-Kongregationen erledigt würden würden, welch' letztere der Banus so oft einzuberufen hätte, als es ihm selbst nothwendig erschiene, oder die Komitate es verlangen würden."

Diesen Antrag unserer Stände nahmen die ungarischen an, nur wünschten sie noch den Zusatz, dass der Banus die Landtage über

[1] Daselbst.

vorausgehende königliche Bewilligung des Königs einberufen sollte. Auch der zweite Antrag unserer Stände wurde angenommen: nämlich, dass in Hinkunft auch die kroatischen Steuern ausserhalb des ungar. Landtages nicht erhöht werden können, und dass dieselben zur Erhaltung der Banalgrenze verwendet werden sollen. Ueber die übrigen Punkte der kroatischen Anträge heisst es im Landtagsprotokolle wie folgt: „Die in den Punkten 3, 4, 5, 6, 7 und 8 enthaltenen Anträge wurden ohne jede Aenderung gutgeheissen, dass nämlich die Stadt Zeng in ihre Rechte eingesetzt, dass das Andenken an die Vereinigung der küstenländischen Gebietstheile mit Kroatien durch einen Gesetzartikel den Nachkommen überliefert werde, dass zur freieren Bewegung des Handels die Josefinen-Strasse sammt dem zwischen dieser und der Karolinen-Strasse liegenden Gebiete wieder unter die Verwaltung der politischen Behörde gestellt werde.“ Von den angeführten Punkten handelt der dritte von Zeng und zur Durchführung des Beschlusses wird eine gemischte Commission aus Mitgliedern des Civil- und Militärstandes beantragt, welche denselben nach dem Landtage ausführen sollte. Der vierte Punkt führt den Titel: „von der Einverleibung der küstenländischen Gebietstheile;“ der fünfte: „de urbe et portu Fluminensi incorporando.“ Nachfolgend ist der Wortlaut des vierten Punktes: „Nachdem die Kaiserin und Königin, seligen Andenkens, in nachträglicher Durchführung vieler hierüber schon bestehenden Gesetze, die küstenländischen Gebietstheile, welche früher einer fremden Regierung unterordnet waren, dem Königreiche Kroatien und durch dieses der h. Krone des Königreichs Ungarn einverleibt hat: wünschen die Stände, dass das Andenken an diese Einverleibung durch diesen Artikel den Nachkommen überliefert werde.“[1] Nachfolgend ist der Wortlaut des fünften Punktes: „Nachdem die Stadt Fiume mit ihrem Hafen, welche das durchlauchtigste Haus Oesterreich als eine besondere und keiner deutschen Provinz einverleibte Herrschaft besessen hatte, so gelegen ist, dass sie nur dann aufblühen kann, wenn man sie zum Ausfuhrsthor des ungar. Handels gegen das adriatische Meer macht, so hat die Kaiserin und Königin Maria Theresia, seligen Andenkens, bei der Gelegenheit, als sie die küstenländischen Gebietstheile wieder einverleibte, auch diese Stadt und ihren Hafen mit Kroatien und durch dieses mit der heil. Krone des Königreichs Ungarn zu ver-

---

[1] Siehe Beilage 38. A.

einigen und in ihr eine eigene Regierung für den ung. Handel aufzustellen geruht. Desshalb wünschen die Stände, dass durch diesen Artikel ein ewiges Denkmal ihrer Dankbarkeit für diese ausgezeichnete kön. Gnade errichtet werde und gleichzeitig Se. Majestät sie versichere: dass diese Stadt mit ihrem Hafen, als bereits durch ein unauflösliches Band mit Kroatien und der heil. Krone des Königreiches vereinigt, niemals von ihr getrennt, sondern stets als ein zu ihr gehöriger Theil und als ein Ausfuhrsthor des ungarischen Handel betrachtet, und dass sie in ihrem privil. Verhältniss stets erhalten werden wird." Bei dieser Gelegenheit müssen wir speciell über Buccari sprechen; denn diese Stadt gab Anlass zu einer besonderen Verhandlung. Unter den Anträgen Kroatiens nämlich war auch der folgende: „de civitate commerciali Buccarensi inarticulanda," und lautete wörtlich: „Die Stadt Buccari, durch ein allergnädigstes Diplom mit den Privilegien einer Handelsstadt beschenkt und daher zur Handelsstadt erhoben, bittet, dass sie als solche gesetzlich inartikulirt werde." [1]

Als daher in der 44. Landtagssitzung der Antrag bezüglich Fiumes angenommen wurde, „bat — wie das Landtagsprotokoll lehrt — der Ablegat von Buccari die Stände, dass sie die Handelsstadt Buccari inartikuliren sollen, so wie sie bezüglich Fiumes und Zengs eigene Gesetzartikel geschaffen haben, damit ihre Rechte und Privilegien erhalten bleiben und sie in ihr früheres Verhältniss wieder versetzt werden. Seine Excellenz der königl. Richter Graf Karl Zichy erklärte die für Fiume und Zeng sprecheden Gründe folgendermassen: sehr verschieden sind die Verhältnisse der Städte Fiume und Zeng, welche für die Inartikulirung derselben sprechen. Fiume wurde als Handelsstadt mit einem Freihafen von der Kaiserin Maria Theresia, glorreichen Andenkens, dem Königreiche Ungarn einverleibt und mittels eines eigenen Diploms in sein gegenwärtiges Verhältniss erhoben; Zeng dagegen, nach dem Zeugniss vieler Gesetze, war in aller Zeit eine freie königliche Stadt und wurde seiner Rechte nur durch die Militärgrenze verlustig, und der grössere Theil seines Territoriums zum Karlstädter Generalat geschlagen. Dem gegenüber führte der Ablegat von Buccari zur Begründung des Anliegens der Stadt an: dass der Stadt Buccari von der Königin Maria Theresia ein ganz gleiches Diplom, wie Fiume, verliehen wurde. So wie daher Fiume kraft seines Diploms die Inartikulirung verlangt hat, eben so wenig kann Buc-

---

[1] Daselbst.

*

cari, dessen Diplom jenem wörtlich gleichlautend ist, die Inartikulirung verweigert werden. Einige bemerkten auch, dass die den Handelsstädten verliehenen Vorrechte sich von jenen der königl. Freistädte wesentlich unterscheiden; desshalb sei es nicht räthlich Gesetzartikel zur Aufrechthaltung dieser Vorrechte zu schaffen, oder mit andern Worten, die Handelsstädte gesetzlich zu inartikuliren, bevor es nicht klar evwiesen ist, dass diese Vorrechte mit der Verfassung und den Gesetzen des Königreiches in Einklang gebracht werden können. Da es sich aber hier nicht darum handelt, dass die Stadt Buccari zur Würde der übrigen königl. Freistädte erhoben werde, oder dass es Sitz und Stimme im Landtage erhalte, sondern dass es als Handelstadt in die Gesetzartikel eingereiht werde, und da es übrigens selbstverständlich ist, dass ein grosser Unterschied in der Verwaltung zwischen den Handels- und den übrigen königl. Freistädten besteht, so haben die Stände, durch diese Gründe bewogen, so wie mit Rücksicht auf die Hebung des Handels und das allgemeine Beste des Königreiches beschlossen: dass auch die Stadt Buccari als Handelstadt inartikulirt werde. Deshalb wurde dem vierten Punkte der Anliegen des Königreichs Kroatien noch beigefügt: „dass auch dieser Stadt (Buccari) durch ein Gesetz die Garantie gegeben werde, dass sie und ihr Freihafen in ihren Privilegien erhalten werden." Im Sinne dieses Beschlusses erhielt der erwähnte vierte Punkt am Schlusse den folgenden Zusatz: „Die Stadt Buccari hingegen, welche als Handelstadt und Freihafen in ihrem privilegirten Verhältniss erhalten werden soll, ist in einen Gesetzartikel einzureihen."

So endigte die Verhandlung auf dem ungarischen Landtage über die Inartikulirung des von Maria Theresia einverleibten Küstenlandes, so wie der Städte Fiume und Buccari. Die Beschwerden und Anliegen Ungarns, dann Kroatiens, Slavoniens und Dalmatiens wurden in zwei besondere Repräsentationen, datirt vom 6. December 1790 und unterschrieben von Palatin Leopold und den Grafen Josef Batthyáni, dem Kaiser Leopold II. unterbreitet. Auf diese Repräsentation erfloss die a. h. Entschliessung vom 13. Jänner 1791. Auf den 11. Punkt der ung. Repräsentation wurde Folgendes erwiedert: „Se. Majestät bestimmen, dass dieses allerunterthänigste Anliegen bei der Nothwendigkeit, es zur Sicherheit für alle zukünftige Zeiten allseitig zu erwägen, auf den künftigen Landtag des Königreiches verschoben, und bis dahin diese Stadt (Fiume) in ihrem gegenwärtigen Verhältniss belassen werde." [1] Das vierte Anliegen in der Repräsentation der dalm.-kroat.-slav. Stände wurde nachfolgend resolvirt: „Seine

[1] Siehe Beilage 38. C.

Majestät gestatten a. g., dass das Andenken an die Vereinigung der küstenländischen Gebietstheile mit Kroatien und durch dieses mit der heil. Krone des Königreichs Ungarn gesetzlich inartikulirt und ferner ausgedrückt werde, dass die Stadt Buccari als Handelstadt und Freihafen in ihrem privilegirten Verhältniss erhalten werden soll." [1] In Folge dessen wurde in der 56. Landtagssitzung der Artikel „von der Einverleibung der küstenländischen Gebietstheile," so wie der Artikel „von der freien und königl. Stadt Zeng, die von der Militärbehörde zu befreien ist und deren Beschwerden zu begleichen sind," dann der Artikel „von der Uebergabe des Territoriums zwischen der Karolinen- und Josefinen-Strasse an die politische Behörde" gesetzlich festgestellt. Der Artikel „von der Einverleibung der küstenländischen Gebietstheile" lautet ganz so wie er von den kroatischen Ständen, mit dem Zusatze bezüglich Buccari, beantragt wurde; aus demselben wurde nur in der 56. Sitzung der Satz: „antea peregrino gubernio obnoxias" ausgelassen. Der vollständige Artikel lautet demnach wie folgt: „cum gloriosae memoriae imperatrix et regina apostolica ad effectum numerosarum eatenus sancitarum regni legum partes maritimas regno Croatiae, ad quod ab olim spectabant, ac per eam s. regni Hungariae coronae postliminio reincorporaverit, ut itaque huius memoria ad seros posteros trasmittatur, urbs vero Buccari cum Portu regio et Buccarensi, tanquam urbs commercialis et portus liber in statu suo privilegiali conservetur cum benigno Suae Majestatis annutu stasuitur." [2] Diesen Artikel, so wie auch andere, hat Se. Majestät Leopold II. am 12. März 1791 bestätigt und wurde derselbe in die Gesetzartikel dieses Landtages unter Nr. 61, jener bezüglich Zeng unter Nr. 60, dann jener, betreffend das Territorium zwischen der Karolinen- und Josefinen-Strasse unter Nr. 62 u. s. w. eingereiht. Hingegen geschieht in den Gesetzartikeln des Landtages vom Jahre 1790-1 von Fiume keine Erwähnung. Auf diese Art wurde auf dem ung. Landtage des genannten Jahres die Fiumaner und die Frage des kroatischen Küstenlandes verhandelt. Wir haben bis jetz die ganze Verhandlung in Kürze ohne jede Bemerkung erzählt, jetzt kommen wir dazu, unsere Bemerkungen zu machen.

Als nach dem Absolutismus Kaiser Josefs die ungar.-kroatische Verfassung wieder hergestellt wurde, musste die Frage der Einverleibung von Fiume auf dem kroatisch-slavonischen und auf dem allgemeinen ungarischen Landtage an die Tagesordnung kommen. Denn

---

[1] Daselbst. — [2] Siehe Beilage 38. D.

die Kaiserin Maria Theresia hatte zwar schon im Jahre 1776-7 Fiume und Buccari mit dem Kommerzialgebiete der ung. Krone einverleibt, diese beiden Städte zu Frei- und Handelsstädten und Freihäfen erhoben, und ihnen mittels eines besondern am 23. April 1779 hinausgegebenen Diploms Privilegien verliehen. Aber diese Einverleibung so wie das besondere privilegirte Verhältniss dieser Städte musste auf dem ung. Landtage, welcher seit dem Jahre 1764-5 nicht einberufen worden war, und vor welchen diese mittlerweile gelöste Frage gar nicht kommen konnte — eigens inartikulirt werden. Auf dem Landtage konnte es sich daher um die Thatsache der Einverleibung selbst nicht handeln; denn diese erheischten schon ältere Gesetze und die Krone führte sie im Sinne und kraft dieser Gesetze durch. Auf dem Landtage sollte nur diese Thatsache zum Gesetze erhoben und ihm für alle Zeiten jene Giltigkeit gegeben werden, welche einem jeden von den Ständen gefassten und von der Krone bestätigten Beschlusse gebührt. Demgemäss steht auch in der Instruktion für die kroat. Ablegaten: man soll „die Inartikulirung der im Jahre 1778 ausserhalb des Landtages geschehenen Vereinigung des Freihafens von Fiume mit der h. Krone des Königreiches" — erwirken. Hiernach setzt das Anliegen der ung. und kroat. Stände voraus, dass Fiume durch Maria Theresia einverleibt wurde, dass es „mit der heil. Krone des Königreiches durch ein unauflösliches Band vereinigt sei" und beschränkt sich nur darauf, dass „diese Einverleibung Gesetzesform erlange, wodurch sowohl die Krone als auch die Stadt die Garantie erhielte, dass Fiume „mit seinem Territorium niemals vom Königreiche getrennt und stets in seinem privilegirten Verhältniss erhalten werden wird."

Bei diesem Sachverhalte lag es nicht in der Absicht des ung. Landtages, etwas an dem staatsrechtlichen Verhältniss zu ändern, in welches Maria Theresia Fiume gegenüber der ungar. Krone im Allgemeinen und gegenüber dem Königreiche Kroatien insbesondere gesetzt hat. Wie dieses auf den a. h. Entschliessungen vom J. 1776-7 und dem a. h. Reskripte und Diplome vom 23. April 1779 beruhende staatsrechtliche Verhältniss beschaffen war, haben wir genügend besprochen. Dieses staatsrechtliche Verhältniss haben die kroatisch-slavonischen Stände im fünften Punkte ihrer Beschwerden und Anliegen klar ausgedrückt, indem sie verlangten, dass es in dem Gesetze heisse: „Fiume, als bereits mit Kroatien und der heiligen Krone des Königreiches durch ein unauflösliches Band vereinigt, soll von demselben niemals getrennt werden."..
Sie verlangten daher, dass auch im Gesetze Dasjenige bemerkt werde, was in den bezüglichen Reskripten Maria Theresias ausdrücklich gesagt ist, nämlich, dass Fiume Kroatien unmittelbar und durch

dieses der heil. Krone des Königreichs Ungarn einverleibt wurde. Es ist von Belang den kroatischen Antrag mit dem ungarischen zu vergleichen. Der ungarische Ausschuss nahm den Antrag der kroatischen Stände wörtlich an, mit der einzigen Abweichung, dass er anstatt Kroatien ausdrücklich zu erwähnen, nur die ungar. Krone erwähnt. Er hat statt der Worte: „als bereits durch ein unauflösliches Band mit Kroatien und mit der heil. Krone vereinigt, Kroatien und durch dieses der heil. Krone des Königreichs Ungarn einzuverleiben" beantragt: „der h. Krone des Königreichs Ungarn einzuverleiben . . . als bereits mit der heil. Krone des Königreichs vereinigt." Der ung. Landtag nahm den Antrag seines Ausschusses im Wesentlichen an, nur formulirte er ihn der Art, dass in demselben das Diplom Maria Theresias, mittels dessen Fiume die Privilegien verbürgt werden, mehr hervorgehoben erscheint, indem er aus demselben die wichtigeren Stellen, namentlich jene anführt: dass Fiume „als ein besonderer mit der heil. Krone des Königreichs Ungarn vereinigter Körper" zu betrachten ist.

Es ist gewiss, dass jeder Zweifel über das Verhältniss Fiumes zu Kroatien beseitigt worden wäre, wenn der ungar. Landtag den Antrag der kroatischen Stände sich angeeignet und ausdrücklich erwähnt hätte, dass Fiume mit Kroatien und durch dieses mit der h. Krone des Königreichs vereinigt ist. Nur eine solche Formulirung drückt genau den Sinn der a. h. Entschliessung der Königin Maria Theresia aus und entspricht dem Stande der Dinge nach dem Jahre 1776. Aber diess vermisst man in dem ung. Antrage und es entsteht daher die Frage: warum hat der ung. Landtag die Worte, welche sich auf Kroatien beziehen, ausgelassen? Es können nur zwei Motive dabei gedacht werden: entweder war der ungar. Landtag überzeugt, dass Fiume von Maria Theresia Ungarn unmittelbar und nicht Kroatien einverleibt wurde, oder er erkannte an, dass Fiume Kroatien unmittelbar und der ung. Krone mittelbar einverleibt wurde; aber er hielt es für hinreichend, wenn nur das letztere ausgedrückt werde, da hiedurch ohnehin der kroatische Antrag nicht ausgeschlossen erscheint. Welcher von diesen beiden Fällen ist der wahrscheinlichere?

Der ungar. Landtag hatte bezüglich Fiumes zwei Anträge vor sich; in dem kroatischen wird ausdrücklich erwähnt, dass Fiume Kroatien unmittelbar einverleibt ist. Wenn die ungar. Stände überzeugt gewesen wären, dass Fiume nicht durch Kroatien, sondern unmittelbar Ungarn einverleibt worden sei, so hätten sie gewiss den kroatischen Antrag bekämpft, ihn ausdrücklich abgelehnt und verworfen. Obwohl es nun aller Wahrscheinlichkeit nach im ungarischen Landtage auch solche gegeben haben wird, welche das Diplom vom 23. April 1779 zu ihren Gunsten auslegten, so finden wir doch in den Verhandlungsakten keine Spur, dass sie sich den kroatischen Ansichten in dieser Frage offen widersetzt hätten. In derselben Sitzung, in welcher die ung. Formulirung angenommen wurde, las der kroatische Protonotär die kroat. Formulirung, und es heisst in dem Sitzungsprotokolle von dem betreffenden Antrage, so wie den übrigen unter Nr. 3, 4, 6 und 8, dass sie „ohne jede Aenderung angenommen wurden." Anderseits finden wir auch nicht, dass die kroatischen Ablegaten Franz Bedeković, Adam Škrlec oder der Protonotär Lukavsky die Ausdrucksweise im ungar. Antrage so gedeutet hätten, dass neben ihr der kroatische Antrag nicht bestehen könnte. Und Jedermann ist es wohl bekannt, dass sowohl in den älteren als auch in den Gesetzen des Jahres 1790-1 unter „regnum Hungariae," oder kürzer „regnum" die Gesammtheit der zur heil. ungar. Krone gehörigen Königreiche und Länder verstanden wird, wenn nicht einzelne hievon ausdrücklich ausgeschlossen wurden. So lautet es z. B. im Artikel 10: „Hungaria nihilominus cum partibus adnexis sit regnum (Staat) liberum," so heisst es auch „s. corona regni Hungariae," „status et ordines regni," „leges regni" u. s. w. Unter dieser allgemeinen Benennung wurde auch das Dreieine Königreich so sicher verstanden, dass bei der Verhandlung über die Evangelischen in der 19. und 21. Landtagssitzung (30. Aug. und 2. Sept. 1790), die kroatischen Ablegaten zum Schutze der besonderen Rechte ihres Vaterlandes verlangten: man soll bei dem Ausdrucke „des Königreichs Ungarn" einschalten: „huc non intellectis regnis Dalmatiae, Croatiae et Slavoniae." Wo immer daher im Gesetze bei „regnum Hungariae," „regnum" u. s. w. kein Zusatz vorkömmt, der diesen staatlichen Begriff beschränkt, da umfasst es auch alle übrigen Länder der ungar. Krone. Eine eben so weite Bedeutung hat das Wort „Hungarus," welches im Allgemeinen einen jeden Bewohner der zur ungarischen Krone gehörigen Länder bezeichnet. Als in der 22. Sitzung (3. Sept. 1790.) über die Räthe der königl. Statthalterei verhandelt wurde und man alle Nichtungarn ausschliessen wollte, wurde beschlossen, dass vor „Hungari" das Wort „soli" („per solos Hungaros") gesetzt werde, aber gleich darauf folgt die Erläuterung: „eo tamen sensu, ut e sinistra interpretatione regnis Croatiae, Slavoniae et Dalmatiae nihil omnino praeiudiciosi enasci possit, cum pristinarum legum vinculo istorum quoque regnorum incolae genuini habeantur Hungari."

In diesem Sinne lautet auch der Artikel 30: 1790-1, mittels dessen nebst den Städten Temesvár und Maria-Theresiopel auch Požeg und Karlstadt inartikulirt werden, nämlich: „SS. et OO. regni easdem in numerum aliarum liberarum ac regiarum civitatum cum competenti sessione et voto diaetali recipiunt, una vero, ut eaedem legibus regni quoad omnia subiacere et sese accomodare debeant, statuitur." Bei der Verhandlung über Karlstadt wird in dem Landtagsprotokoll bemerkt: „quidam insuper commemorabant: Carlostadium, quod iurisdictioni militari parebat, iam tum quoque libertatibus quibusdam gavisum fuisse; his proinde spoliari illud tanto minus posse, quod recte sui ad regnum applicationem emolumento sibi fore speraverit.“ Hier wird doch Niemand daran zweifeln, dass regnum auch die Königreiche Dalmatien, Kroatien und Slavonien, von welchen die Städte Požeg und Karlstadt integrirende Bestandtheile sind, umfasse, so wie, dass Karlstadt nicht Ungarn, sondern Kroatien unmittelbar einverleibt worden ist.

Hätte der ungar. Landtag in seinem Antrage bezüglich Fiumes „regnum Hungariae“ im engern Sinne genommen, so würde er einerseits das Verhältniss Fiumes zu Kroatien willkürlich geändert und anderseits den Sinn der a. h. Entschliessung Maria Theresias, namentlich das Diplom und Reskript vom 23. April 1779, unrichtig ausgelegt haben. Aber zu einer solchen Annahme sind wir durch sein Vorgehen nicht berechtigt. Dass der Landtag der ausdrücklichen Erwähnung Kroatiens ausgewichen ist, konnte einen doppelten Grund haben, erstens, weil, wie wir schon gesehen, in dem Diplom vom 23. April 1779 Kroatiens nicht ausdrücklich erwähnt wird, zweitens, weil dieser Landtag nach dem Absolutismus Kaiser Josefs und dessen Bemühungen, Ungarn mit den erbländischen österreichischen Provinzen zu verschmelzen, die Fahne der Gemeinsamkeit der ungarischen Königreiche und Länder hoch erhoben, nirgends ohne Noth und ausdrückliches Verlangen die Individualität dieser Länder in den Vordergrund gestellt hat.

Nach diesen Grundsätzen gestattete der Landtag, dass in dem Artikel 61, betreffend die Einverleibung der küstenländischen Gebietstheile, „partes maritimas regno Croatiae, ad quod ab olim spectabant, ac per eam s. regni Hungariae coronae postliminio reincorporaverit...“ eingeschaltet werde, weil diese Einschaltung mit andern Worten in dem Diplome von Buccari sich befindet und weil diess auch ältere ungar. Gesetze bezeugen, während er eine solche ausdrückliche Anerkennung bezüglich Fiumes ausgelassen hat, da sie im Diplome nicht enthalten ist und ihrer auch im ung. Gesetzbuche nirgends erwähnt wird. Dass übrigens der ungar. Landtag in der That Kroatien nicht jedes Recht auf Fiume absprach, kann uns als ein kleiner Beweis auch der Umstand dienen, dass in dem Landtagsentwurfe, durch welchen 6000 Rekruten bewilligt werden, Fiume unter den kroatischen Munizipien aufgeführt erscheint u. z. wie folgt: „comitatus Varasdinensis 34. Varasdinum 2., Zagrabiensis 61. Severinensis 4. districtus maritimus 3., Zagrabia 1., Carolostadium 1., Crisiensis 24., Crisium 1., Kaproncza 1., Fiume 1., Buccari 1., Poseganus 55. Posega 2 . . . .“

Aber auf dem ung. Landtage vom Jahre 1790-1 wurde wegen Fiume nicht so sehr ein Streit zwischen Ungarn und Kroatien geführt, wiewohl es auch Stimmen gab, welche Fiume nur Ungarn zuerkannten, sondern es entstand ein solcher vielmehr zwischen der ungar. Krone und den erbländischen österreichischen Provinzen. Leopold II. bestätigte die Einverleibung der küstenländischen Gebietstheile und Buccaris, aber er verweigerte dem diessfälligen Antrage des Landtages in Bezug auf Fiume, seine Sanktion und überwies diese Frage auf den künftigen Landtag u. zw. wie es im Reskripte heisst, aus dem Grunde, „weil es nothwendig sei, zur Sicherheit für alle zukünftige Zeiten dieselbe allseitig zu erwägen.“ Aus diesen Worten kann man schon entnehmen, dass bei der Krone über die Berechtigung der ungarischen Ansprüche bezüglich Fiumes ein Zweifel auftauchte. So war es auch in der That. Die innerösterreichische Regierung, namentlich die Stände von Krain, reklamirten Fiume und leiteten ihr Recht auf diese Stadt aus der Vergangenheit vor dem Jahre 1776 her, indem sie geltend machten, dass Fiume zum Herzogthum Krain gehört habe. Hierüber berichteten die damaligen kroat. Ablegaten auf dem ungar. Landtage den in Agram versammelten dalm.-kroat.-slav. Ständen, am 7. und den folgenden Tagen des Monats Juni 1791, indem sie sagten, dass Seine Majestät den Antrag bezüglich Fiumes nicht bestätigt, sondern beschlossen haben: „vor definitiver Erledigung dieser Sache, früher noch die einschlägigen deutschen Provinzen und selbst das heil. römische Reich zu vernehmen.“

Die österreichische Regierung beauftragte in der That den Archivar des k. k. Hofarchives, Kassian Roschmann, dass er diese Frage wissenschaftlich erörtere. Roschmann war schon am 18. Nov. 1791 mit seiner Arbeit fertig, in welcher er zu beweisen sich bemüht, dass Fiume zu Krain gehört habe. Roschmann schöpfte seine Beweise grössten Theils aus Urkunden des XIV. und XV. Jahrhunderts; indem er aus denselben die Beziehungen ableitete, in welchen Fiume zu den Herrn von Duino, den Herrn von Walsee und den Erzherzogen von Oesterreich gestanden, worüber wir im ersten Theile dieser Abhandlung gesprochen haben. Roschmanns Abhandlung wurde mit dem Hofreskripte vom 9. Februar 1792 Nr. 1577 dem königl. ung. Statthalterei-Rathe mit dem Auftrage zugeschickt, darüber sowohl die Meinung des gelehrten Historikers, Domherrn Georg Pray, als auch des Guberniums und städtischen Rathes von Fiume einzuholen und a. h. Orts seiner Zeit zu unterbreiten. In Folge der ihm zugekommenen Aufforderung verfasste Pray eine wissenschaftliche Abhandlung, welche übrigens keinen grossen Werth hat. [1] In dieser Abhandlung argumen-

[1] Ich habe sie im ungarischen Museum in Pest im Manuskript gelesen und excerpirt.

tirt Pray folgendermassen: Fiume gehörte zu Liburnien, sich auf Ptolomäus berufend (geogr. lib. II. c. 17.), Liburnien zu Dalmatien (Const. Porph. Thomas arch. spalat.), dieses zu Ungarn, folglich gehörte Fiume zu Ungarn. Zum Beweise, dass Dalmatien zu Ungarn gehört habe, beruft sich Pray auf den heil. Ladislaus und Koloman, wie nämlich dieselben Kroatien und Dalmatien erobert hätten, dann auf die Regierung Ludwig I. namentlich auf den im J. 1358 mit Venedig geschlossenen Frieden. Ueberdiess anerkennt auch Pray, dass Fiume den Frankopanen gehört hat. Aber alles dieses hätte Pray belehren sollen, dass Fiume nur durch Kroatien zur ung. Krone gehört habe, was er natürlich nirgends ausdrücklich anerkennt, indem er überall den Standpunkt der Gemeinsamkeit der Länder der ung. Krone festhält, welcher vom Landtage 1790-1 mehr als jemals hervorgehoben wurde.

Auf diese Art überging ein Theil der Fiumaner Frage auf das theoretische Gebiet. Anderseits wollte die Krone, in so lange die wissenschaftliche Verhandlung dauerte, an dem faktischen Verhältnisse Fiumes nichts ändern: „es soll diese Stadt — so lautet die a. h. Entschliessung vom 13. Jänner 1791 — indessen in ihrem gegenwärtigen Stande verbleiben.“ Und wie war dieser Stand beschaffen? Kroatien hatte nicht mehr seine Statthalterei, sondern über sein Verlangen (Art. 58) erstreckte sich die Wirksamkeit der ung. Statthalterei auch auf das Dreieine Königreich; Fiume konnte daher nicht wie vom Jahre 1776-79 in öffentlich-politischen und ökonomischen Angelegenheiten vom kroat., sondern nur vom gemeinschaftlichen ung. Statthalterei-Rathe abhängen. Im Jahre 1790 wurde das vom Kaiser Josef II. aufgehobene Severiner Komitat, dessen integrirender Theil Fiume war, nicht wieder errichtet. In dem Landtagsbeschlusse über die bewilligten Rekruten wird zwar das Severiner Komitat aufgeführt; aber unter demselben wird, so zu sagen, nur jener Theil des ehemaligen Komitates verstanden, welcher weder zum See-Distrikte noch zu jenen über der Kulpa gehörte. Das einzige Band, mit welchem Fiume im Jahre 1790 noch an Kroatien hing, war das Unterrichts- und Gerichts-Wesen, im letzteren mittels der Banaltafel, und dann, dass es seinen Antheil an Rekruten zum kroatischen Kontigente lieferte. Aber mit Rücksicht auf das Verhältniss, in welches Kroatien und Slavonien im Jahre 1790-1 zu Ungarn getreten ist und mit Rücksicht auf das privilegirte Verhältniss Fiumes im Sinne des Diploms vom 23. April 1779, war nach der damaligen Organisation des Staates ein anderes Band auch nicht möglich.

Die kroatischen Stände machten im Jahre 1791 bezüglich Fiumes zwei Erfahrungen: einerseits machte Oesterreich sein Recht auf Fiume geltend, welches — wenn es von der Krone anerkannt worden wäre, die Trennung Fiumes von der ung. Krone und dessen Rückversetzung in das Verhältniss vor dem Jahre 1776 zur Folge gehabt hätte;

anderseits umging der ungar. Landtag im Gesetze die ausdrückliche Anerkennung, dass Fiume Kroatien unmittelbar einverleibt und durch letzteres mit der „Krone des Königreichs Ungarn“ vereinigt worden ist. Auf dieser doppelten Erfahrung gründet sich der Beschluss unseres Landtages vom Jahre 1791, welcher nach dem ungarischen gehalten wurde. Man wird diesen Beschluss am deutlichsten aus der Repräsentation [1] entnehmen, welche die kroatischen Stände bezüglich Fiumes dem König Leopold II. unterbreiteten, und welche zur nächsten Folge die bereits erwähnte a. h. Entschliessung hatte, nämlich: „dass vor der definitiven Erledigung noch die benachbarten deutschen Provinzen und selbst das heilige römische Reich zu vernehmen seien;“ dann aber auch das Bestreben von Seite Ungarns, dass Fiume mit diesem Königreich unmittelbar vereinigt werde.

Die Repräsentation vertheidigt den kroatischen Standpunkt in der Frage und unterstützt denselben durch die geo- und topografische Lage Fiumes, wonach sich die Stadt nicht „an der Grenze zwischen Ungarn und Kroatien, sondern an der äussersten Grenze Kroatiens gegen das adriatische Meer befindet.“ Wenn man — so argumentirt die Repräsentation — von der unanfechtbaren und allseits anerkannten Grundlage ausgeht, dass der Bezirk von Buccari von jeher zu Kroatien gehörte, so kann Fiume, wenn es von Kroatien getrennt wird, seiner örtlichen Lage nach, sich gar nicht ausdehnen, während es, mit Kroatien vereinigt, sich diesseits der Fiumara ausbreitet und vergrössern kann: „dass letzte Haus von Fiume gegen Osten — so heisst es — ist schon an der Grenze Kroatiens, und gegen Norden und Westen ist das Territorium der Stadt so klein, dass es kaum den Raum einer halben Meile einnimmt, und so gebirgig, dass es zur Ausbreitung der Stadt gar nicht geeignet ist.“ Ein zweites Motiv wird in der Repräsentation wie folgt angeführt: „Fiume mit seinem Hafen ist weder im Stande noch wird es jemals kommen, den ganzen ungarischen Handel zu bewältigen.“ Desshalb wurde schon vom Beginne seiner Vereinigung mit Ungarn an, der Bezirk von Buccari und später auch jener von Vinodol, mit Fiume vereinigt und der Gubernial-Verwaltung in der Art unterordnet, dass diese Bezirke die auf sie entfallende Steuer in die Gubernialkassa abführten. Da nun alle diese Bezirke zweifellos zu Kroatien gehören, so müssten dieselben in dem Falle, als Fiume zu einer unmittelbar ungarischen Stadt erklärt werden sollte, ebenfalls von der Jurisdiktion von Fiume getrennt, oder der ungarischen Jurisdiktion unmittelbar unterordnet werden; aber ersteres kann ohne Beeinträchtigung des Handels nicht geschehen und letzteres ohne Verletzung

---

[1] Siehe Beilage 39.

der Grenzen und der unmittelbaren Jurisdiktion beider Königreiche (Kroatien und Ungarn), welche unverletzt zu erhalten im Interesse beider Königreiche liege . . . Wenn hingegen Fiume unmittelbar mit Kroatien und durch dieses mit Ungarn vereinigt wird, so werden auch alle unangenehmen Folgen ausbleiben, da ja ohnehin Kroatien mit Ungarn vereinigt ist, folglich auch Fiume, als ein Theil Kroatiens, mit Ungarn fortwährend vereinigt bleiben und einer und derselben Gesetzgebung unterordnet sein würde; dieselben Gerichts- und politischen Behörden des Königreichs Ungarn würden Fiume und Kroatien verwalten, so dass kein triftiger Grund vorhanden ist, auf welchen gestützt die ungarischen Stände eine unmittelbare Einverleibung Fiumes vertheidigen könnten." Am Schlusse kommen unsere Stände zu der Bitte: „desshalb bitten wir unterthänigst, Euere geheiligte Majestät geruhen, nach Erwägung alles dessen, was wir bisher angeführt haben, die Stadt und den Hafen von Fiume unmittelbar dem Königreiche Kroatien und durch dasselbe der heil. Krone des Königreichs Ungarn einzuverleiben; wenn aber diess nicht erreicht werden könnte, so geruhen Euere Majestät jenen ganzen Bezirk, welcher sich bis zum Bache Fiumera erstreckt, über dessen Zugehörigkeit zum Königreiche Kroatien kein Zweifel obwaltet und der vor wenigen Jahren unter die Jurisdiktion des Guberniums von Fiume gestellt wurde, von dieser Jurisdiktion zu trennen und nach Errichtung eines besonderen Kapitanats in Buccari, denselben der früheren Verwaltung des Königreichs zurück zu geben."

Die kroatischen Stände haben daher auf dem Landtage vom Jahre 1791 das Recht des Königreichs Kroatien auf Fiume vertheidigt, durch seine Lage und die Interessen des Handels zu beweisen getrachtet, wie unthunlich es sei, dasselbe unmittelbar mit Ungarn zu vereinigen. Die Gründe waren so klar und deutlich, so aus der Natur der Sache geschöpft, dass sie auch heut zu Tage nicht triftiger gegeben werden könnten. Um jedoch für alle möglichen Fälle gesichert zu sein, reservirten die Stände Kroatiens sein unanfechtbares Recht auf das Küstenland und Buccari bis zur Fiumera. Die Berufung auf dieses durch die vorangeführten faktischen Verhältnisse Fiumes unterstützte Recht war geeignet, die am Schlusse der Repräsentation gestellte Alternative, die ungerecht und unmöglich war, unthunlich zu machen; Fiume unmittelbar mit Ungarn, an das es nicht grenzt, und das übrige Küstenland mit Kroatien vereinigt, war damals und ist auch gegenwärtig eine wahre Anomalie.

Dieses Verlangen der kroatischen Stände war nicht überflüssig. Denn, wenn auch zwischen Ungarn und den österreichischen Provinzen eine Unterhandlung begonnen hatte und man bis zur Austragung derselben Fiume in seinem damaligen Verhältniss belassen konnte, so wäre es doch angemessen gewesen, durch eine That den anerkannten und durch das Gesetz (Art. 61) bestätigten Rechte Kroatiens zu entsprechen. Man hätte daher den küstenländischen und den Bezirk von Buccari entweder mit dem Severiner Komitate, das wieder errichtet werden konnte, oder mit dem Agramer vereinigen, der Stadt Buccari und ihrem Bezirke das Kapitanat und die alten Vorrechte wieder geben, oder mit kurzen Worten: wenigstens in diesen unzweifelhaft kroatischen Gebietstheilen, im kroatischen Küstenlande, den früheren gesetzlichen Zustand, welchen Josef II. einseitig verletzt hatte, wieder herstellen sollen. Aber den ungarischen Behörden schien daran gelegen zu sein, den ungesetzlichen, jedoch ihren Bestrebungen mehr entsprechenden Zustand nicht allein in Fiume, sondern auch in dem übrigen kroatischen Küstenlande aufrecht zu erhalten.

Das erste Jahr der wiederhergestellten Verfassung hat somit bezüglich Fiumes weder den Wünschen des ungarischen noch des kroatischen Landtages entsprochen. Hiedurch liessen sich jedoch weder die ungarischen noch die kroatischen Stände beirren. In dem ersten und zweiten der nächstfolgenden Landtage war von der Inartikulirung der Einverleibung Fiumes keine Rede; denn der erste (vom 22. bis 26. Mai 1792) war nur ein Krönungslandtag und der zweite (vom 9. November bis 12. December 1796) verhandelte nur über die kön. Postulate, betreffend die Hilfeleistung an Soldaten und Geld, um die von Frankreich her drohende Gefahr abzuwenden. Als nach blutigem Kriege der Friede mit Frankreich zu Luneville (9. Feb. 1801) abgeschlossen wurde, glaubte man die Zeit zu friedlichen Berathungen gekommen zu sein. König Franz I. berief in der That den ungar. Landtag am 1. Mai 1802 nach Pressburg. Früher noch, am 7. April, versammelten sich die kroatischen Stände in Agram. Sie wählten zu Ablegaten in den ung. Landtag Donat Lukavsky für das Ober-, und Peter Komaromy und Franz Poneković für das Unterhaus und gaben ihnen wie gewöhnlich eine Instruktion. In dieser wird ihnen im Allgemeinen aufgetragen: „die besondern, namentlich die Munizipalrechte dieser Königreiche zu vertheidigen und um keinen Preis von der altehrwürdigen Verfassung derselben abzuweichen.“ In Bezug auf die Integrität des Dreieinen Königreiches trugen sie den Ablegaten auf: zu trachten, dass die Artikel 60, 62 und 63 vom Jahre 1790-1, welche von Zeng, von dem Territorium zwischen der Josefinen- und Karolinen-Strasse und von der Warasdiner Grenze handeln, durchgeführt werden. Zum erstenmal erhoben unsere Stände auch das Wort, dass das vor Kurzem errungene Dalmatien mit Kroatien und Slavonien vereinigt werde, und sagten diessfalls in der Instruktion: „Nachdem unter der glorreichen Regierung Sr. Majestät Dalmatien, welches früher die Republik Venedig besessen, wieder zurückgelangt ist und nachdem es kraft des von Sr. Majestät abgelegten Krönungseides der heil. Krone des

Königreichs Ungarn zurückgegeben werden sollte, so haben die Ablegaten auf mögliche Art zu trachten, dass dieser integrirende Theil dieser Königreiche iure postliminii mit denselben wieder vereinigt, der Banalgewalt unterordnet und auf diese Art mit der heil. Krone des Königreichs Ungarn wieder einverleibt werde.[1] Welcher Art die Instruktion war, die bezüglich Fiumes und des übrigen Küstenlandes den Ablegaten gegeben wurde, werden wir aus den Verhandlungen des ung. Landtages und aus dem Berichte unserer Ablegaten entnehmen.

Am 11. und den folgenden Tagen des Monats Juni verhandelte der Ausschuss des ungarischen Landtages über die Mittel zur Hebung des ung. Handels. Der Ausschussbericht kam hierauf in der 20. Landtagssitzung, am 14. Juli 1802, zur Verhandlung. Am Schlusse des Berichtes werden die Hindernisse, welche dem Handel im Wege stehen und gleichzeitig auch die Anträge zur Behebung derselben angeführt: „Hindernisse des Handels — heisst es daselbst — sind sowohl die Orte, wo der Handel stattfindet, als auch jene, durch welche er geht, insoferne ihr Zustand kein stabiler ist, oder wegen Verschiedenheit der Behörden Collisionen und hieraus Ungelegenheiten für die Handelsleute stehen. Desshalb wird Se. Majestät gebeten: *a)* dass das Diplom weiland Ihrer Majestät der Kaiserin Maria Theresia, mit welchem sie die Stadt und den Hafen von Fiume als Seeplatz mit Ungarn vereinigt und mit allen Vorrechten eines Freihafens ausgestattet hate, einartikulirt; *b)* dass Zeng mit seinem Freihafen von jedem Einfluss der Militärbehörden völlig befreit ... und *c)* dass das Territorium, zwischen der Josefinen- und Karolinen-Strasse dem Provinziale einverleibt werde. Zur besseren Hebung des Handels in den Häfen des ungarischen Küstenlandes soll das Severiner Komitat, welches durch diesen Zuwachs (des genannten Territoriums) einen hinreichenden Umfang erlangen wird, wieder hergestellt werden, damit hiedurch dem Handel die erforderlichen Hilfsmittel zufliessen und dauernd erhalten werden können. Hierauf beschäftigte man sich mit den Mitteln zur Beförderung des Handels. Diese sind der Hauptsache nach zweierlei: leichte Verkehrswege zu Wasser und zu Land und Handelsgesellschäften; dann „damit der Landtag des Königreichs von dem Zustande des Handels im ungarischen Küstenlande leichter Kenntniss erlange und nach Umständen ihm aufzuhelfen im Stande sei, soll dem Gouverneur von Fiume und des ganzen ungarischen Küstenlandes Sitz bei der Magnatentafel gege-

[1] MSC. Cf. Jura II. 270.

ben, hingegen sollen die Vertreter der Handelsstädte Fiume und Buccari auf den Landtag berufen werden, wo sie bei der Ständetafel ihren Sitz erhalten würden." Was auf diesen Ausschussantrag im Landtag beschlossen wurde, hierüber belehrt uns das Sitzungsprotokoll: „Bezüglich der Hindernisse, die dem ungar. Handel dort im Wege stehen, wo es sich handelt, das Territorium zwischen der Karolinen und Josefinen-Strasse dem Provinziale einzuverleiben, wurde beschlossen: Seine Majestät eigens zu bitten, dass das Severiner Komitat wieder hergestellt werde." [1] Von der Vertretung der Stadt Buccari war schon damals auf dem Landtage die Rede, als über den Punkt 10 der kroatischen Anliegen und Beschwerden in der 34. Landtagssitzung, am 10. Sept. 1802, verhandelt wurde. Es haben nämlich die dalmat.-kroat.-slav. Stände durch ihre Ablegaten zwölf Beschwerden und Anliegen [2] vorgebracht, welche, wie gebräuchlich, der Protonotär Ludwig Petković vorgelesen hat. Die erste dieser Beschwerden betraf die Stadt Zeng, deren Vertreter Vukasović und Čolić bei dieser Gelegenheit grosse Klage gegen die Militärbehörde erhoben. In Folge dessen wurde der erste Punkt der Beschwerden weggelassen und dafür eine besondere Repräsentation wegen definitiver Erledigung des Art. 60: 1790-1 und des Artikels 18: 1796 unterbreitet. Der 10. Punkt lautet folgendermassen: „Das Andenken an die Vereinigung der küstenländischen Gebietstheile mit dem Königreiche Kroatien und durch dieses mit der heil. Krone Ungarns so wie an das privilegirte Verhältniss der Städte Buccari, Portoré und Buccarizza wurde durch den Art. 60 vom Jahre 1790-1 den späten Nachkommen überliefert; nachdem jedoch die Gesetzgebung öfter örtliche und praktische Kenntnisse in Bezug auf den Handel und das Küstenland nothwendig hat, so bitten die Stände: dass dieses küstenländische Gebiet sammt der Stadt Buccari künftighin auf dem allgemeinen Landtag vertreten und seinen Vertretern ein angemessener Platz, nach dem Turopoler Vertreter daselbst angewiesen werde." Was über diesen Punkt in der Sitzung beschlossen wurde, verzeichnet das Sitzungsprotokoll wie folgt [3]: „Einige dachten, dass der Stadt Buccari und ihrem Bezirke ein Platz bei der Ständetafel nicht zu geben sei, da schon im Handelsausschusse vom Sitze des Gouverneurs von Fiume bei der Magnatentafel die Rede war, und wenn schon ihnen ein Platz gegeben werden sollte, so könnte er ihnen vor den königl. Städten, die dieses Recht von jeher geniessen, nicht

[1] Diarium I. 148. — [2] Ibid. II. 234—6. — [3] Ibid. I. 235.

eingeräumt werden. Andere bemerkten dagegen, dass denjenigen, welche andere vertreten, der Platz bei der Magnatentafel nicht gebühre; und desshalb könne man auch nicht sagen, dass der Gouverneur von Fiume den ganzen Küstenbezirk vertrete. Es wäre daher erspriesslich, dass es zur Hebung des Handels auch bei der Ständetafel solche gäbe, welche die Stände von seinem Zustande in Kenntniss erhalten könnten. Nun da man sich in dieser Frage auf frühere Akte berufen, so wurde beschlossen, vor Erledigung dieser Frage die früheren diessfälligen Beschlüsse in Erwägung zu ziehen.“ Aus diesem Grunde wurde dieser Punkt in den kroatischen Anliegen weggelassen. Die Beschwerden und Anliegen, deren es von Seite Dalmatiens, Kroatiens und Slavoniens 10 gab, wurden mittels Repräsentation vom 9. Oktober 1802 unterbreitet und die a. h. Entschliessung darauf erfolgte schon am 17. desselben Monats.

Eben so wurde der Antrag in Betreff des ung. Handels mittels Repräsentation vom 15. Juli unterlegt; in derselben baten die Stände, dass die Einverleibung Fiumes inartikulirt und dem Gouverneur so wie den Vertretern von Fiume und Buccari ein Sitz im Landtage gegeben werde. [1] Diese Repräsentation wurde mit dem Hofreskripte vom 23. September resolvirt. Weder in der einen noch in der andern a. h. Entschliessung geschieht von Fiume oder der Vertretung des Küstenlandes am Landtage eine Erwähnung. Nur in dem Reskripte vom 23. September wird im Allgemeinen verheissen: „dass Se. Majestät bemüht sein werde, die (im Antrage) berührten Hindernisse, so viel als möglich zu beseitigen; und bezüglich der Stadt Zeng, dass Se. Majestät nach dem Landtage eine Commission aussenden und auf diese Art trachten werde, dass die Artikel 56: 1741 und 60: 1790 in's Leben treten.“ In Folge dessen wandten sich die Stände in einer neuen Repräsentation vom 13. Oktober 1802 an Se. Majestät mit der Bitte um Genehmigung, dass die Einverleibung Fiumes inartikulirt werde.[2] Aber auch auf diese Repräsentation erfloss keine zufriedenstellende a. h. Entschliessung, da unterm 24. Oktober nur versprochen wurde, dass Se. Majestät trachten werde, die diesem Ansuchen entgegenstehenden Hindernisse zu beseitigen. [3] Mit einem gleichen Versprechen wurde auch die Erfüllung des Anliegens wegen Vereinigung Dalmatiens mit dem Königreiche Ungarn mit dem Reskripte vom 20. Okt. 1802 verschoben: „Se. Majestät erkennen an, dass es zu den Rechten der h. Krone gehörte; da aber die vorgelegte Frage wegen dessen Vereinigung mit dem Königreiche Ungarn wichtiger ist, als dass sie mit Rücksicht auf die gegenwärtigen äusseren Verhältnisse, so wie auf das allgemeine Wohl des Staates jetzt gelöst werden könnte, so werden Se. Majestät diese Sache noch näher in Erwägung ziehen und seiner Zeit

[1] Siehe Beilage 40 A. — [2] Siehe Beilage 40 B. — [3] Siehe Beilage 40 C.

hierüber die a. h. Entschliessung folgen lassen.“ — So kam auch auf dem Landtage vom Jahre 1802 die Frage wegen Inartikulirung der Stadt Fiume und wegen Vertretung dieser Stadt und Buccaris auf dem Landtage um keinen Schritt vorwärts. Zu dieser Frage gesellte sich auf demselben Landtage noch die zweite wegen Herstellung des Severiner Komitates, ohne welche auch die erste für Kroatien nicht befriedigend gelöst werden konnte. Und alles diess verhinderte die alte Weisheit der Aufschübe.

Nach diesem ung. Landtage versammelten sich die kroat. Stände in Agram am 13. und den folgenden Tagen des Monats December 1802; die zum ung. Landtage entsendet gewesenen Ablegaten unterlegten ihren Bericht über den Erfolg ihrer Thätigkeit daselbst. Unter andern führten sie daher auch den Antrag wegen Hebung des Handels an, mit welchem auch die Frage wegen Fiume zusammenhing. Der Erfolg dieser Thätigkeit ist uns aus der vorhergehenden Darstellung bekannt, und wir fügen nur noch bei, dass die Ablegaten am Schlusse ihres Berichtes die Stände in Kenntniss setzten: der ungar. Landtag habe nach Erhalt des königl. Reskriptes vom 24. Oktober 1802 beschlossen, auf die Erfüllung des a. h. Versprechens zu warten. [1]

Der nächstfolgende Landtag, welcher am 13. Oktober 1805 in Pressburg zusammen kam, verhandelte nur über militärische Gegenstände, namentlich über die Organisirung eines allgemeinen Landsturmes gegen den Feind, welcher sich den Grenzen Ungarns näherte. Er dauerte daher nur kurz, nämlich bis zum 7. November; wesshalb die gewöhnlichen Gegenstände der Gesetzgebung nicht behandelt wurden und daher auch von Fiume auf diesem Landtage keine Rede sein konnte. Aber auf dem Landtage, welcher auf den 9. April 1807 nach Pressburg einberufen wurde, wurde die Fiumaner Frage wieder angeregt und definitiv entschieden. Dieser Frage bemächtigten sich abermals die dalmat.-kroat.-slav. Stände auf dem Landtage, welcher vor dem ungarischen, in Agram am 16. und den folgenden Tagen des Monats März 1807 unter dem Vorsitze des Banus Gyulay tagte. Hiebei wurden seitens dieser Königreiche zu Ablegaten für den ung. Landtag gewählt: Josef Petrović für das Ober-, Franz Poneković und Aloys Bužan für das Unterhaus. In der Instruktion handelt der Punkt 32 „de postulatis capitaneatus et urbis Buccaranae,“ und im Punkte 33 wird den Ablegaten folgendes zur Pflicht gemacht: „Die Herren Ablegaten werden die Bitte an Se. Majestät zu beantragen haben, dass die Vereinigung der Stadt und des Hafens von Fiume mit Kroatien gesetzlich inartikulirt werde.“ [2]

---

[1] Siehe Beilage 40. D.

[2] Siehe Beilage 41. A.

Dieses Verlangen nahmen die ungar. Stände unter die „Anliegen und Beschwerden" auf; denn der Punkt 13 derselben lautet nach ihrer Zusammenstellung seitens eines besonderen Ausschusses,[1] wie folgt: „Mit Bezug auf die aus dem Landtage vom Jahre 1802 unterbreitete Repräsentation, bitten die Stände wiederholt, dass das Diplom weiland Ihrer Majestät der Kaiserin und Königin Maria Theresia, mittels welchen sie die Stadt und den Hafen von Fiume mit dem Königreiche Ungarn vereinigt und mit allen Vorrechten eines Freihafens ausgestattet hat, gesetzlich inartikulirt und ihrem Gouverneur ein Platz bei der Magnatentafel angewiesen werde, dass ferner die Vertreter der Handelsstädte Fiume und Buccari zum Landtag berufen und ihnen ein Platz bei der Ständetafel angewiesen werde. Hier fügen sie auch noch bei, dass die Stadt Buccari mit den übrigen Vorrechten eines Freihafens beschenkt werde, und dass zu diesem Ende das in der Stadt befindliche Dreissigstamt an die äusserste Zoll-Linie verlegt werde." Das Anliegen der kroatischen Ablegaten wegen Buccari wurde unter die Anliegen und Beschwerden des Königreichs, als Punkt 47, eingereiht.

Als in der 61. Landtagssitzung der Punkt 13 an die Tagesordnung kam, „gab der Präsident bekannt — so entnehmen wir aus dem Sitzungsprotokoll — dass die Fiumaner eine eigene Bittschrift beim Landtage eingereiht haben. Indessen wurde beschlossen, abermals Se. Majestät das zu unterbreiten, was in diesem Artikel (Punkte) beantragt wird." Wir werden hier gleich das Fiumaner Gesuch[2] in getreuer Uebersetzung mittheilen: „Durchlauchtigster k. k. Thronfolger, Erzherzog von Oesterreich und Palatin des Königreichs Ungarn, hohe Magnaten, löbliche Stände u. s. w.! Diese getreue See- und Handelsstadt seufzt und vergeht in unendlichem Schmerz bei dem sie ängstigenden Gedanken, wie leicht es geschehen könnte, dass auch von diesem Landtage die so heiss ersehnte Inartikulirung des gnädigen königl. Theresianischen Diploms, durch welches ihr die Gnade der Vereinigung mit dem Königreiche Ungarn zu Theil geworden — nicht durchgeführt werde. Eure Hoheit, hohe Magnaten u. s. w.! haben schon im Jahre 1802 den Grund zu unserem Glücke gelegt. Der Antrag eines besonderen Handelsausschusses auf jenem Landtage und der darauf beruhende einstimmige in zahlreichen allerunterthänigsten Repräsentationen der königlichen Bestätigung unterbreitete Landtagsbeschluss, (in welchen Repräsentationen alles erschöpft ist, was auf die Inartikulirung des Freihafens und der Stadt Fiume, was auf den Wirkungskreis der seitens der

[1] Siehe Beilage 41. B. — [2] Diarium comit. a. 1807. II. 396. 7.

Handelsstädte Fiume und Buccari auf den Landtag des Königreichs zu entsenden den Ablegaten und den ihnen daselbst anzuweisenden Plätze, ferner auf die Wiederherstellung des Severiner Komitates zur Erleichterung des innern Handels gegen das Meer Bezug hat,) ist ein Beweis von hoher Weisheit, väterlicher Fürsorge und tiefer Einsicht Euerer k. k. Hoheit, der hohen Magnaten und der löblichen Stände, und dient den Bewohnern dieser Küstenstädte zum ewigen dankbaren Andenken, welche Bewohner unter dem Schutze eines so mächtigen Königreiches und einer so mächtigen Nation das allgemeine Wohl zu fördern wünschen und das auch bereits nach Möglichkeit thun, angeregt von dem wahren ung. nationalen Geiste und Gefühle, die ihnen dadurch eingeflösst wurden, dass sie schon 30 Jahre zu diesem ruhmreichen Königreiche gehören. Wollen daher Euere Hoheit, die hohen Magnaten und Stände dieses grosse Werk vollenden, ein Werk, an welchem zur Befestigung und Sicherung der nationalen Handels-Institutionen schon auf dem letzten Landtage so eifrig gearbeitet und dessen wohlthätigen Wirkungen die Anerkennung zu Theil wurde, dass sie sich nicht allein auf uns, die wir bitten, sondern auf das ganze Königreich und die mit ihm vereinigten Theile erstrecken. Wir leben der sicheren Hoffnung, dass Se. geheiligte Majestät eine erneuerte, von Seiner k. k. Hoheit dem Herrn Palatin gnädigst unterstützte Bitte der hohen Magnaten, diessmal um so sicherer erhören werden, als zur Zeit des letzten Landtages in dem Antworts-Reskripte an die hohen Magnaten und löblichen Stände die väterliche Neigung Ihres Herzens für diesen Gegenstand deutlicher zu äussern geruht haben. Indem wir in aller Ergebenheit um den ferneren Schutz Euerer k. k. Hoheit, der hohen Magnaten und löblichen Stände bitten, bleiben wir .... gehorsamste Diener: Kapitän, Richter, Rektoren und übrige Mitglieder des Kapitanalrathes von Fiume. Gegeben aus dem Kapitanat der freien See- und Handelsstadt Fiume am 24. Sept. 1807." In dieser Repräsentation spricht zwar der Rath von Fiume nur vom Königreiche Ungarn; aber in welchem Sinne und Umfange er diese Bezeichnung gemeint, können wir aus jener Stelle entnehmen, wo er von der Wiederherstellung des Severiner Komitates spricht, und wo er sagt, dass Fiume schon dreissig Jahre (1807 — 30 = 1777), also vom J. 1776-7 an zum „Königreiche" gehört. Uns aber ist bekannt, dass Fiume im Jahre 1776 Kroatien unmittelbar und durch dieses dem „Königreiche," d. i. den erblichen ung. Ländern einverleibt worden ist, und dass es ein integrirender Bestandtheil des Severiner Komitates war, so lange dieses bestanden hatte. Was der Landtag hinsichtlich des Punktes 13, mit welchem die Fiumaner Repräsentation vom 24. September 1807 im Zusammenhange stand, beschlossen hat; hierüber belehrt uns das Landtags-Sitzungsprotokoll in Kürze wie folgt: „im Uebrigen wurde beschlossen, dass der Inhalt dieses Artikels abermals Se. Majestät unterbreitet werde.“ Die Repräsentation wegen Behebung der Beschwerden, unter welchen auch die wegen Fiume erscheint, wurde am 30. Okt. 1807 unterbreitet. In der 91. gemischten Sitzung, am 13. Dec. gab — wie das Landtagsprotokoll besagt — Se. k. k. Hoheit der Palatin des Königreichs bekannt, dass mehrere allergnädigste kön. Reskripte auf verschiedene Landtags-Repräsentationen herabgelangt sind, und nachdem derselbe sie seinem Protonotär übergeben, las dieser zuerst die allergnädigste Entschliessung Sr. geheiligten Majestät, mit welcher angeordnet wird, dass die Stadt Fiume mit dem dazu gehörigen Küstenlande dem Königreiche Ungarn einzuverleiben und dem dortigen Gouverneur so wie den Vertretern der Städte Fiume und Buccari Sitz und Stimme beim Landtage des Königreichs zu ertheilen ist.“ [1] Das a. h. Reskript lautet wörtlich wie folgt [2]: „Wir Franz u. s. w. Auf die uns vor Kurzem unterbreitete allerunterthänigste Bitte Eure Lieben und Getreuen, um Genehmigung, das von unserer erlauchten Grossmutter Maria Theresia bezüglich des Freihafens und der Stadt Fiume hinausgegebene Diplom in die Gesetze einzureihen, finden wir — um die Erfüllung dieses Eueres sehnlichen Wunsches nicht weiter hinaus zu schieben — a. g. zu erwiedern, dass wir sowohl auf diese unterthänigste Bitte eingehen als auch a. g. gestatten, dass dem Gouverneur von Fiume am Landtage bei der Magnatentafel, den Vertretern der Städte Fiume und Buccari aber bei der Ständetafel der gebührende Sitz angewiesen werde. Im Uebrigen u. s. w. Ofen am 12. December 1807 Franz m. p.“

Schon in der 93. Sitzung, am 14. December, theilte der Tavernikus Graf Brunsvik mit, dass der Ausschuss, bei welchem er den Vorsitz führte, einige Artikel verfasst habe; unter diesen befand sich einer: „circa urbem et portum Fluminensem,“ dann „circa urbem Buccari.“ In der nächstfolgenden Sitzung (15. December) las der Palatinal-Protonotär die betreffenden, vom Ausschusse ausgearbeiteten Artikel vor, welche noch an demselben Tage Seiner Majestät unterbreitet und von derselben bestätigt wurden. Der Artikel bezüglich Fiumes, der Zahl nach der vierte, [3] lautet folgendermassen: „Die Stadt und der Hafen von Fiume werden gesetzlich inartikulirt, und dem Gouverneur von Fiume bei der Magnaten-, den Vertretern von Fiume aber bei der Stände-Tafel Sitz und Stimme eingeräumt. Damit die

[1] Diar. I. 778. — [2] Siehe Beilage 41. C. — [3] Siehe Beilage 41. D.

Erfüllung der sehnlichsten Wünsche der Stände des Königreiches nicht noch weiter hinausgeschoben werde, wird mit Genehmigung Seiner Majestät durch diesen Artikel erklärt: dass die Stadt und der Hafen von Fiume, welche bereits von der alldurchlauchtigsten Kaiserin und Königin Maria Theresia dem Königreiche einverleibt wurden, zu diesem Königreiche gehören. Gleichzeitig wird aber auch §. 1. dem Gouverneur von Fiume der gebührende Sitz und Stimme bei der Magnaten-, den Vertretern der Stadt Fiume aber bei der Stände-Tafel eingeräumt." Der Artikel von der Vertretung der Stadt Buccari am Landtage, der Zahl nach der 27., lautet [1]: „Von der Anweisung eines Sitzes im Landtage für die Vertreter der Stadt Buccari. Da die Stadt Buccari schon mit dem Artikel 67 vom Jahre 1790-1 inartikulirt wurde, so wird mit a. h. Genehmigung Sr. geheiligten Majestät, den Vertretern derselben am Landtage bei der Ständetafel der gebührende Sitz und Stimme angewiesen."

Auf diese Art wurde diesem Anliegen entsprochen, welches schon auf dem Landtage vom Jahre 1790-1 unterbreitet und auf jenem des Jahres 1802 erneuert worden war. Da das Anliegen wegen Inartikulirung der Stadt Fiume und des ihr verliehenen Diploms stets von den dalm.-kroat.-slav. Ständen vorgebracht und von ihren Ablegaten am ung. Landtage immer unterstützt wurde, müssen wir — bevor wir einige Bemerkungen zu dem Artikel 4 vom Jahre 1807 machen — in der Erzählung dessen fortfahren, wie unser Landtag diesen Artikel aufgefasst und sich ihm gegenüber benommen hat.

Wie gewöhnlich versammelten sich auch diessmal unsere Stände nach Schluss (15. December 1807) des ungarischen Landtages, am 25. Februar 1808, in Agram unter dem Vorsitze des Banus Grafen Ignaz Gyulay. In dieser Regnikolar-Kongregation unterlegten die gewesenen Ablegaten zum ungar. Landtage einen ausführlichen Bericht über den Erfolg ihrer Thätigkeit beim Landtage, über die erfüllten und nicht erfüllten Wünsche dieser Königreiche u. s. w. Nachdem sie vorerst die allgemeinen Beschlüsse erwähnt hatten, gingen sie auf die einzelnen Punkte der ihnen gegebenen Instruktion über. Im Punkte 9 war ihnen aufgetragen, dahin zu wirken, dass den gesetzwidrigen Exkoporationen seitens der Militär-Behörde Einhalt gethan werde; aber Se. Majestät erwiederten diessfalls mit der a. h. Entschliessung vom 6. Dezember 1807: „dass in der Militärgrenze schon mit Rücksicht auf die äussere Sicherheit, weder was ihren Umfang noch ihre innere

---

[1] Siehe Beilage 41. D.

Verwaltung betrifft, etwas geändert werden könne." Der Punkt 20 der Instruktion handelte von Handels-Angelegenheiten; der Punkt 32 „de postulatis capitaneatus et urbis Buccaranae." Dieses Anliegen wurde, wie die Ablegaten berichteten, unter die Beschwerden des Königreiches, als Punkt 47, aufgenommen, und in der königl. Entschliessung vom 6. December gesagt, dass hierüber das Reskript nachfolgen werde, was auch am 12. December geschah und wodurch die Punkte 32 und 33 der Instruktion erledigt wurden; der letztere Punkt lautet, wie wir wissen: „de urbis et portus Fluminensis reincorporatione." Die Erledigung beider Punkte erwähnten die Ablegaten fast mit denselben Worten des Reskriptes, wie folgt: „auf die zweite unterthänigste Repräsentation bezüglich der Stadt und des Hafens von Fiume erfolgte die a. h. Entschliessung vom 12. December, mit welcher Seine geheiligte Majestät auf die von den Ständen a. h. Orts erneuert unterbreitete unterthänigste Bitte, um Bewilligung zur Inartikulirung des von seiner Durchlauchtigsten Grossmutter Maria Theresia bezüglich des Freihafens und der Stadt Fiume hinausgegebenen Diploms — zu erwiedern geruht haben, dass Se. Majestät sowohl auf diese Bitte als auch darauf eingehen, dass dem Gouverneur von Fiume am Landtage bei der Magnaten-, den Vertretern der Städte Fiume und Buccari aber bei der Ständetafel ein entsprechender Platz angewiesen werde."

Nachdem der Landtag der Königreiche Dalmatien, Kroatien und Slavonien von dem in den Artikeln 4 und 27: 1807 enthaltenem Beschlusse Kenntniss genommen hatte, beschloss er seinerseits hinsichtlich dieses Gegenstandes den nachfolgenden Artikel[1]: „Aus Anlass der im Artikel 4 des jüngsten Landtages enthaltenen Erklärung, dass die Stadt Fiume mit ihrem Hafen, welche bereits von der durchlauchtigsten Kaiserin und Königin Maria Theresia mittels besonderen Diploms dem Königreiche einverleibt worden ist, zu diesem Königreiche gehört, und da die genannte Stadt im Sinne des Diploms und Reskriptes, auf welche sich jener Artikel beruft, und welche von derselben unsterblichen Kaiserin und Königin den 5. September 1777 an die Stände dieser Königreiche erlassen wurden, unmittelbar dem Königreiche Kroatien einverleibt und dem Severiner Komitate zugewiesen worden ist: so betrachten die löblichen Stände die Stadt und den Hafen

[1] Siehe Beilage 41. E. 1.

von Fiume als einen integrirender Theil dieses Königreiches, und von dieser Auffassung geleitet, ertheilten sie in den Kongregationen des Königreiches Seiner Excellenz dem Herrn Gouverneur Sitz und Stimme nach den Obergespänen und den Vertretern dieser Stadt unter jenen der königlichen und freien Städte, und forderten Seine Excellenz den Herrn Grafen und Banus auf, die Einberufungs-Schreiben für die künftigen Regnikolar-Kongregatationen sowohl an Se. Excellenz den Herrn Gouverneur, als auch an die genannte Stadt zu richten; überdiess beschlossen die Stände Seiner geheiligten Majestät dafür zu danken, dass durch die Inartikulirung der Stadt und des Hafens von Fiume Seine Majestät geruht haben, die dem Königreiche von Seite Allerhöchstderselben Grossmutter, unsterblichen Andenkens, erwiesene Wohlthat vollständig zu machen. Bei derselben Gelegenheit ertheilten die Stände, in Erfüllung des Artikels 27 des letzten Landtages, den Vertretern der Stadt Buccari Sitz und Stimme unter den Abgeordneten der freien und königlichen Städte. Hingegen haben die Stände das von den Herren Vertretern dieser Stadt vorgelegte Gesuch: dass ihnen als den Vertretern des Kapitanats von Buccari, der Sitz vor jenen der freien und königl. Städte angewiesen werde, auf die künftigen Landtage verwiesen."

Diesen Artikel unterlegten die Stände der a. h. Bestätigung, welche auch in der That mit dem im Wege der königl. Hofkanzlei unter Nr. 8751 an dieselben Stände erlassenen königl. Reskripte vom 19. August 1808 erfolgte. Dieses Reskript, [1] auf welches wir weiter unten zurückkommen werden, wurde in unserem Lande mit Befriedigung aufgenommen und als derselbe auf dem nächsten am 12. und den folgenden Tagen des Monats Jänner und Februar 1809 versammelt gewesenen Landtage veröffentlicht wurde, beschlossen die Stände, Seiner Majestät dafür schriftlich Dank zu sagen, [2] dass Seine Majestät geruht haben, dem Gouverneur von Fiume, dann den Vertretern der Städte Fiume und Buccari auf unseren Landtagen Sitz und Stimme zwischen den übrigen städtischen Ablegaten unseres Vaterlandes zu geben. — Nachdem wir auf diese Art die verschiedenen Phasen der Fiumaner Frage vom J. 1790-1 bis zum J. 1807-8 erzählt haben, dürfen wir nunmehr unsere Bemerkungen auf Grund der angeführten Thatsachen folgen lassen.

---

[1] Siehe Beilage 41. E. 2. — [2] Siehe Beilage 41. F.

Auf den Landtagen der Jahre 1790-1, 1802 und 1807 handelte es sich darum, dass die Einverleibung von Fiume und Buccari mit dem übrigen Küstenlande nach den Vorschriften und dem Gebrauche des ungarisch-kroatischen Staatsrechtes inartikulirt, und dass diesen Städten in gleicher Weise wie den übrigen königl. Freistädten der Königreiche und Länder der ungarischen Krone das Recht der Vertretung auf dem Landtage verliehen werde. Auf diesen Landtagen handelte es sich daher nicht darum, dass Fiume und Buccari einverleibt werden; denn diese sind mit den betreffenden Territorien schon von der Königin Maria Theresia einverleibt worden; desshalb beriefen sich auch die Stände stets auf das Diplom dieser Königin, welches einerseits die Einverleibung bekräftigt und verbürgt, und anderseits diesen Städten einige Vorrechte bestätigt und ihre innere Verwaltung organisirt hat.

Weiters verlangten sowohl die kroatischen als die ungarischen Landtage die Inartikulirung der bereits durchgeführten Einverleibung von Fiume und Buccari; denn diese Frage betraf sowohl die Königreiche Dalmatien, Kroatien und Slavonien, als auch das Königreich Ungarn, und konnte nur auf dem gemeinschaftlichen Landtage gelöst werden. Bezüglich dieser Behauptung verweisen wir den Leser auf die Instruktionen der kroatischen Ablegaten für den ungar. Landtag, auf die Anliegen sowohl unserer als der ung. Stände, auf die Repräsentationen unserer und der ung. Landtage, auf die an beiden erlassenen a. h. Reskripte. Aus dem Inhalte dieser Verhandlungen geht klar hervor, dass diese Frage als eine specifisch kroatische und als eine gemeinschaftlich ungarische betrachtet wurde. Auch darüber wird Niemand sich verwundern, dass die Fiumaner Frage öfter unter die Anliegen und Beschwerden der ungarischen Stände aufgenommen wurde; denn diess pflegte auch mit andern specifisch kroatischen Fragen zu geschehen, und geschah stets mit Einwilligung der kroat. Ablegaten der grösseren Wichtigkeit wegen, die man einem solchen Anliegen dadurch geben wollte, dass ganz Ungarn es zu dem seinigen machte. Diess könnten wir durch viele Beispiele bestätigen; so nahmen unter anderen die ung. Stände am Landtage des Jahres 1802 den Gegenstand wegen Einverleibung Dalmatiens unter ihre Anliegen auf, obwohl derselbe von den kroatischen Ständen durch die ihren Ablegaten ertheilte Instruktion angeregt wurde; und diess geschah — wie die Ablegaten selbst unseren Ständen berichteten — „wegen der Wichtigkeit“ des Gegenstandes selbst („pro gravitate sua“). Eben so wurden im Jahre 1807 einige kroatische Anliegen unter die ungarischen aufgenommen, und diess — wie unsere Ablegaten den dalm.-kroat.-slav. Ständen berichteten — aus dem Grunde, weil diese Anliegen „nicht [1]

[1] Aus dem Berichte §. 22 im Landesarchiv.

allein unser Vaterland, sondern in gleicher Weise auch das Königreich Ungarn betreffen." Es versteht sich von selbst, dass in einem solchen Falle unsere Ablegaten stets Verwahrung eingelegt haben, damit aus einer Einreihung der kroatischen Anliegen unter die ungarischen, nichts Nachtheiliges für die Rechte des Königreichs und gegen dessen besondere Vertretung auf dem ungarischen Landtage abgeleitet werde;[1] aber diess bestätigt gerade, dass derlei Gegenstände mit Einwilligung der kroatischen Ablegaten unter die ungarischen Anliegen eingereiht und dadurch Anliegen der gesammten Königreiche und Länder der ungarischen Krone geworden sind.

Aus den bezüglichen Verhandlungen geht ferner deutlich hervor, dass unsere und die ungarischen Stände, indem sie die Einverleibung von Fiume und Buccari verlangten, doch einen Unterschied machten zwischen der einen und der andern Stadt und dem kroatischen Küstenland, und dass auch die Krone diesen Unterschied anerkannte. Denn, wie wir im ersten Abschnitt[2] dieser Abhandlung gesehen, haben die kroatisch-ungarischen Gesetze die Trennung der Buccaranischen oder ehemals Zrinji-Frankopan'schen Güter, d. i. des kroatischen Küstenlandes, von der Jurisdiktion des Königreiches niemals anerkannt. Deswegen wurde auch schon auf dem Landtage vom Jahre 1790-1 allseits anerkannt, dass „die küstenländischen Gebietstheile von jeher zu Kroatien gehören," und wurde deren Vereinigung mit Kroatien ohne Widerrede durch den Artikel 61 in die Gesetze eingereiht. Hingegen erhoben zur Zeit desselben Landtages die österreichischen Erbländer ihre sogenannten Ansprüche auf Fiume; aber der gemeinschaftliche österreichisch-ungarische Regent wollte sich diessfalls zu Gunsten keiner der beiden Partheien entscheiden, bis nicht die Rechtsansprüche der einen oder der andern erwiesen sein werden, desshalb wurde die Fiumaner Frage mit der a. h. Entschliessung vom 13. Jänner 1791 vertagt und blieb siebzehn Jahre ungelöst; aber weder die unsrigen noch die ungar. Stände verloren sie während dieser ganzen Zeit aus dem Auge.

Wenn es sich daher auf den ungarischen Landtagen der Jahre 1790-1, 1802 und 1807 nur darum handelte, dass die Einverleibung

---

[1] Ibid. „Isthaec objectorum nonnullorum translatio et coniunctio, nonnisi in materiae et meriti indole fundata, nullam involvit difficultatem, pro superabundanti tamen cautela illud in sessione tabulae statuum declaravimus et diario quoque comitiali inseri fecimus, ne ex id modi materiarum et gravaminum coniunctione in futurum dubium aliquod oriatur: ac si regnum Croatiae ab atiqua consvetudine postulata et gravamina sua in comitiis regni Hungariae per proprium suum protonotarium separatim a postulatis Hungariae proponendi recessisset.

[2] Vergleiche Seite 14—15.

Fiumes inartikulirt werde: so hätte diess so geschehen sollen, wie es von Maria Theresia bestimmt war. Wir wissen aber aus zahlreichen Dokumenten, dass Maria Theresia Fiume mit seinem Gebiete Kroatien unmittelbar und durch letzteres der ung. Krone einverleibt hat, indem sie diese Stadt unmittelbar den kroatischen Behörden, nämlich dem königl. Statthalterei-Rathe und der Banaltafel unterordnet, und indem sie dieselbe zu einem integrirenden Theile des Severiner Komitates machte; wir wissen auch, dass Fiume nicht allein nach dem historischen Rechte, als ehemaliges Eigenthum gräflicher kroatischer Familien, sondern auch faktisch seit dem Jahre 1776 zu Kroatien gehört hat. Desshalb drückte der Antrag der kroatischen Ablegaten auf dem ungarischen Landtage vom Jahre 1790 das von Maria Theresia festgesetzte staatsrechtliche Verhältniss Fiumes zu Kroatien,[1] allein richtig aus. Wir haben schon ausführlich dargelegt, wienach auch der ung. Antrag[2] die Auffassung nicht ausschliesst, dass Fiume durch Kroatien zur „heil. ungarischen Krone" gehöre, und dasss auch dieser Antrag nicht gegen uns angeführt werden kann. Aber aus dem ung. Antrage gibt sich — was wir gerne zugeben — genug deutlich der Gedanke kund, welcher in allen Handlungen dieses Landtages hervortritt, und welcher seit dieser Zeit die Richtschnur der ungar. Politik geworden ist, der Gedanke der Einheit der Länder der ung. Krone. Nach diesem Gedanken unterordnen sich die einzelnen Theile dem Staatsganzen. Aus diesem Grunde wurde die Erwähnung Kroatiens hinweggelassen, und diese Weglassung konnte zum Scheine durch den Wortlaut des Diploms vom 23. April 1779 gerechtfertigt werden, wenn man ihn getrennt vom königl. Reskripte vom gleichen Tage und von so vielen anderen vorausgegangenen Verordnungen betrachtet.

Derselbe Gedanke, welcher in den landtäglichen Anträgen von den Jahren 1790-1 und 1802 zu erkennen ist, ging zuletzt in den Landtagsartikel 4 des Jahres 1807 über. In diesem Artikel heisst es: civitas Fluminensis ad idem regnum pertinere," d. h. dass die Stadt Fiume zu demselben Königreichen gehöre." Aber zu welchem? zu demjenigen, welchem „sie Maria Theresia mittels eines besondern Diploms einverleibt hat;" „per Mariam Theresiam peculiari diplomate iam regno incorporata." Wir fragen hier, und der Leser weiss es schon selbst, ob unter diesem Diplom jenes vom 23. April 1779 zu verstehen ist, da der Landtag in dem Artikel nicht genau den Sinn dieses Diploms ausdrückt, und Fiume nicht erst mittels dieses Diploms einverleibt wurde. Eine Stadt, ein Gebiet, ein Land werden im Allgemeinen nicht mittels Diplome einverleibt, sondern mittels staatsrechtlicher Vereinbarungen zwischen

---

[1] Siehe Beilage 38. A. — [2] Siehe Beilage 38. B.

der Krone und der Nation. Uberdiess wird in dem Diplome vom 23. April 1779. mit keinem Worte erwähnt, dass Fiume erst mittels dieses Diploms einverleibt werde. Im Gegentheil wird daselbst ausdrücklich die Einverleibung als eine fertige, vollzogene Thatsache angeführt: „portubus maritimis, littoralique, quod modica temporis intercapedine austriaci nomine veniebat, vetusto nihilominus iure eo pertinebat, novissime reapplicitis, atque urbe quoque hac portuque Fluminensi eidem in singularem benevolentiae et clementiae Nostrae tesseram incorporatis“ ... Diese Worte des Diploms sind deutlich genug und kann aus ihnen zweierlei gefolgert werden: erstens, dass Fiume beim Erscheinen des Diploms vom 23. April 1779 schon einverleibt war; zweitens, dass Fiume gleichzeitig mit den übrigen „Seehäfen und dem Küstenlande, welches eine kurze Zeit das österreichische genannt wurde, einverleibt worden ist;“ dasselbe, nämlich was die Gleichzeitigkeit betrifft, drücken auch die kroatischen und ungarischen Anträge auf dem ungarischen Landtage vom Jahre 1790 aus, indem sie sagen: „cum . . . Maria Theresia eadem reincorporatarum partium maritimarum occasione hanc quoque urbem (sc. Flumen) et portum (Croatiae et per eam) s. regni Hungariae coronae adiicere dignata est.“ Aus diesem Grunde verstanden die kroatischen Stände auf dem Landtage des Jahres 1808 unter dem Diplom, auf welches sich der Artikel 4: 1807 beruft, das an dieselben Stände gerichtete königl. Reskript vom 5. September 1777, durch welches sie von der Einverleibung Fiumes in Kroatien in Kenntniss gesetzt und zur Mitwirkung eingeladen worden sind. Wenn also die ungarischen Stände sich schon auf ein Diplom berufen wollten, und wenn unter dem im Artikel 4 bezogenen jenes vom 23. April 1779 zu verstehen ist, so könnte diese Berufung keinen andern Sinn haben, als dass der Stadt Fiume mittels eines Gesetzartikels jene Vorrechte und jene innere Verwaltung verbürgt werden, deren Bestätigung in diesem Diplome enthalten ist.

Aber diese Sache ist für uns von untergeordneter Bedeutnng. Weit wichtiger bleibt uns zu wissen, was unter „regnum,“ zu welchem Fiume gehört, zu verstehen ist. Dieses Wort kann uns sowohl das Diplom als auch der Artikel erklären. Aber wir haben schon ausführlich dargethan, dass Fiume nicht erst durch das Diplom einverleibt und nicht in Folge dessen sein schon durch ältere a. h. Entschliessungen von den Jahren 1776-78 und namentlich durch das kön. Reskript vom 23. April 1779 festgestelltes staatsrechtliches Verhältniss geändert wurde. Wir verweisen daher den Leser auf die bereits angeführten Beweise und beschränken uns hier nur auf eine aus dem Diplome selbst geschöpfte Bemerkung. In den weiter oben angeführten Worten heisst es, dass Fiume mit den übrigen Häfen und dem Küstenlande „e i d e m," d. i. „r e g n o," welches Wort einige Zeilen früher zu lesen ist, einverleibt wurde. Dasselbe kann man in dem Diplome von Buccari lesen. Während nun wohl Niemand zweifelt, was auch der ungarische Landtag im Art. 61: 1790-1 ausdrücklich anerkannt hat, dass Buccari mit dem übrigen Küstenlande ehemals zu Kroatien gehört habe und von Maria Theresia demselben einverleibt wurde, während daher im Diplome von Buccari „regnum" sowohl das K ö n i g r e i c h Kroatien als auch den Staat Ungarn, d. h. die Gesammtheit der Länder der ungarischen Krone bedeutet, soll nun auf einmal das Wort „regnum" in dem Diplom von Fiume, wo es in derselben Verbindung wie in jenem von Buccari steht, nur das Königreich Ungarn im engeren Sinne bedeuten? Doch erheben wir die Augen einige Zeilen höher in den Diplomen dieser beiden Städte. Dort wird das Wort „r e g n u m" näher erklärt, indem es heisst: „r e g n u m H u n g a r i a e r e g n a q u e e t p r o v i n c i a e a d i d e m s p e c t a n t e s," was so viel sagen will, dass unter „Königreich" in den Diplomen „das Königreich Ungarn und die zu demselben gehörigen Königreiche und Provinzen" zu verstehen sind, und unter dieselben gehören doch Dalmatien, Kroatien und Slavonien. In demselben Sinne ist das Wort „r e g n u m" auch in dem Art. 4: 1807 und zwar nicht nur desshalb zu nehmen, weil sich der Artikel hinsichtlich dieses Wortes auf das Diplom Maria Theresias beruft, sondern auch mit Rücksicht auf die dem Worte „r e g n u m" in der ersten Zeile des Artikels selbst gegebene Bedeutung. Es heisst nämlich daselbst: „v o t a s t a t u u m e t o r d i n u m r e g n i," d. h. der auf diesem Landtage vertretenen Stände des Königreichs. Aber auf diesem Landtage waren nicht allein die Stände des Königreichs Ungarn, sondern auch jene der Königreiche Dalmatien, Kroatien und Slavonien vertreten; daher sind unter dem Worte „r e g n u m" auch diese Königreiche zu verstehen, indem dasselbe alle Königreiche und Länder der ung. Krone in sich schliesst.

Hieraus ersieht man abermals, dass der Artikel 4: 1807 sich nicht für eine unmittelbare Vereinigung mit Ungarn im engeren Sinne und mit Ausschluss von Kroatien ausspricht.

In dieser Auslegung bestärkt uns auch das königliche Reskript vom 19. August 1808. Hier müssen wir hervorheben, dass der Art. 8 des kroatischen Landtages vom Jahre 1808 nach dem Artikel 4 des ungar. Landtages vom Jahre 1807 geschaffen und der a. h. Bestätigung unterbreitet wurde; weiters, dass der kroatische Artikel sich auf den ungarischen beruft, und dass im kroatischen Artikel Fiume ausdrücklich „ein integrirender Theil von Kroatien" genannt wird. Dieser Artikel wurde ohne Zweifel vor seiner Bestätigung in der kön. ungarischen Hofkanzlei erörtert und diese würde ihn gewiss zur Bestätigung nicht empfohlen haben, wenn er den Sinn des Art. 4 des ung. Landtages vom Jahre 1807 umgestossen hätte, und würde in diesem

Falle auch schwerlich ein solches Reskript von dieser Hofstelle ausgegangen sein. Wenn daher Fiume weder nach dem Diplome der Königin Maria Theresia, noch nach dem Artikel 4: 1807 in irgend welchem staatsrechtlichen Verbande mit Kroatien gestanden wäre, so hätte gewiss die Krone und die ung. Hofstelle die kroatischen Stände, mit ihrer Bitte, dass im Sinne des Artikels 8: 1808 dem Gouverneur und den Vertretern von Fiume Sitz und Stimme am dalmat.-kroat.-slav. Landtag gegeben werde — abgewiesen. Anstatt dessen bestätigte die Krone den Artikel 8: 1808 und betrachtete die Vertretung Fiumes auf dem kroatischen Landtage als eine Folge des Artikels 4: 1807 „kraft dessen der Hafen und die Stadt Fiume mit Berufung auf das Theresianische Diplom dem Königreiche Ungarn einverleibt und zugleich den Ständen dieses Königreichs und der mit ihm vereinigten Theile zugezählt sind.“ Der Sinn dieser Worte kann kein anderer als der sein: dass Fiume ein integrirender Theil sowohl des Königreichs Kroatien als auch der ung. Krone ist, und dass es bei einem solchen Verhältniss gegenüber Kroatien und gegenüber den Ländern der ung. Krone sowohl auf dem allgemeinen Landtage „des Königreichs Ungarn und der mit ihm vereinigten Theile,“ als auch auf dem besonderen Landtage der Königreiche Dalmatien, Kroatien und Slavonien vertreten werden soll. Das Recht der Vertretung auf dem ersteren gab Fiume der allgemeine ungarische Landtag mit dem Art. 4: 1807, auf dem zweiten der besondere dalmat.-kroat.-slav. Landtag mit dem Artikel 8: 1808; und beide Artikel bestätigte der gemeinschaftliche ungarisch-kroatische Regent.

Eine jede andere Auslegung des Art. 4: 1807 bringt denselben in Widerspruch mit dem Art. 8: 1808 und die Krone in Collision mit der ersten oder der zweiten Bestimmung. Ueberdiess wüssten wir uns nicht zu erklären, wie und aus welcher Veranlassung die kroatischen Stände im Jahre 1808 ihre Dankschrift dem Könige dafür unterbreiten konnten, dass derselbe durch die Bestätigung des Art. 4: 1807 die von Maria Theresia erwiesene Wohlthat der Vereinigung Fiumes mit dem Königreiche vollständig gemacht habe, u. z. jener Stadt Fiume, die sie kurz vorher als einen integrirenden Theil Kroatiens betrachten; — alles das wüssten wir uns nicht zu erklären: wenn der Art. 4: 1807 den Sinn hätte, dass Fiume Ungarn unmittelbar einverleibt wurde und zu demselben ausschliesslich gehöre.

In Folge dieser Bestimmung ist wohl Fiume in ein gewisses Halbverhältniss zu Kroatien und Ungarn gekommen. Aber in das gleiche Verhältniss kamen nach dem Jahre 1779 Kroatien und seine Städte faktisch und nach dem Jahre 1790 auch rechtlich. So lange für Kroatien und Slavonien ein eigener königl. Statthalterei-Rath bestand, war auch Fiume in öffentlich politischen und ökonomischen

Angelegenheiten demselben untergeordnet; so lange das Severiner Komitat bestand, bildete Fiume einen „integrirenden Theil" desselben. Wenn unsere Väter im Jahre 1790 verlangt hätten, dass der dalm.-kroat.-slav. Statthalterei-Rath wieder errichtet werde, so würde auch Fiume unter denselben gehört haben. Nachdem jedoch (Artikel 58: 1790-1) über Ansuchen der kroatischen Stände die Wirksamkeit des ung. Statthalterei-Rathes auch auf Kroatien und Slavonien ausgedehnt worden ist, nachdem im Jahre 1786 das Severiner Komitat faktisch aufgehört hatte und später nicht einmal auf Ansuchen des Landtages vom Jahre 1802 wieder hergestellt wurde — fielen beinahe alle Ringe jenes Verbandes ab, welcher Fiume früher mit Kroatien vereinigte. Aber selbst unter diesen Umständen verblieb doch noch zwischen Fiume und Kroatien so viel legislatorischen und administrativen Verbandes, als hinreicht den Beweis zu führen: dass Fiume ein integrirender Theil des Königreichs Kroatien ist. Fiume nahm nämlich im Sinne des Art. 8: 1808 durch seinen Gouverneur und die städtischen Ablegaten an den dalm.-kroat.-slav. Regnikolar-Kongregationen theil, berief sich in gerichtlichen Angelegenheiten an die Banaltafel und hing im Unterrichtswesen von dem Ober-Schuldirektor des Agramer Distriktes ab. Ueberdiess ist es bekannt, dass nach den ungar.-kroat. Gesetzen (1715: 28, 1729: 35) die Adeligen im Komitate in Personal- und Real-Angelegenheiten dem Komitatsgerichte des Vicegespans unterstehen, und dass dieses Gericht aus dem vorsitzenden Vicegespan, aus dem betreffenden Oberstuhlrichter und Geschwornen bestehe. So lange das Severiner Komitat bestand, gehörten die in demselben, daher auch in Fiume und im Küstenlande wohnenden Adeligen natürlich unter das Gericht des Severiner Vicegespans. Aber was geschah diessfalls nachdem das Severiner Komitat aufgehört hatte? Laut Reskript[1] des königl. ungar. Statthalterei-Rathes vom 9. Aug. 1808 wurde in Folge a. h. Entschliessung bestimmt: „D a s c h o n d a s e h e m a l i g e S e v e r i n e r K o m i t a t i m K ü s t e n l a n d e d i e J u r i s d i k t i o n d u r c h A b h a l t u n g d e r G e n e r a l - K o n g r e g a t i o n n i c h t n u r i n B u c c a r i, s o n d e r n a u c h i n F i u m e a u s g e ü b t, s p ä t e r a b e r i m J a h r e 1805 d a s A g r a m e r K o m i t a t d i e i m u n g a r i s c h e n K ü s t e n l a n d e w o h n h a f t e n u n g a r i s c h e n E d e l l e u t e f ü r d e n L a n d s t u r m k o n s k r i b i r t h a t, u n d d i e s e s K o m i t a t i n H i n k u n f t e i n e n e i g e n e n V i c e g e s p a n f ü r d i e G e b i r g s - u n d k ü s t e n l ä n d i s c h e n G e b i e t s t h e i l e h a b e n w i r d; s o h a b e n S e i n e M a j e s t ä t a. g. z u b e s t i m m e n g e r u h t, d a s s a u c h d i e A u s ü b u n g d e r J u r i s d i k t i o n ü b e r d i e P e r s o n e n d e r i n F i u m e u n d i m u n g. L i t t o r a l e w o h n h a f t e n u n g a r. E d e l l e u t e d i e s e m K o m i-

---

[1] Siehe Beilage 42. A.

tate anvertraut werde." — Wenn Fiume von Kroatien gänzlich getrennt und als „separatum corpus" mit Ungarn unmittelbar vereinigt gewesen wäre, sicherlich hätte man dem Agramer Komitat nicht die Gerichtsbarkeit über die in jener Stadt wohnenden Edelleute ertheilt, noch hätte dieses Komitat seinen Vicegespan „in den küstenländischen Gebietstheilen" halten dürfen. Und in der That finden wir, dass das Agramer Komitat durch seinen Severiner Vicegespan noch in demselben Jahre das erwähnte Amt über die Adeligen im Küstenlande ausgeübt hat. Der Landtag hat nämlich unter den aussergewöhnlichen Verhältnissen im Jahre 1807 mit dem Art. 2 Seiner Majetät eine ausserordentliche Geldaushilfe „liberum oblatum" ertheilt, von welcher weder „der Adelige, noch der Bürger, noch irgend Jemand, wess' Namens und Standes er auch sei, befreit wurde. Als daher der Agramer Vicegespan mittels Zuschrift vom 17. November 1808 dem Gubernium von Fiume bekannt gab, dass er behufs Durchführung der Konskription für denn genannten Zweck in's Küstenland kommen werde, verständigte ihn das Gubernium in seiner Antwort vom 13. December 1808 zu seiner Richtschnur, [1] dass Seine Majestät „alle Einwohner der Küstenstädte Fiume und Buccari und ihrer Territorien ohne Ausnahme von der Zahlung der freiwilligen Auflage" für diessmal befreit haben; wesshalb die besagte Konskription hierorts überflüssig wäre. „Was jedoch den küstenländischen Kameral-Bezirk betrifft, welcher dem kön. Gubernium besonders zugewiesen ist, besondere Feuerstellen bildet und eine besondere Obrigkeit hat, so ist es folgerichtig, dass das löbliche Agramer Komitat bei dem Umstande — als die in der a. h. Entschliessung enthaltene Befreiung auf diesen Bezirk sich nicht ausdehnt, daher die zu demselben gehörigen Adeligen des Königreiches gehalten sind, das vom Landtage bewilligte „oblatum" zu tragen und das löbl. Komitat bereits die Befugniss über ihre Personen erhalten hat — berechtigt ist, die Konskription anzuordnen und ihre Deklarationen über jenes Vermögen, welches nicht in die Klasse der Civil- und Urbarial-Gründe gehört, im Sinne des Art. 2: 1807 abzuverlangen. Da übrigens laut Intimation des hohen königl. Statthalterei-Rathes vom 9. August 1808 Nr. 17474 statt des von hieraus provisorisch vorgeschlagenen besonderen adeligen Gerichtes der Richter des löbl. Agramer Komitates in den persönlichen Prozessen der in diesem ung. Küstenlande, die Küstenstädte Fiume und Buccari mit einbegriffen, wohnhaften Edelleute des Königreiches entscheiden wird, und zu diesem Behufe dem löbl. Komitate der Kataster der hiesigen Edelleute des Königreichs erforderlich ist, so wird es von der weitern dortseitigen Bestimmung abhängen, ob die ausgeschickten

---

[1] Siehe Beilage 42. B.

Vertreter gleich bei dieser Gelegenheit diesen Kataster zusammen zu stellen haben werden."

Diesen Verband zwischen dem kroatischen Agramer Komitate und der Stadt Fiume so wie dem ganzen Küstenlande bezüglich der daselbst wohnenden Edelleute führten wir hier kurz zur Bekräftigung unserer Auslegung des Art. 4: 1807 und des Art. 8: 1808 so wie auch des a. h. Reskriptes vom 19. August 1808 an. Aus allen diesen Daten folgt: dass auch die übrigen kroat-slav. Munizipien nach dem J. 1790-1 in keinem engeren legislatorischen und administrativen Verbande als Fiume und das Küstenland standen; denn Kroatien und Slavonien hatte ausser seiner General-Kongregationen, ausser seiner Munizipien und seiner Banaltafel, alle übrigen, namentlich die höheren Staats-Institutionen von da an gemeinschaftlich mit Ungarn.

IV.

Die Bestimmungen der Art. 3: 1807, 8: 1808 und 4: 1809 konnte Fiume nicht sogleich geniessen, denn es wurde noch in demselben Jahre 1809 durch den zwischen Franz I. und Napoleon I. am 14. Oktober zu Wien (Schönbrunn) abgeschlossenen Friedensvertrag mit dem übrigen Küstenlande und Kroatien bis zur Save, dann mit Triest, Istrien, Görz, Krain und dem Villacher Kreis von Kärnthen, woraus das französiche Königreich Illyrien gebildet wurde, an Frankreich abgetreten. Durch diesen Frieden verlor Kaiser Franz im Durchschnitt 2060 □Meilen Land und bei 3,500,000 Einwohner; das Dreieine Königreich aber ganz Kroatien vom Meere bis zur Save, nämlich das Küstenland, den Theil des Agramer Komitates jenseits der Save, dann die obere und die Banal-Militärgrenze. [1]

Wie schmerzlich die kroatische Nation diesen Verlust an dem ohnehin zerstückelten Vaterlande empfand, wird sich ein jeder leicht

[1] Ueber diesen Verlust bemerkt Schwartners „Statistik des Königreichs Ungarn, Ofen 1811. Aufl. II. Th. II. III." nachfolgendes: „Was den Verlust des Agramer Komitates betrifft, wohin auch Fiume nach Erlöschung des Szeveriner Komitates gehörte, ist unumständlicher folgendes: Das Agramer Komitat hatte vor dem genannten Friedensschlusse 203 Gerichtsspiele (Iudicatus) und verlor 128; dasselbe zählte vorher 18185 Häuser und büsste davon 12769 ein; die Zahl der nichtadeligen Einwohner war 182.146, entzogen wurden 118.952; die Zahl der Porten war ehedem 66, von welchen jetzt nicht mehr als 27 übrig sind." Hieraus sieht man gleichzeitig, wie dieser ung. Statistiker von dem engen Verbande zwischen Kroatien und Fiume überzeugt war. Diesen Verband drückt er etwas früher mit folgenden Worten aus: „Den Verlust aber, den das Provinzial-Kroatien durch die Abtretung des Theiles vom Agramer Komitat jenseits der Save mit der Seeküste erlitten hat, schätzte ein Ungenannter . . ."

vorstellen können. Der Friede von Wien wurde in Kroatien und Ungarn um so mehr verurtheilt, weil ihn der König entgegen den klaren Bestimmungen der Art. 4: 1546, 41: 1715, des ungarischen, dann des Art. 11: 1737 des dalm.-kroat.-slav. Landtages ohne Mitwirkung der kroatischen und ungarischen Räthe, obwohl es sich um das Schicksal eines grossen Theiles des Königreichs Kroatien handelte, abgeschlossen hatte. Desswegen beklagte sich die Kommunität des Agramer Komitates in einer besonderen Repräsentation bei Sr. Majestät und bat gleichzeitig, dass diese Gebietstheile sobald sie zurückgewonnen werden, wieder dem Königreiche „mit allen ihren sowohl öffentlichen als munizipalen und besondern Rechten, Freiheiten und Privilegien" einverleibt werden. Aber diese Klage war so wenig nach des Königs Sinn, dass er mit dem a. h. Reskripte vom 23. Februar 1809 Nr. 2168 der Kommunität des Komitates erwiederte: „wie er zu der Abtretung der Theile seines Königreiches Kroatien nur durch hochwichtige Motive, deren Beurtheilung jedoch nur Seiner Majestät zustehe, gezwungen worden ist, d. h. mit anderen Worten: dass er nicht verpflichtet war sich bei den ungarischen und kroatischen Staatsmännern Raths zu erholen.

So verblieb Fiume mit Kroatien jenseits der Save auch nach dem Jahre 1809 im Verbande, aber als Theil eines fremden Königreiches, getrennt vom Vaterlande und von der ungarischen Krone. Dieser Verlust kam sowohl auf dem 10. und den folgenden Tagen des Monats August 1811 abgehaltenen dalmat.-kroat.-slav., als auch auf dem allgemeinen für den 28. desselben Monats nach Pressburg einberufenen ungarischen Landtage zur Sprache. In der den Ablegaten (Andr. Marković, Aloys Bužan und Ludwig Bedeković) für den ungarischen Landtag ertheilten Instruktion heisst es [1] im Kapitel der Beschwerden und Anliegen des Königreiches unter anderm: Die Hauptbeschwerde dieser Königreiche besteht darin, dass in dem im Jahre 1809 mit dem Kaiser der Franzosen abgeschlossenen Wiener Frieden, der Save-Fluss als Grenze zwischen der österreichischen Monarchie und dem französischen Kaiserthum bestimmt, und hiedurch fast der einzige Ausweg für den Handel der Monarchie, der Geldverkehr mit dem Auslande, das ungar. Küstenland, dann die vier Karlstädter und zwei Banal-Regimenter, endlich das ganze Provinzial am rechten Ufer dieses Flusses von der Krone des Königreiches getrennt und dem Kaiser der Franzosen abgetreten wurden. . . . Die Herren Ablegaten werden sowohl gegen diese ohne Mitwirkung der Nation an das Kaiserthum Frankreich geschehene Abtretung der zur heil. Krone gehörigen Gebietstheile als auch gegen jene a. g. Erklärung Sr. Majestät, dass nur

[1] Aus dem Berichte der Ablegaten. Manuskript im Landesarchiv.

hm die Beurtheilung der Motive zustehe, Beschwerden einlegen, und leichzeitig die Bitte an Se. Majestät um die a. g. Zusicherung bentragen: dass die Einwohner der illyrischen Gebietstheile, welch' etztere nach der Erklärung Sr. Majestät nur zum Zwecke der Retung der Monarchie abgetreten wurden, aus welchem Grunde daher ie Gebietstheile jenseits der Save als ein Opfer für die Erhaltung er ganzen Monarchie zu betrachten seien, und eben so die Einwohner Jalmatiens, welches kaum erworben ohne Mitwirkung des Königreichs vieder abgetreten wurde, wenn sie mit der Zeit und Gottes Hilfe auf vas immer für eine Art unter das väterliche Scepter Sr. Majestät urückkehren, in ihren früheren Rechten und Freiheiten erhalten verden, nachtheilige Folgen für das Königreich und die munizipalen Rechte werden verhindert werden." Diese Beschwerde der kroatischen Stände machten die ungarischen zur ihrigen und gaben ihr unter ihren Beschwerden und Anliegen [1] den ersten Platz. Bezüglich dieses Punktes, velcher in der 29. Landtagssitzung, am 30. November 1811 verhanlelt wurde, bedauerten die Stände den Verlust jenes Theiles von Kroaien, besonders weil die Abtretung ohne ihre Einwilligung geschah, ind drückten die Hoffnung aus, dass Seine Majestät in seiner Zeit vieder dem Königreiche einverleiben und seine früheren Rechte ihm vieder geben werden. Auf die Repräsentation vom 23. Decemb. 1811, nit welcher diese nebst 12 anderen Beschwerden unterbreitet wurden, ntwortete [2] der König Franz I. mit den a. h. Reskripte vom 24. April 1812 bezüglich dieses Punktes ganz kurz und allgemein folgendes: „Seine Majestät werden bei jeder Gelegenheit für das Wohl des ganzen Königreiches und eines jeden treuen und verdienstvollen Unterthans nach Zeit und Umständen Sorge tragen."

Diese Besorgniss der kroatischen Stände und Ablegaten auf lem ungarischen Landtage vom Jahre 1812 um „das ungarische Küstenland", ist uns ein deutlicher Beweis, dass sie dieses Küstenland eben so gut wie den Theil des Agramer Komitates jenseits der Save ds zu Kroatien gehörig betrachtet, und daher im Voraus schon die Jarantie verlangt haben, dass dasselbe, sobald es wieder unter den Scepter des kroatisch-ungarischen Königs kömmt, mit dem Königeiche vereinigt werde. Und in der That brauchten sie nicht lange auf lie Zeit zu warten, wo die im Wiener Frieden abgetretenen Theile Kroatiens wieder mit dem Vaterlande vereinigt werden konnten und sollten. Dieser Theil unseres Vaterlandes, d. i. jenseits der Save bis zum Meere, wurde nämlich im Jahre 1813 zurückerobert und durch len Wiener Frieden [3] vom J. 1815 dem Scepter des Königs Franz I.

[1] Diar. comit. a 181½ III. 176. — [2] Ibid. III. 467. — [3] Im § 93 heisst es ausdrücklich „la Croatie à la droite de la Save, Fiume et le litoral hongrois et le district de Castva.

*

und seiner Nachfolger gesichert. Im Sinne des ungarisch-kroatischen Staatsrechtes, auf welches sich unsere und die ungarischen Stände im Jahre 1811 berufen haben, hätte daher der wiedererlangte Theil von Kroatien, nämlich das Gebiet jenseits der Save, Fiume und das Küstenland sogleich dem Königreiche einverleibt und in den Stand vor dem 14. Oktober 1809 versetzt werden sollen.

Aber diess war nicht der Fall. Nachdem der Wiener Hof sich in den Besitz des Theiles von Kroatien jenseits der Save sammt dem Küstenlande gesetzt hatte, verleibte er diese Gebiete nicht wieder Kroatien und der ungarischen Krone ein, sondern betrachtete sie als einen Theil des von den Franzosen gegründeten Königreichs Illyrien, und verwaltete dieselben wie eine der erbländischen österreichischen Provinzen. Die Wiener Staatsmänner waren nach der Restauration in Europa (1815) und namentlich nach der Karlsbader Zusammenkunft (1819) und dem unterdrückten Aufstande in Italien (1820), keine Freunde der ungarisch-kroatischen Verfassung, welche sie, wenn es nur auf ihren Willen angekommen wäre, gerne extensiv und intensiv beschränkt hätten. In unserem Vaterlande und in Ungarn verstummten die Landtage, auf welchen gewiss sich dieselben Stimmen würden erhoben haben, welche im Jahre 1811 und 1812 für die Integrität des Vaterlandes kämpften. Fiume und das Küstenland blieben sonach unter der österreichischen Verwaltung ungefähr in der Weise, wie es während der kurzen französischen Herrschaft gewesen. Unter der letzteren gelang es aber Fiume seine städtischen Grenzen über die Fiumara zu erweitern und die Ortschaften Šušak, Trsat, Draga und Podvežica mit seinem Gebiete zu vereinigen. Buccari verlor unter der französischen Regierung auch noch sein Kapitanat und Sanitäts-Kommissariat, während schon Josef II. das dortige Handels- und Wechsel-Gericht erster Instanz aufgehoben hatte (1788).

In dem ganzen Theile Kroatiens jenseits der Save sammt dem Küstenlande behielt die österreichische Regierung das französche Steuersystem bei, welches zu der Entwicklung und den Kräften der armen Bevölkerung in keinem Verhältnisse stand, wesshalb es auch kein Wunder war, dass die rückständigen Steuern im Jahre 1822 bei 400.000 fl. betrugen.

In der Zeit, wo in Ungarn und in unserem Vaterlande wegen Nichteinberufung der Landtage, wegen Erhebung von Steuern und Rekruten ohne Einwilligung des Landtages, die Unzufriedenheit täglich zunahm, wo gegen die Opposition in den Komitaten auf das Strengste vorgegangen wurde, erschien im Wege der königl. ung. Hofkanzlei das a. h. Reskript vom 5. Juli 1822 Nr. 8674, mit welchem die Theile jenseits der Save und das Küstenland einverleibt werden, und zur Durchführung dieser Massregel Josef Majláth zum königl. Kommissär ernannt wird. Die genannten Gebietstheile sollten schon am

. November vereinigt werden; wesshalb der königl. Kommissär die Kongregation für den 30. Oktober des genannten Jahres nach Karltadt einberief. In der Kongregation wurde das königl. Reskript mit velchen die besagten Gebietstheile einverleibt werden und Majláth um königl. Kommissär ernannt wird, verlesen. Im Reskripte[1] wird bezüglich der Einverleibung folgendes angeordnet: „Die dem Königreiche einzuverleibenden Theile sind: das Gebiet enseits der Save, welches vor dem Jahre 1809 zum Agramer Komitate gehörte; das Gebiet der freien und königl. Stadt Karlstadt und der Handelsstädte Fiume und Buccari, der Bezirk des Fiumaner Guberniums mit jenen Grenzen, welche er 1809 hatte.“ Weiter wird hinsichtlich der Verwaltung dieser Gebietstheile festgesetzt: dass aus denselben bis auf weitere Anordnung der Severiner Distrikt mit eigenen Feuerstellen zu bilden st, nämlich bis man erwogen und definitiv entschieden haben wird: ob dieser Distrikt (districtus) mit Rücksicht auf politische Gründe und auf den Handel wie früher als ein Komitat konstituirt werden soll. Aus diesem Grunde wird diesem Distrikte kein Obergespan, sondern ein Obergespans-Administrator in der Person des genannten J. Majláth an die Spitze gestellt. Im übrigen wird dieser Distrikt unter den Schutz der ungarisch-kroatischen Verfassung gestellt, nach welcher er wie ein jedes Komitat zu verwalten ist. Der Administrator ernannte für denselben den ehemaligen Vicegespan des Kreuzer Komitates Franz Ožegović zum Vicegespan, Johann Reizner zum Notär u. s. w. Von den Gerichten in diesem Distrikte geschieht die Berufung an die Banaltafel, die befugt ist auch in jenen Prozessen zu entscheiden, welche sich im Stadium der Berufung befinden, aber von den untern Gerichten unter der vorigen Regierung bereits erledigt wurden.

Nachdem der Severiner Distrikt am 1. November 1822 in's Leben getreten war, wurde am 3. und den folgenden Tagen desselben Monats die Partikular-Kongregation unter dem Vorsitze des Vicegespans in Karlstadt abgehalten. Hier wurde die an den Vicegespan gerichtete Zuschrift des königl. Kommissärs vorgelesen, nach welcher der Severiner Distrikt in zwei Prozesse (Bezirke), den See- und Kulpaer Prozess, eingetheilt wird. Der ordentliche Oberstuhlrichter des

---

[1] Aus dem Sitzungsprotokolle der Kongregation in Karlstadt. Das Manuskript in Abschrift bei mir. Hier folgen die Worte: „Portes regno incorporandae complectentur: territorium partium trans-savanarum, quae ante a. 1809. ad comitatum zagrabiensem spectabant; territorium liberae regiaeque Carlostadensis ac commercialium civitatum Fluminensis ac Buccaranae; gubernii item Fluminensis districtum illis limitibus, quibus anno 1809 cingebatur, circumscriptum.

Seebezirkes, Sigismund Fodrocy, wurde bestimmt sich nach Fiume zu begeben und dort vom Kapitanats-Amte des Fiumaner Distriktes die auf den Seebezirk sich beziehenden Schriften zu übernehmen: „Flumen, pro recipiendis ab officio capetaneatus circuli Fluminensis actis, processum maritimum concernentibus, excurrat." In derselben Sitzung wurde die Zuschrift Josef Majláths vom 7. November 1822 vorgelesen, wornach der genannte Sigismund Fodrocy vom Fiumaner Distrikts-Kommissär Baron Friedrich Reichbach jene Theile des Fiumaner Distriktes übernehmen sollte, welche, in Folge a. h. königl. Entschliessung mit dem Königreiche Kroatien wieder vereinigt, dem neuerrichteten Severiner Distrikt zugehören und (mit Ausnahme der freien königl. Handelstädte Fiume und Buccari mit ihren Territorien, dann des Bezirkes von Vinodol als unter der unmittelbaren Verwaltung des königl. Fiumaner Guberniums stehend) aus den Bezirken von Čabar, Fužine, Ravnagora und Vrbovsko bestehen werden. [1]

Hiedurch hat daher Franz I. im Jahre 1822 dasjenige mit Kroatien wieder vereinigt, was durch den Wiener Frieden im Jahre 1809 von demselben getrennt wurde, nämlich einen Theil des Agramer Komitates, dann das Küstenland mit Fiume und Buccari. Aus diesen Theilen wurde provisorisch der Severiner Distrikt, mit zwei Bezirken (Prozesse), dem See- und Kulpa-Bezirk gebildet. Es umfasste daher der Severiner Distrikt dasselbe Gebiet, welches ehemals (1777) das Severiner Komitat ausmachte, nur dass jetzt der Vinodoler Bezirk der unmittelbaren Verwaltung des Distriktes entzogen und (seit Josef II. Zeiten) jener des Guberniums von Fiume zugewiesen wurde. Diese Verfügung hielt die Vertretung des Severiner Distriktes für eine Verletzung der ehemals erflossenen Entschliessung der Königin Maria Theresia; desshalb wandte sie sich aus der erwähnten Kongregation an den königl. Kommissär mit der Bitte: dass der Vinodoler Bezirk im Sinne des von der Königin Maria Theresia (10. April 1778) an das Severiner Komitat erlassenen Diploms der Jurisdiktion dieses Distriktes zugewiesen werde. Aber wenn auch der Vinodoler Bezirk nicht ehedem unmittelbar unter die Verwaltung des Severiner Distriktes ge-

---

[1] Ibid. art. 6: Recipiat „illas circuli Fluminensis partes, quae in sequelam altissimae resolutionis regiae regno Croatiae reapplicitae dehinc ad instauratum districtum szeverinensem pertinebunt, et quae (dempta libera regiaque urbe comerciali Fluminensi et Buccarana, harumque appertinentiis, item districtu Vinodolensi, velut sub immediata gubernii regii Fluminensis directione futuris) e districtibus Čubar, Fuccine, Ravna gora, Verbovsko . . . consistent."

hörte, so war er doch, so wie das ganze Gebiet des Fiumaner Guberniums, nämlich das ganze ungarische Küstenland, ein integrirender Theil des Königreichs Kroatien und der Gouverneur von Fiume zugleich Administrator des Severiner Distriktes; hingegen wurden die See-Handelsstädte Fiume und Buccari mit ihren Territorien, wiewohl in ihre bis zum Jahre 1809 genossenen Rechte wieder eingesetzt, als im Bereiche des genannten Distriktes liegend betrachtet. Wiewohl man Karlstadt als Mittelpunkt des Severiner Distriktes bezeichnete, so wurden doch wie vorher die Kongregationen auch in Fiume abgehalten. Als die Kommunität des Severiner Distriktes die Bitte, vorbrachte, dass der Distrikt in ein Komitat verwandelt und hiedurch den im Jahre 1802 deutlich ausgesprochenen Wünschen der kroatischen und ungarischen Stände entsprochen werde, richtete Josef Majlath ein Schreiben an die am 12. December 1822 in Karlstadt versammelte Partikular-Kongregation und berief die General-Kongration nach Fiume ein, damit in derselben über diesen Gegenstand verhandelt werde.

Die Einverleibung der küstenländischen, dann der Gebietstheile jenseits der Save wurde in unserem Vaterlande mit Freuden aufgenommen. Der Banus Gyulay ordnete an, dass dafür der Dank des Landes mittels einer besonderen Deputation dem Könige ausgedrückt werde; zu diesem Behufe forderte er am 1. November 1822 den Severiner Distrikt und die Stadt Fiume auf, ihre Vertreter, die sich an diese Deputation anschliessen hätten, zu wählen. Der Severiner Distrikt wählte in seiner Kongregation vom 3. November zu seinen diessfälligen Vertretern[1]: seinen Vorstand Josef Majláth, dann die Beisitzer Graf Anton Batthyáni und Graf Nikolaus Auersperg. Die Stadt Fiume entsprach gleichfalls der Aufforderung des Banus und wählte aus ihrer Mitte: Adamić, Scarpa und Massarti. Die kroatische Deputation wurde vom Könige Franz I. am 18. November in Verona empfangen. Der Banus dankte dem Könige im Namen des ganzen Königreiches „pro clementer decreta et iam effectuata Trans-Savanarum et maritimarum partium sacrae regni Hungariae coronae reincorporatione.“ Interessant sind die nachfolgenden Worte aus der deutschen Ansprache, mit welcher der Banus die Königin begrüsste: „Wenn auch der Name Illyriens in der vaterländischen Geschichte durch gleich rühmliche Erinnerungen glänzt, so ist doch den Kroaten ihr angeborener Name und ihr gesetzlicher König über alles lieb und werth, und es hat uns eben die Gnade des a. g. Königs diesen Namen wieder gegeben, indem sie grossmüthigst gestattete, dass die ehemals getrennten Theile

[1] E protoc part. congreg. ddto. 3. et seq. Nov. 1822. Art. 2.

Kroatiens vereinigt werden.“ Diesen letztern Namen führte Gyulay auch in seiner Ansprache an den russischen Kaiser an. [1]

Aus den angeführten Thatsachen ist leicht zu entnehmen, dass sowohl die Gebietstheile jenseits der Save, so wie das Küstenland mit Fiume und Buccari, am 1. November 1822 Kroatien und der ungarischen Krone, von welchen sie volle 13 Jahren getrennt waren, einverleibt worden sind. Im königl. Reskripte vom 5. Juli 1822 an den Banus und in dem zweiten königl. Reskripte vom 25. September desselben Jahres Nr. 11808 an Josef Majláth, werden ausdrücklich Fiume, sein Territorium und das Gebiet des Guberniums unter jenen Theilen angeführt, welche mit Kroatien und der ungar. Krone zu vereinigen sind. Aus den einverleibten Gebietstheilen, mit Ausnahme, dass man einen Theil dem Agramer Komitat zurückgegeben, wurde der Severiner Distrikt in dem Umfange des ehemaligen Komitates gleichen Namens gebildet; es wurde ferner das Fiumaner Gubernium wieder errichtet und sein Bereich durch den Vinodoler Bezirk erweitert, ja es hätte auch die ehemalige Grenze zwischen den Städten Fiume und Buccari, d. i. der Bach Fiumara wieder angenommen werden sollen. In Fiume wurde die Kongregation des Severiner Distriktes abgehalten: der Gouverneur und Kapitän von Fiume war zugleich Administrator dieses neuen kroatischen Munizipiums. Diese Wiederherstellung im Jahre 1822 erinnert an die ähnlichen Bestimmungen der Königin Maria Theresia vom Jahre 1776-7. Schliesslich wurde auch die Banaltafel wieder hergestellt, indem sie zum Appellationshof für Prozesse aus Fiume und den ungarischen Küstenlande bestimmt wurde. Diese Thatsachen bestätigen, dass Fiume die Autorität des Banus von Dalmatien, Kroatien und Slavonien anerkannte.

Das kroatische Municipium, und ein solches war ohne allen Zweifel sowohl das Severiner Komitat als auch der Distrikt dieses Namens — war immer geeignet, das Küstenland und Fiume, welches durch sein Gubernium und seine städtische Autonomie in einem besonderen eigenthümlichen Verhältnisse stand, an Kroatien enger zu knüpfen. Desswegen lag der Bestand und die Befestigung des Severiner Munizipiums früher und jetzt im Interesse des Verbandes zwischen Fiume und dem Königreiche Kroatien, namentlich bei der nach dem Jahre 1790-1 so beschränkten Verwaltungs-Autonomie. Aber auch diessmal hatte der Severiner Distrikt ein kurzes Leben.

Schon nach Verlauf eines Jahres wurde in der am 9. September 1823 zu Karlstadt abgehaltenen Partikular-Kongregation mittels Erlass

---

[1] „Sire! Les royaumes des Croatie et d'Esclavonie ont envoyé à Verone une députation solenelle paur porter au pied du trône de leur roi l'hommage de leur amour et le tribut de leur reconnaissance pour la réunion des territoires que de grands malheurs avaient detachés de ces royaumes.“

der kön. ung. Hofkanzlei vom 8. August desselben Jahres Nr. 10747 die a. h. Entschliessung Sr. Majestät bekannt gemacht: „dass man von der Schaffung eines besondern Severiner Komitates abstehen soll, und dass hingegen der Distrikt dieses Namens, bezüglich seiner Verwaltung wie vor dem Jahre 1809, dem löblichen Agramer Komitat einzuverleiben ist.“ Zu diesem Behufe wurde der Bischof Maximilian Vrhovac zum königl. Kommissär ernannt, und in der General-Kongregation des Agramer Komitates, am 15. September, wurde diesem Komitate das Severiner Siegel übergeben.

So hörte das Severiner Munizipium zum zweitenmale auf. Das Fiumaner Gubernium verblieb so, wie es nach der Einrichtung Josefs bis zum Jahre 1809 bestanden. Bezüglich Buccaris und des kroatischen Küstenlandes wurde nicht allein der Art. 61: 1790-1 nicht durchgeführt, sondern diese Stadt konnte nicht einmal zu ihrem Besitzthum diessseits der Fiumara gelangen, wiewohl der König entschieden hatte, dass ihm Šušak u. s. w. zurückgegeben werde; allein die Fiumaner wiedersetzten sich dieser Anordnung. Dennoch wurde Fiume in jenes Verhältniss zu Kroatien zurückversetzt, in welchem es zur Zeit des schon aufgelösten Severiner Komitats gestanden. Die in Fiume und im Küstenlande wohnhaften Edelleute gehörten unter die Jurisdiktion des Agramer Komitates. Die Berufung an die Banaltafel fand noch immer im Sinne der a. h. Entschliessung vom 29. Aug. 1777 statt.

Das Fiumaner Schulwesen unterstand der obersten Direktion in Agram. Der Fiumaner Gouverneur und die Stadt-Vertreter hatten noch immer im Sinne des Art. 8: 1808 Sitz und Stimme in den dalm.-kroat.-slav. General-Kongregationen. In Bezug auf die Gerichtsbarkeit müssen wir bemerken: dass nach Einverleibung der küstenländischen und der Gebietstheile jenseits der Save, in Folge a. h. Entschliessung, auch jene Prozesse an die Banaltafel als zweite und an die dalmat.-kroat.-slav. Gerichtstafel als erste Instanz gewiesen wurden, über welche bei den bestanden illyrischen Gerichten verhandelt aber noch nicht entschieden wurde; bei Entscheidungen jedoch über derlei Prozesse waren die beiden kroatischen Gerichtshöfe gebunden, sich an „das Gesetzbuch von Westgalizien“ zu halten. Da jedoch die dalmat.-kroat.-slav. Gerichts- und die Banaltafel die Vorstellung machten, dass nach der Prozessordnung dieses Gesetzbuches die Entscheidungen bei den Gerichten, welche nicht das ganze Jahr hindurch, sondern nur zu festgesetzten Terminen ihre Sitzungen halten, sehr verzögert werden würden, wurde für deratige Prozesse das städtische Gericht von Fiume im Vereine mit dem dortigen Wechselgerichte als Gericht erster, und das Fiumaner Gubernium als Gericht zweiter Instanz d e l e g i r t. Schon aus dieser Delegirung des städtischen Gerichtes in Fiume und des dortigen Guberniums für die unter vorigen Regierung angefangenen aber nicht zu Ende geführten Prozesse, sieht man deutlich die Abhängigkeit Fiumes hinsichtlich der Gerichtsbarkeit von den dalm.-kroat.-slav. Gerichten.

Mit dem königl. Dekrete vom 3. Juli 1825 wurde endlich der Landtag für den 11. September nach Pressburg einberufen. Unser Landtag hingegen fand unter dem Vorsitze des Banus Gyulay am 22. und den folgenden Tagen des Monats August statt. In dem einen und dem andern Landtage kam die Einverleibung der küstenländischen und der Gebietstheile jenseits der Save zur Sprache. In unserem Landtage theilte der Banus (Art. 2.) den Ständen das erwähnte kön. Reskript vom 5. Juli 1822 mit, in welchem Se. Majestät ihm bekannt gab, dass die entsprechenden Anordnungen ergangen sind: „ut partes trans-savanae et littoralis hungarici, ante Gallorum invasionem ad percarum suum Hungariae regnum spectantes, restituantur, eidemque reincorporentur.“ Hier wird abermals „Hungariae regnum“, als gleichbedeutend mit der ungar. Krone genommen; denn es wird wohl Niemand die Gebietstheile jenseits der Save als einen unmittelbaren Theil des Königreichs Ungarn, im engeren Sinne, betrachten. Die Mittheilung des Banus und das kön. Reskript nahmen die kroatischen Stände, „mit wiederholter einhelliger Aeusserung der Freude und dem Ausdrucke der ehrfurhchtsvollsten Anhänglichkeit und Dankbarkeit gegen den gnädigen Herrscher auf.“ Gleichzeitig aber waren die kroatischen Stände bemüht, dass die unter der fremden Regierung in jenen Gebietstheilen eingerissene Unordnungen theils durch den heimatlichen und theils durch den ung. Landtag behoben, und den Einwohnern unseres Küstenlandes jede mögliche Hilfe geboten wurde. Unsere Stände betrachteten Fiume nicht als eine ihnen fremde Stadt, um die sie sich nicht zu kümmern brauchten. Im Gegentheil sie trugen ihren für den ung. Landtag gewählten Ablegaten ausdrücklich auf, bei Seiner Majestät dem Könige Franz dahin zu wirken, dass der Wirkungskreis des Gouverneurs von Fiume im Sinne des a. h. königl. Reskriptes [1] vom 5. September 1777 wieder hergestellt werde. Und unseren Lesern ist bekannt, dass in diesem Reskripte von der unmittelbaren Vereinigung Fiumes mit Kroatien die Rede ist. Weiters beauftragten die kroatischen Stände dieselben Ablegaten, dahin zu trachten, dass die in den

[1] MSC. Puncta instructionis: Relate ad commercialia 28. Cum vigore benigni rescripti a. 1777. Vienna die 5. mensis septembris Nr. 4527 dimissi augustissima olim imperatrix regina Maria Theresia Josephum Majláth in gubernatorem Fluminensem cum pari, ac gubernator Tergestinus habet, activitate benigne denominari dignata fuisset, conservationem autem activitatis eiusdem non modo commercii ratio exposceret, sed et iustitia exigeret: domini regni ablegati eatenus apud suam Majestatem ssmam humillimas preces interponendas exoperabuntur.

Häfen des Königreichs (in regni portubus) gefangenen Fische ohne Entrichtung eines Zolles ausgeführt werden dürfen (ab omni portorii solutione) und dass diese Befreiung vom Zoll auch „auf alle eigenen Produkte der küstenländischen Gebietstheile ausgedehnt werde;“ eben so, dass „in den küstenländischen Gebietstheilen“ eine nautische Schule errichtet; dass die Bewohner „der küstenländischen Gebietstheile“ mit dem in die Seehäfen von Aussen eingeführten Salze frei Handel treiben dürfen, da ohnehin mit dem Art. 122: 1715 den Königreichen Dalmatien, Kroatien und Slavonien der zollfreie Gebrauch des Seesalzes gestattet wurde; dass der Stadt Buccari das Kapitanat im Sinne des Diploms vom 23. April 1779 und eben so das Handels- und Wechselgericht wieder gegeben werde. Alle diese Anträge und Instruktionen haben keinen Sinn, wenn man behaupten will, dass Fiume, Buccari und „ungarisches Küstenland“ im Jahre 1822 nicht Kroatien, sondern Ungarn unmittelbar einverleibt wurden; denn in diesem Falle hätten die kroatischen Stände gerade so viel Grund gehabt sich um Fiume zu kümmern, wie z. B. um das benachbarte Zalader Komitat. Hievon war auch die Stadt Fiume überzeugt und schickte aus diesem Grunde seinen Vertreter auf unseren Landtag, welcher Vertreter bemüht war die kroatischen Stände in dem Streite Fiumes mit Buccari zu überzeugen, wie sehr es im Interesse der erstrern Stadt liege, dass die Ortschaften: Šušak, Tersat, Podvežica und Draga mit ihr direkte verbunden bleiben. Dass Buccari mit Kroatien unmittelbar verbunden ist, konnte auch nach dem Art. 61: 1791 nicht bezweifelt werden. Wenn daher Fiume Ungarn unmittelbar einverleibt gewesen wären und Buccari Kroatien, daher beide Städte und ihre Territorien, welche die Fiumara trennte, zweien verschiedenen Königreichen wiewohl einer und derselben Krone angehört hätten, so wäre es für Buccari hinreichend gewesen zur Vertheidigung seines Besitzes diesen Umstand gegen Fiume anzuführen. Aber die eine und die andere Stadt führten nur solche Gründe an, die nur dann angeführt werden können, wenn sich zwei Städte eines und desselben Landes wegen ihrer Grenzen streiten. Der Vertreter Fiumes auf unserem Landtage unterstützte das Begehren seiner Stadt damit, dass er anführte: Šušak selbst, am Scheidungspunkte zweier Strassen und am Fusse von Tersat liegend, werde von der Stadt Fiume nur durch den Bach Fiumara getrennt, es könne daher bei einer solchen Lage die in einer See- und Handelsstadt so nöthige Ordnung viel leichter von der nahen Fiumaner, als von der fast zwei Stunden entfernten Buccaraner Obrigkeit gehandthabt werden; ferner sei es gegen die Interessen des Handels, dass der am Ausflusse der Fiumara liegenden Hafen von Fiume und das in Martinšćica zu errichtende Fiumaner Lazareth in zwei verschiedenen Jurisdiktionen (Fiumaner und Buccaraner) liegen; endlich benöthige die Stadt bei ihrem beschränkten Territorium die genannten vier Ortschaften um ihre aus dem Weinschank fliessenden Einkünfte zu sichern." Alle diese Gründe sind aus Lage und aus den Interessen Fiumes geschöpft und es geht genug deutlich aus ihnen die anerkannte Zusammengehörigkeit des Fiumaner mit dem Buccaraner Gebiete hervor. Man könnte jedoch einwenden: dass Buccari mit seinem Territorium im Jahre 1822 unmittelbar mit Ungarn vereinigt worden sei. Dem aber widerstreiten nicht nur alles was wir bisher angeführt, sondern auch eine Thatsahe, die wir in Kürze anführen werden.

Es ist bekannt, dass Kroatien auf Grund des Leopoldischen Diploms Art. 48: 1791 von der Last der Einquartirung des durchmarschirenden Heeres befreit war. Aber der kais. Hofkriegsrath in Wien wollte diese Last der Stadt Karlstad und eben so Buccari aufbürden und führte als Grund an: „dass die genannte Stadt nicht dem Königreiche Kroatien, sondern dem Königreiche Ungarn einverleibt worden ist," in welchem Falle, sie natürlich von dieser Verpflichtung nicht befreit wäre. Vielleicht wird Jemand staunend fragen, woher der Hofkriegsrath seine Behauptung ableitete, dass Karlstadt Ungarn einverleibt worden ist? Aber wenn „regnum" im Art. 30: 1790-1 so gedeutet wird, wie es der Hofkriegsrath auslegte und wie dasselbe Wort im Art. 4: 1807 die Ungarn auslegten, dann hat der Hofkriegsrath Recht und Karlstadt ist nicht Kroatien sondern Ungarn einverleibt worden, und der ungarische Landtag hat ein Recht nicht allein auf Fiume, sondern auch auf Karlstadt und Požega. Aber einer solchen Auslegung widersetzten sich im Jahre 1825 die beiden kroatischen Städte Karlstadt und Buccari und verlangten, und der kroatische Landtag unterstützte sie darin, dass die Wohlthat des Art. 48: 1791 auch auf sie als kroatische Städte ausgedehnt werde. Alle diese und andere das Küstenland berührende Gegenstände kamen im dalmat.-kroat.-slav. Landtage zur Verhandlung und übergingen in die den Ablegaten des Königreichs für den ungar. Landtag (Aloys Bužan, Stefan Ožegović und Anton Kukuljević) ertheilte Instruktion. Am ungarischen Landtage unterlegten unsere Ablegaten im Namen der dalm.-kroat.-slav. Stände 49 allgemeine Beschwerden und Anliegen. [1] Unter diesen war der 7. Punkt: „de gubernatore Fluminensi ad parem cum Tergestino gubernatore activitatem ponendo." [2] Diesen Punkt nahm

[1] Acta comit. a. 1825. I. 558—565.

[2] Lautet wie folgt: „Augustissima imperatrix et regina Maria Theresia commodis regni Hungariae et partium adnexarum benigna commercii protectione promovendis materne intenta, fine eo, ut res commercii in littorali Hungarico ex ipsa magis ordinata atque systematica manipulatione ad florentiorem statum evehatur, mediante benigno ad SS. et OO. regnorum Dalmatiae, Croatiae et Slavoniae Vienna Austriae sub

die Landtagsdeputation mit folgender Anempfehlung an: „Da dieses Anliegen dem Inhalte des a. g. Reskriptes auf welches es sich bezieht, entspricht, so ist der Ausschuss der Ansicht: dass es Seiner Majestät vorgelegt werde.“ Es hat somit der Ausschuss des ung. Landtages das Anliegen Kroatiens bezüglich Fiumes nicht nur nicht abgewiesen, was er gewiss gethan haben würde, wenn er Kroatien jedes Recht auf Fiume abgesprochen hätte, sondern er hat überdiess anerkannt, dass dieses Anliegen in der That in dem königl. nicht an die ungarischen, sondern an die kroatischen Stände gerichteten Reskripte vom 5. Sept. 1777 begründet ist, in jenem Reskripte, mit welchem diesen Ständen die unmittelbare Vereinigung Fiumes mit Kroatien mitgetheilt, und mit welchem ihre Mitwirkung bei Durchführung dieses Gegenstandes verlangt worden ist. In demselben Landtags-Ausschusse wurden auch die angeführten Fiume und das Küstenland betreffenden Anliegen verhandelt und nach dem Antrage angenommen. Auf Fiume selbst bezieht sich auch das Anliegen II. „de bene merito negotiatore Flumensi Ludovico Andrea Adamovich suae Majestati smmae pro obtinendis benigne armalibus commendando.“ Unsere Stände beschwerten sich auch bei Gelegenheit, als die Art und Weise besprochen wurde, wie die unter den illyrischen Gerichten angefangenen und noch nicht beendeten Prozessen behandelt werden sollen, dass das Fiumaner Gericht Zuschriften in italienischer Sprache „an Parteien im Bereiche des Komitates richte, welche dieser Sprache nicht mächtig sind.“ Die Art und Weise, in welcher über derlei Prozesse difinitiv entschieden werden soll, wurde mit dem Art. 14 dieses Landtages festgesetzt. Ueberdiess wurde der Art. 13 „von der Wiedereinverleibung der Gebietstheile jenseits der Save und des ungarischen Küstenlandes“ [1] aufgestellt;

5. sept. 1776 Nr. 4527. dimisso rescripto urbi et portui Fluminensi Josephum Majláth, cameralem antea consiliarium aulilicum et referendarium, in qualitate gubernatoris, attributa eidem actualis intimi status consiliarii dignitate, et cum pari, ac littoris austriaci gubernator Tergesti obtinebat, activitate benigne praeficere dignata est; ratione et motivo benignae provisionis huius etiam nunc sublatis impedimentis maiori rationalis industriae evolutioni obstantibus, ad inclinandam in favorem monarchiae externi commercii bilancem territorialium productorum suorum ubertate et praescellentia plurimum conferre queunte: Sua Majestas ssma actione attribuendae gubernatori Fluminensi eiusdem activitatis, qua gubernator tergestinus praeditus est, demisse exonetur. — Postulato hocce tenoribus provocati b. rescripti conformi, illud suae Majestati ssmae proponendum opinatur deputatio.“

[1] Art. 13: Posteaquam sua Majestas ssma partes regni trans-savanas, maritimas item, quae alias nomine littoralis Hungarici veniunt, bello 1809. terminato avulsas, subinde vero post felicem earundem revindicationem sacrae regni coronae reapplicuisset, et ad

durch denselben wurde an dem staatsrechtlichen Verhältnisse dieser Gebietstheile zur ung. Krone, wie solches im Jahre 1822 wieder hergestellt worden war, nichts geändert, sondern nur das Andenken an diese Thatsache verewigt. Zweierlei ist in diesem Artikel beachtenswerth: erstens, die Erwähnung, dass „die Gebietstheile des Königreichs jenseits der Save, dann die küstenländischen wieder dem Königreiche einverleibt wurden, und dass in dieser Beziehung kein Unterschied zwischen den Gebietstheilen jenseits der Save und den küstenländischen gemacht wird; zweitens, dass hier „regnum“, zu welchem die getrennten Theile gehörten, gleichbedeutend ist mit „sacra regni corona“, mit welcher diese Theile wieder vereinigt wurden, was an einer und der andern Stelle „den ungarischen“ Staat, d. i. die Gesammtheit der unter dem Symbol einer Krone vereinigten Königreiche und Länder bedeutet. Wer hier, so wie in den Art. 4: 1807 „regnum“ in dem engeren Sinne nehmen wollte, der müsste behaupten, dass auch die Gebietstheile Kroatiens jenseits der Save dem Königreiche Ungarn einverleibt worden sind.

Aus der Repräsentation der Stadt Fiume an diesen Landtag[1] wollen wir noch zwei Punkte hervorheben, welche unsere Ansichten bekräftigen werden. Im Jahre 1818 ist zur Zeit der österreichischen Regierung bestimmt worden, dass der Modrušer Bischofsitz nach Fiume verlegt werde. Um dasselbe bat auch jetzt die Stadt mit dem Beifügen, dass in diesem Falle das Kollegialkapitel von Fiume zu einem Domkapitel erhoben werde. Ich glaube, dass diese Bitte grundlos gewesen wäre, wenn man Fiume für einen Bestandtheil Ungarns betrachtet hätte, während das Gebiet des Modrušer Bisthums in Kroatien lag. Auf den zweiten Punkt brauchen wir nur hinzuweisen, da wir von denselben schon gesprochen: Fiume hat nämlich nachgewiesen, dass es ein „separatum corpus, quasi ad systema regni comitatuum accedens,“ ist und keine freie königl. Stadt, dass ihm daher am Landtage eine „competens sessio“ und nicht zwischen den freien königl. Städten gebühre.

So viel von der Fiumaner Frage, nachdem diese Stadt mit dem übrigen Küstenlande und mit dem Theile Kroatiens jenseits der Save im Jahre 1822 wieder der ungarischen Krone einverleibt worden war. Der ungar. Landtag vom Jahre 1825-7 hatte die Hauptaufgabe die der Verfassung in den früheren Jahren geschlagenen Wunden zn heilen und neue Garantien für dieselbe zu erlangen. Die Verhandlung über die Reorganisirung des Königreiches nach den Anforderungen der neueren Zeit und auf Grundlage der schon mit dem Art. 67: 1791

---

eum statum, in quo ante amissionem a. 1809. fuerant, reposuisset: Status et Ordines hanc reapplicationem pro sera posterorum memoria legi inferendam decreverunt.

[1] Acta comit. I. 109—11.

angeordneten Ausschusselaborate wurde auf den nächsten Landtag verschoben; gleichzeitig aber auch ein grosser Ausschuss gewählt, welcher diese Entwürfe zu prüfen und seine Meinung sowohl über dieselben, als auch über diessfalls zu schaffenden Gesetzartikel dem nächsten Landtage zu unterbreiten hätte.“ In diesem Ausschusse waren auch zwei kroatische Ablegaten. Indessen kamen diese Elaborate in dem nächsten am 8. Oktober 1830 nach Pressburg einberufenen Landtage nicht zur Verhandlung, da dieser Landtag hauptsächlich wegen der Krönung des Thronfolgers Ferdinand versammelt wurde und der König Franz I. versprach, den Landtaug am 2. Okt. 1831 eigens zu diesem Behufe, nämlich zur Verhandlung über zeitgemässe Reformen und Vorlage von Anträgen darüber, wieder einberufen werde. Diesem nach wurde in dem am 26. und den folgenden Tagen des Monats Jänner 1831 in Agram abgehaltenen kroatischen Landtage im Regnikolar-Ausschuss zu dem Behufe gewählt,[1] um über die erwähnten Elaborate insbesondere mit Rücksicht auf die „iura municipalia“ dieser Königreiche sein Gutachten abzugeben. Der Ausschuss entsprach diesem Auftrage sehr bald, indem er schon dem nächsten am 14. und den folgenden Tagen des Monats November 1832 abgehaltenen Landtage seine „acta deputationis regnicolaris croatico-slavonicae operatorum systematicorum revisoriae“[2] unterlegte. In diesen Akten heisst ein Punkt (8): „de comitatu Szeverinensi, ac in eius nexu de libero portu ac urbe Fluminensi.“ In diesem Punkte stellt der Ausschuss „totam praeexistentis comitatus Szeverinensis partiumque maritimarum, inclusive urbe et portu Fluminensi consistentiam, regnorumque horum in iisdem subversans ius et posessorium,“ ausführlich dar. Zuerst führt er „speciem facti“ an, indem er sich auf die a. h. Anordnungen und Reskripte der Königin Maria Theresia vom 2. Okt. 1776, vom 29. August 1777, vom 5. September 1777 und vom 10. April 1778 beruft und aus demselben ableitet, dass Fiume Kroatien unmittelbar und durch dieses erst der ungar. Krone einverleibt wurde. Ueber das Diplom vom 23. April 1779 äussert sich der Ausschuss dahin, dass nur aus einer ungegründeten und für dieses Königreich schädlichen Auslegung seines Inhaltes jene Absicht der genannten Königin, Fiume von Kroatien zu trennen, abgeleitet werden konnte. Denn durch dieses Diplom wird zwar der Stadt zugestanden, dass sie sammt ihrem Gebiete auch ferner als ein besonderer, mit der heil. Krone des Königreichs Ungarn vereinigter Körper betrachtet

---

[1] Präsident des Ausschusses: Aloys Bužan, Mitglieder: Josef Graf Sermage, Franz Graf Vojkfi, Georg Graf Oršić, Karl Graf Sermage, Josef Kuković, M. Delivuk, Anton Kukuljević, L. Ljubić, Nik. Mikšić, Nik. Zdenčaj, Franz Zengeval, V. Kirinić, Jozipović, Alexis Dominić.

[2] Dieses umfassende Elaborat befindet sich im Landesarchiv.

und verwaltet und mit dem Buccaraner Gebiete, welches von jeher zu Kroatien gehörte, auf keine Weise vereinigt werde. Aber dass mit diesen Worten nichts weniger als eine Trennung von Kroatien beabsichtiget wird, geht schon aus den Worten „auch ferner" deutlich hervor. Denn da der Bezirk von Buccari von jeher zum Königreiche Kroatien gehörte, besorgte Fiume, dass es in Folge seiner Wiedervereinigung mit Kroatien, seines ursprüglichen vom Buccaraner Bezirke unabhängigen Verhältnisses auf was immer für eine Art verlustig werde. Und desswegen geruhte die durchlauchtigste Herrscherin der genannten Stadt und ihrem Hafen die Zusicherung ihrer Trennung vom Buccaraner Bezirke und ihrer eigenen Grenzen zu geben. Aber desshalb, dass die Stadt eine vom Buccaraner Bezirke verschiedene „porta" und einen verschiedenen von demselben getrennten Körper bildete, wurde sie nicht von Kroatien getrennt noch der Banalbehörde entzogen, eben so wenig als die übrigen freien königl. Städte, obwohl sie getrennte „portas" haben. Sonst könnte man wohl nich sagen: dass es auch ferner einen besondern Körper bilden soll; denn bis dahin war Fiume nicht von Kroatien, sondern vom Buccaraner Bezirke ein getrennter Körper. Uebrigens wenn auch aus diesen Worten durch falsche Auslegung ein Missverständniss entstehen könnte, so wird dasselbe durch andere Worte desselben a. g. Diploms behoben; diese Worte lauten: da vieles von ihnen dem Systeme des Königreichs Ungarn und der zu demselben gehörigen Königreiche und Provinzen weniger entspricht, so wollen wir, dass die genannten Statute (von Fiume) durch eine eigene Kommission genau geprüft, den jetzigen Zeitverhältnissen angepasst, und so neu umgearbeitet und modifizirt uns zur a. g. Bestätigung vorgelegt werden. Ferner: die jedoch über die Einnahmen und Ausgaben verfassten Rechnungen . . . Denn wesshalb wäre die Prüfung der Fiumaner städtischen Statute durch einen eigenen Ausschuss und die Anpassung derselben an das System des Königreichs Ungarn und der zu demselben gehörigen Königreiche angeordnet worden, wenn diese Stadt vom Körper des vereinigten Königreiches getrennt war? wie sollten in Hinkunft die städtischen Rechnungen im Wege des königl. ungarischen Statthalterei-Rathes a. h. Orts aus dem einzigen Grunde unterlegt werden, weil der kroatische Statthalteri-Rath in jenem Jahre aufgehoben wurde, wenn diese Stadt frei von jeder Abhängigkeit von Kroatien war? So wie daher die übrigen Behörden des Königreichs Kroatien, welche diese Verordnung erhielten, hiedurch ihr früheres Verhältniss nicht eingebüsst haben und von Kroatien nicht getrennt wurden; eben so wurden dadurch, dass die Stadt Fiume angewiesen war ihre Rechnungen durch den königl. ung. Statthalterei-Rath a. h. Orts zu unterbreiten, nichts weniger als ihre Trennung vom Königreiche Kroatien ausgesprochen.

Mit diesem Diplome ward hauptsächlich beabsichtigt, dieser Stadt, welche seit dem Jahre 1777 nach verschiedenen von der ungar. Verfassung ganz abweichenden Gesetzen verwaltet wurde, für ihr diplomatisches Archiv ein Dokument darüber zu geben, dass sie in den Genuss der Verfassung Ungarns und der mit demselben vereinigten Theile, so wie in ihre ursprünglichen ungarischen Institutionen (nachdem ihr die Trennung vom Buccaraner Bezirke zugesichert war) gerade dadurch eingetreten ist, dass sie Kroatien einverleibt wurde.“

Wir haben diese Auslegung des kroatischen Regnikolar-Ausschusses vom Jahre 1832 deshalb angeführt, weil sie mit der unserigen vollkommen übereinstimmt, und um zu zeigen, aus welchem Gesichtspunkte unsere Vorfahren vor 35 Jahren das Diplom vom 23. April 1779 betrachteten.

Hierauf schildert der Ausschuss die Fiumaner Frage während der Regierung Josef II. so wie auf den Landtagen 1790-1 und 1807. Er sagt, wie der Antrag der kroatischen Stände im Jahre 1790 bezüglich der Einverleibung Fiumes ganz klar sei, während der Art. 4: 1807 „die Einverleibung Fiumes ausspricht, indem er sich im Allgemeinen auf das Diplom Maria Theresias beruft, ohne einzelne Daten desselben anzuführen.“ Desshalb beantragt der Ausschuss den Ständen, dass sie sich damit in einer Zeit nicht zufrieden stellen sollen, „wo der Regnikolar-Ausschuss über den Entwurf eines neuen Systems in öffentlich-politischen Angelegenheiten verhandelt, in welchem auch von der Wiederherstellung des Severiner Komitates die Rede ist.“ Zu diesem Ende sollte zuerst die Bestimmung des Art. 61: 1790-1 bezüglich jener küstenländischen Gebietstheile durchgeführt werden, über deren Zugehörigkeit zu Kroatien kein Zweifel obwaltet und welche, wie der Bezirk von Vinodol und Hreljin, noch immer unter dem Gubernium von Fiume stehen. Ferner sollte man „das Gubernium von Fiume auf seinen ursprünglichen, im Jahre 1777 demselben eingeräumten Wirkungskreis, daher nur auf die Handels-, Sanitäts- und Hafen-Angelegenheiten beschränken, in den übrigen aber soll auch im Küstenlande dieselbe Verwaltung sein, wie sie in den andern Komitaten und Städten Kroatiens besteht.“ Diess verlangen die bezüglich der Banalbehörde bestehenden Gesetze; diess verlange der Art. 61: 1790, welcher in so lange nicht in's Leben treten wird, „bis nicht in diesen Bezirken die Banalbehörde und die Banaltafel in der Rechtspflege, die Komitate hingegen in der politischen Verwaltung wieder eingeführt sein würden, und bis nicht in denselben ebenfalls die Munizipal-Rechte des Königreichs Kroatien zur Geltung kämen.“ Weiters erachtet der Ausschuss, dass „das Hinderniss, welches aus der zweifelhaften Auslegung des Art. 4: 1807 sich ergibt, durch ein neu zu schaffendes klares und bestimmtes Gesetz behoben werde; denn in so lange das dem Landtage im Jahre 1790 unterlegte Begehren der kroatischen Stände nicht erfüllt ist, bis dahin sei auch dem Wunsche der kroatischen Stände nicht Genüge geleistet. Wenn jedoch der Art. 4: 1807, was man nicht zulassen kann, so gedeutet werden sollte, als ob es stillschweigend schon entschieden sei, dass die Stadt und der Hafen von Fiume ohne Einwilligung Kroatiens dem Königreiche Ungarn einverleibt wurden, dann müsste man bemerken: dass nach keinem Gesetze dem Eigenthume eines Einzelnen und noch weniger eines Königreichs etwas entzogen, dass die Verhandlung über Eigenthumsrechte nicht in die Gesetzgebung einbezogen, und dass auch der letzte Bauer, ohne nach Vorschrift vernommen zu werden, nicht zum Verluste seines Vermögens verurtheilt werden könne . . . Wenn jedoch, gegen alle Erwartung, der Erfolg in dieser Beziehung auf dem künftigen Landtage das Gegentheil ergeben sollte, so müsste man alles Vorbesagte mit dem Beifügen anführen, dass — wenn man auf diese Art mit dem Eigenthume, ohne den Besitzer zu vernehmen, verfügen kann — dann auch nichts im Wege stehe, dass auch Güter einzelner Kroaten dem Ungar zur Verfügung gestellt werden. Wenn aber diess der Fall wäre, so hätte man nie wünschen sollen, dass Kroatien sich mit Ungarn vereinige, weil es alsdann in demselben keinen Beschützer und Vertheidiger seiner Rechte, sondern das Grab seiner Freiheit und seines Eigenthums gefunden haben würde."

Schliesslich beantragt der Ausschuss: dass das ganze Küstenland, welches noch seit Josef II. Zeiten nach fremden Gesetzen verwaltet wird, mit dem Agramer Komitate vereinigt, oder wenn man es vorziehen sollte, aus den Bestandtheilen des ehemaligen Severiner Komitats, im Sinne der Bestimmung vom Jahre 1777, dann aus dem Gebiete zwischen der Josefinen- und Karolinenstrasse und aus der Stadt Zeng ein neues kroatisches Komitat gebildet — und der Wirkungskreis des Guberniums, wie schon gesagt, auf die Handels-, See- und Sanitäts-Angelegenheiten beschränkt werde.

Dieses Elaborat des Ausschusses mit den bezüglichen Anträgen wurden vom Landtage mit dem Beifügen angenommen, dass „vocibus littoralis hungarici substituatur vox maritimi." Dieses Elaborat, so wie es die Stände angenommen hatten, sollte den kroatischen Ablegaten [1] bezüglich der darin verhandelten Punkte als Instruktion dienen; überdiess hatten die Stände in diese Instruktion noch einige andere Punkte aufgenommen.

---

[1] Es wurden gewählt: Anton Kukuljević in das Oberhaus, Graf Johann Drašković und Hermann Bužan in's Unterhaus. Zu Stellvertretern: Nikolaus Mikšić und Sigmund Posavec.

Der ungarische Landtag wurde auf den 16. December 1832 nach Pressburg einberufen. Er dauerte noch nach dem Tode Franz I. bis zum 2. Mai 1836. Dieser Landtag ist für Ungarn sehr wichtig; denn auf demselben begannen jene Reformen, die im Jahre 1847-8 vollendet wurden. Dieser Landtag ebnete mehr als irgend einer seiner Vorgänger den Weg der magyarischen Politik, welche nach Centralisation in der Gesetzgebung und Verwaltung unter der Fahne der magyarischen Nationalität trachtete. Unter diesen Umständen war wenig Hoffnung vorhanden, dass man den Anliegen der kroatischen Ablegaten entsprechen werde. Hievon konnten sie sich sogleich überzeugen, als man von der gegnerischen Seite gegen die Munizipalrechte dieser Königreiche anzustürmen begann. Sobald man trachtete Slavonien in drei untere ungarische Komitate zu verwandeln und dessen Zusammengehörigkeit mit Kroatien absprach, konnte man nicht erwarten, dass der ungar. Landtag auf den kroatischen Antrag bezüglich der deutlicheren Fassung des Fiume betreffenden Art. 4: 1807 eingehen, das Fiumaner Gubernium auf die Handels- und Seeangelegenheiten beschränkt, und dass das Küstenland entweder mit dem Agramer Komitate vereinigt oder daselbst ein neues Komitat gebildet werde. Im Gegentheil es wurde auf dem Landtage der Art. 19 „von den Gerichten der See-Handelsstadt, des Territoriums und des Freihafens von Fiume“ geschaffen, mit welchem die durch die Uebung vergangener Jahre befestigte Bestimmung Maria Theresias vom 19. August 1777 umgangen und Fiume in der Rechtspflege Ungarn unmittelbar untergeordnet wurde.

Es ist daher kein Wunder, wenn die kroatischen Stände auf den darauffolgenden in Agram am 4. und den folgenden Tagen des Monats August 1836 abgehaltenen Landtage sehr bekümmert und erbittert waren. Aus den Reden das Banus Fr. Vlašić und des Bischofs Alagović schimmert die Klage gegen die Majorität des ungarischen Landtages durch, „wegen der grossen Angriffe, welchen die jedem sein Vaterland liebenden Sohne der Königreiche Dalmatien, Kroatien und Slavonien heiligen und unantastbaren Rechte ausgesetzt waren.“ Von gleichen Klagen strotzt auch der Bericht der kroatischen Ablegaten, welche bei dieser Gelegenheit jener wenigen ungarischen Staatsmänner erwähnten, die überzeugt waren, dass durch die Vertheidigung der besondern Rechte unseres Vaterlandes sie auch den Ruhm ihres eigenen Landes vertheidigen. [1]

Wir können hier eine Fiume betreffende Thatsache nicht unerwähnt lassen. Der Banus Vlašić berief im Sinne des Art. 8: 1808 auch den Gouverneur vom Fiume Franz Ürményi mit den Banalschreiben vom 6. Juni 1836 auf den kroatischen Landtag. Ist der

---

[1] Cf. Jura II. 280 sq.

*

Gouverneur diesem Rufe gefolgt oder hat er ihn vielleicht abgelehnt, da er die Verbindlichkeit jenes Artikels nicht anerkannte? Keineswegs. Ürményi hielt es für seine Pflicht auf den kroatischen Landtag zu kommen, und da er verhindert war persönlich zu erscheinen, bevollmächtigte er mit seinem Beglaubigungsschreiben den Kameral-Fiskal Georg Fezüs „als seinen wahren, gesetzlichen und zweifellosen Vertreter" und alles diess theilte er mittels Zuschrift vom 6. Juli 1836 Nr. 375 Praes.[1] dem kroatischen Banus mit. Minder als ihr Gouverneur war die Stadt Fiume bemüht ihre Pflichten zu erfüllen und ihre mit demselben Artikel ihr verliehenen Rechte auszuüben, indem sie ihre Abgeordneten auf den kroatischen Landtag zu schicken unterliess. Aber hiedurch liessen sich unsere Stände nicht beirren und verlangten, dass Kroatiens Recht auf Fiume auch in dieser Beziehung unverletzt bleibe. So bestimmten sie in dem Art. 7: 1845 „de coordinatione generalis congregationis," dass in den Landtag unter anderen „per banales" der „gubernator Fluminensis" und eben so die „civitates lib. reg. Zagrab. Varasd. Cris. Copronc. Segn. Poseg. Carolostad. ac Essekiensis, F l u m i n e n s i s et Buccarana, nec non districtus Vinodolensis" einzuberufen sind. Die eine und die andere Bestimmung, nämlich bezüglich des Gouverneurs und der Stadt von Fiume, ist nicht neu, sondern schon durch den oft genannten Artikel 8: 1808 festgesetzt. An dieser Rechtsgrundlage festhaltend wendeten sich die Stände auf dem Landtage vom Jahre 1847 in einer Repräsentation[2] an Seine Majestät mit der Bitte: Seine Majestät geruhe

[1] Die Zuschrift lautet: „Ob compluria officii mei agenda generali inclytorum SS. et OO. regnorum Dalmatiae, Croatiae et Slavoniae conventui, pro relatione per dd. regni ablegatos diaetales praestanda, aliisque momentosissimis objectis consultandis, per excellentiam Vestram in 4. et seq. mensis Augusti a. c. in libera regiaque civitate Zagrabiensi praefixo, p e r s o n a l i t e r intervenire impeditus, mei loco ad generalem conventum hunc solitis eredentionalibus instructum ablegatum, fiscalem cameralem d. Georgium Fezüs concursurum, Excellentiae Vestrae in sequelam distinctissimarum invitatorialium ddto 6. Junii a. c. hisce notificandi honorem habeo."

[2] Art. 22: 1847.: Cum pro praesenti regnicolari congregatione ex parte urbis portusque Fluminensi nulli ablegati comparuerint, non poterat non praevia procedendi ratio in SS. et OO. regnorum horum inamoene agere, ex b. rescriptis regiis ddto 5. sept. 1777. ac 19 Augusti 1808 perspicuum habentes: quod postquam libera commercialis urbs ac portus Fluminensis per piae memoriae reginam Mariam Th. r e g n o C r o a t i a e i m m e d i a t e incorporatus extitit, ius voti et sessionis gubernatori Fluminensi ac ablegatis civitatis Fluminensis per SS. et OO. regnicolariter congregatos mediante art. 8. regni congregationis 29. Febr. ac subsequis Martii 1808 asservatae adiectum fuerit, hocque SS. et OO. conclusum altissimam approbationem ddto 19. Aug. 1808. tulerit. Qua propter SS. et OO. i u s s u u m i n u r b e m p o r t u m q u e F l u m i n e n s e m s e m p e r e v i n c e r e c o n t e n d e n t e s a c r e c l a m a n t e s, Suam Majestatem ssmam de genu interpellarunt, quo urbi portuique Fluminensi obligationem pro cunctis regnorum horum congregationibus ablegatos suos mittendi, ac de objectis regna ad-

der Stadt und dem Hafen von Fiume die Pflicht aufzuerlegen, dass dieselben ihre Vertreter in alle Kongregationen dieser Königreiche senden, da in denselben Gegenstände die die vereinigten Königreiche in concreto, folglich auch die Stadt und den Hafen von Fiume betreffen, verhandelt werden."

Diess beschloss der kroatische Landtag, welcher gleichzeitig die Regnikolar-Deputirten für den am 7. November 1847 einberufenen ungarischen Landtag wählte. In den Beschlüssen dieses Landtages (vergl. Art. 5 und 27) findet man keine Spur eines legislatorischen oder administrativen Verbandes zwischen Kroatien und Fiume. Sie gaben auch von dieser Seite den Anlass, dass der in Agram am 3. und den folgenden Tagen des Monats Juni 1848 abgehaltene dalm.-kroat.-slav. Landtag im Art. 11 unter anderem beschloss: „dass die Nation des Dreieinen Königreiches das Požeganer, Viroviticer und Syrmier Komitat, so wie das Gradiskaner, Broder und Peterwardeiner Grenz-Regiment, bekannt unter dem Namen des Untern-Slavonien — wie nicht minder die Bezirke von Fiume, von Buccari und den Küsten- oder Vinodoler Bezirk als integrirende Theile des Dreieinen Königreiches betrachte, und dass sie dieselben als ihr Eigenthum gegen den Angriff jedes Feindes kräftigst schützen und vertheidigen würde." Als daher in Folge der Ereignisse des Jahres 1848 jeder rechtsgiltige, sowohl legislativische als administrative Verband zwischen Ungarn und dem Dreieinen Königreiche Dalmatien, Kroatien und Slavonien aufhörte und dieses die ungarische Regierung nicht anerkennend (Art. 11) die oberste Landesbehörde, die es freiwillig mit dem königl. ungar. Statthalterei-Rathe, Art. 58: 1790, vereinigt hatte, mit dem Art. 18: 1848 wieder errichtete, da konnte vom Gesichtspunkte des dalm.-kroat.-slav. Staatsrechtes kein Zweifel obwalten, dass auch zwischen Fiume, als einem integrirenden Theile von Kroatien und zwischen Ungarn jeder Verband aufgehört hat, und dass Fiume in jenes Verhältniss zur Legislation und Verwaltung des Dreieinen Königreiches zurückkehren musste, in welches dessen übrige Bestandtheile nach Lösung des Bandes mit Ungarn gekommen sind. Jene Thatsache, mittels welcher das dem ungarischen in Kroatien nicht anerkannten Ministerium unmittelbar (Art. 27) untergeordnete Fiumaner Gubernium beseitigt und dafür die kroatischen Behörden wieder eingeführt wurden, kann daher keine Eroberung oder Okkupation, sondern höchstens eine Revindikation, eine Wiedereinsetzung in den ursprünglichen rechtlichen Stand genannt werden.

Auf dieser Grundlage fusste in dieser Frage auch der Landtag des Dreieinen Königreiches vom Jahre 1861 und der gegenwärtig

---

nexa in concreto, per consequens et urbem portumque Fluminensem respicientibus, consultandi, imponere dignaretur."

tagende vom Jahre 1865-7. Der erstere reihte mit dem Art. 42 §. 1 das Küstenland mit der Stadt Fiume und ihrem Gebiete unter die integrirenden Theile des Königreiches Dalmatien, Kroatien und Slavonien ein; der zweite eignete sich nicht allein diesen mit dem königlichen Reskripte vom 8. November 1861 bestätigten Artikel in seinem ganzen Umfange an und erklärte ihn zum Massstab bei Erledigung der staatsrechtlichen Fragen, sondern fasste auch in der Landtagssitzung vom 27. Februar 1866 einstimmig den nachfolgenden Beschluss: „Gestützt auf die Reskripte der Königin Maria Theresia, unsterblichen Andenkens, vom 9. Aug. 1776, 29. Aug. und 5. Sept. 1777, mittels welcher die Stadt Fiume dem Königreiche Kroatien einverleibt und dessen Landesbehörden, nämlich dem königl. Statthalterei-Rathe und der Banaltafel untergeordnet wurde und einen Theil des Severiner Komitates ausmachte; gestützt ferner auf den Art. 8 des Landtages vom Jahre 1808, durch welchen diese Einverleibung inartikulirt wurde, so wie auf den Art. 42: 1861, welcher Fiume mit dessen Territorium und dem übrigen Küstenlande dem Gebiete des Dreieinen Königreiches anreiht, erklärt dieser Landtag, angeregt durch die Aeusserung in der Adresse der gegenwärtig in Pest tagenden Vertretung des Königreichs Ungarn, durch den nachfolgenden Beschluss, dass die Stadt Fiume mit ihrem Territorium als ein integrirender Theil Kroatiens zum Königreiche Ungarn in kein besonderes oder von jenem verschiedenes Verhältniss treten könne, als in welches das Dreieine Königreich im Sinne des Art. 42: 1861 in Folge freier Vereinbarung zwischen dem ungar. und dem Landtage des Dreieinen Königreiches treten könnte, und dass dieser Landtag jedes andere Verhältniss als eine Verletzung der territorialen Integrität so wie des Staatsrechtes der Königreiche Kroatien, Slavonien und Dalmatien betrachte und sich dagegen feierlichst verwahre.“

V.

Wir haben in den vorhergehenden Abschnitten die Entwickelung der Fiumaner Frage vom Jahre 1776 bis zum Jahre 1848, beziehungsweise bis auf unsere Tage begleitet. Unsere Darstellung beruhte durchgehends auf historischen Beweisen. Wenn der unpartheische Leser dieselbe genau betrachtete, so wird er gewiss zu der Ueberzeugung gekommen sein: dass alle Rechtsmomente bezüglich Fiumes für Kroatien streiten. Fiume war in alter Zeit ein Bestandtheil Kroatiens und als Eigenthum der Familie Frankopan kam es in Besitz der Herren von Duino, dann der Herren von Walsee und endlich des Hauses

Habsburg. Nach dem ungarisch-kroatischen Staatsrechte war schon Ferdinand I., welcher durch Wahl auf dem Cettiner Landtag im Jahre 1527 das Recht auf den Thron des Königreichs Dalmatien, Kroatien und Slavonien erwarb, verpflichtet die Stadt Fiume mit ihrem Gebiete Kroatien einzuverleiben. Als daher die Königin Maria Theresia im Jahre 1776 „postliminio" Fiume Kroatien einverleibte, übte sie nur — wie die kroatischen Stände am 27. Oktober 1777 schreiben — „eine gesetzliche und gewiss mütterliche Sorgfalt bezüglich Ausführung von Gesetzen des Königreichs aus, die auf Wiedereinverleibung der zur heil. Krone des Königreiches Ungarn und zu den Rechten des Königreiches gehöriger Theile abzielten."

Ueberdiess, als die Königin Maria Theresia aus dem Küstenlande, aus Fiume und einigen damals faktisch zur Militärgrenze gehörigen Gebietstheilen links der Karolinenstrasse das Severiner Komitat zusammengesetzt und geschaffen hatte, wies sie als Entschädigung für diesen Verlust einige Theile von Civil-Kroatien der Militärgrenze zu. Und auch dieses Moment des Austausches und der Entschädigung spricht für das kroatische Recht auf Fiume und das Küstenland. Aber Kroatien erwarb den Rechtstitel auf Fiume nicht allein durch die Geschichte, nicht allein durch Abtretung seines Territoriums zum Tausche, sondern auch dadurch, dass die Krone diesem Rechtsprinzipe f a k t i s c h entsprochen, indem sie im Jahre 1776 auf die übliche gesetzliche Weise Fiume an Kroatien ü b e r g e b e n h a t.

Dem gegenüber hat das Königreich Ungarn gar keinen Rechtstitel auf die Stadt und das Territorium von Fiume. Es vermag nicht zu beweisen, dass Fiume jemals zu Ungarn unmittelbar gehört habe, oder demselben in Tausch für einen anderen abgetretenen Theil seines Gebietes gegeben wurde. Es kann ferner nicht nachgewiesen werden, dass Fiume im Jahre 1776, als es in den Verband mit den ungarischen Ländern trat, durch irgend welche Verfügung Ungarn unmittelbar einverleibt oder demselben mit Umgehung Kroatiens übergeben worden wäre. Es kann endlich eben so wenig dargethan werden, dass Fiume nach dem Jahre 1776 von Kroatien getrennt und mit Ungarn unmittelbar vereinigt worden wäre. Wird daher diese Frage vom Standpunkte des strengen Rechtes und des positiven ungarischen Gesetzes genommen, so war selbst die Königin Maria Theresia (wenn dies auch aus dem Diplome vom 23. April 1779 abgeleitet werden könnte, wiewohl wir eine solche Auslegung entschieden zurückweisen) nicht befugt, das in feierlicher Weise mit Kroatien vereinigte Gebiet der Stadt und des Territoriums von Fiume demselben zu nehmen; denn gegen fest erworbene Rechte sind auch königliche Schenkungen kraftlos. Ohne Rechtstitel und ohne die übliche Erwerbungsart können weder Einzelne noch Staaten in den Besitz von Sachen oder Rechten gelangen.

Diesem gegenüber können wir nicht begreifen, wie der Art. 4: 1807 Ungarn diese unumgänglich nothwendigen Bedingungen eines rechtlichen Erwerbes ersetzen könnte. Denn diese Bedingungen können auch dadurch nicht ersetzt werden, dass auf dem gemeinschaftlichen Landtage ein undeutliches mit seiner allgemeinen Ausdrucksweise das klare Recht Kroatiens durchaus nicht bestreitendes Gesetz geschaffen wurde; sie können ferner auch dadurch nicht ersetzt werden, dass für ein gewisses Gebiet von der allgemeinen Gesetzgebung, dem herrschenden Systeme entgegen, ausnahmsweise besondere Behörden errichtet und ein besonderer Instanzenzug bestimmt wurden; oder dadurch, dass ein einzelner administrativer Akt durch eine Person des verbündeten Königreiches in ihrer ausserordentlichen Eigenschaft durchgeführt wurde; oder schliesslich dadurch, dass eine oder die andere Behörde, ihren Wirkungskreis überschreitend in gesetz- und rechtswidriger Weise in die Amtssphäre einer andern Behörde eingegriffen hat.

Das Königreich Dalmatien, Kroatien und Slavonien hatte, als es durch den gemeinschaftlichen König mit dem Königreiche Ungarn in Verbindung trat, alle Attribute, die der Begriff des Staates erheischt: in subjektiver Hinsicht hatte es seine Souveränität und Unterthanschaft oder Nation, in objektiver Hinsicht sein Territorium. Als es in jene Verbindung trat, vertraute es die Vertretung und die Repräsentation seiner Souveränität demselben Träger, welcher die Souveränität des Königreiches Ungarn vertrat und repräsentirte. Jene Mitwirkung bei Ausübuug des Souveränitätsrechtes, welche sich durch die Staatsverfassung das Königreich Ungarn vorbehielt, reservirte sich und übte auch das Königreich Kroatien bezüglich seines besondern Gebietes und seiner Nation aus. Zur bessern Vertheidigung und sicheren Erhaltung dieser Mitwirkung, trat Kroatien im Laufe der Zeit in einen engeren Verband mit Ungarn in jenen Staatsangelegenheiten, in welchen das gleiche Interesse beider unabhängigen Königreiche dieselben einander genähert hatte. Wenn daher auch im Laufe der Zeit Kroatien mit Ungarn in einen engeren Verband getreten, so konnte es doch nicht zugeben, und ist kein Beweis hiefür vorhanden, dass Ungarn über die Bedingungen seiner staatlichen Existenz verfüge, worunter auch sein eigenes Territorium gehört. Namentlich hat Kroatien sein unanfechtbares Recht auf Fiume seit der Zeit von dessen Einverleibung bis auf den heutigen Tag geschützt und fortwährend gegen jeden Akt von Seite des verbündeten Königreiches protestirt, der geeignet war, dieses sein Recht in Zweifel zu ziehen. Die Gemeinsamkeit zwischen Ungarn und dem Dreieinen Königreiche kann ihrem Entstehen und Ziele nach nur als eine Rechts-Institution aufgefasst werden, zum Schutze der gemeinsamen und besondern Rechte beider Theilnehmer. Wenn aber die Krone oder einzelne gemeinsame Organe befugt wären, den einen Theilnehmer seiner Rechte zum Vortheile des andern stärkern zu berauben: so würde die Gemeinsamkeit ihre rechtliche Eigenschaft verlieren und eine gefährliche Institution, ja ein Mittel der Eroberung werden. In diesem Sinne hatten die kroatischen Stände schon im Jahre 1832 das Bestreben Ungarns, Fiume von Kroatien zu trennen, aufgefasst. Es verdienen ihre diessfälligen Worte, die wir in der Uebersetzung mitgetheilt haben, auch im Originale gelesen zu werden: „Si tamen effectus in futura regni diaeta contra omnem expectationem contrarium doceret, obmovenda, recensendaque esse omnia praemissa cum eo censet deputatio: quod si taliter de proprietate inaudito proprietario agi posset, nihil propecto obstiturum, quo minus et privatorum Croatorum bona dispositioni Hungarorum subiaceant. Hoc autem stante desiderandum sane nunquam fuisset, ut Croatia Hungariae unita fuisset, in qua non protectricem et iurium suorum palladium, ast libertatis proprietatisque sepulchrum repertura esset.“

So viel über die Fiumaner Frage vom historischen und kroatischen Standpunkte. — Geschichte und Staatsrecht sind Hauptfaktoren im Leben einer Nation; doch sie sind nicht die einzigen. Wir sehen, dass in unserer Zeit, gegen die Geschichte und gegen alles Staatsrecht, Staaten getheilt und Gebiete vereinigt werden, nur mit Rücksicht auf Lage, Nationalität und wechselseitige Interessen. Vielleicht sprechen diese neueren Faktoren gegen Kroatiens Recht auf Fiume; vielleicht erheischen dieselben, dass die Seestadt Ungarn unmittelbar einverleibt werde?

Unsere Väter haben schon im Jahre 1791 nachgewiesen, wie unangemessen es sei, schon wegen der blossen Lage Fiumes daran zu denken, dass es über ganz Kroatien hinüber mit Ungarn unmittelbar vereinigt sein könnte. Fiume mit seinem Territorium liegt im Gebiete des Karstes, welcher den ganzen Westen Kroatiens, d. i. das Fiumaner Komitat und die südwestliche Ecke des Agramer Komitates in einer Flächenausdehnung von 24 □Meilen einnimmt und ist schon hiedurch an das Gebiet von Kroatien gebunden. Eben so bildet das ganze Küstenland vom östlichen Fusse des Monte maggiore an eine lange Linie, die von der geraden wenig abweicht. In dieser Linie liegt auch Fiume mit dem übrigen kroatischen Küstenlande. Auf diesem Gebiete wohnt eine Nation, die kroatische. Im Komitate, dessen Hauptort Fiume ist, leben über 89.000 reine Kroaten. Im Meerbusen von Fiume, auf den quarnerischen Inseln, so wie in Fiume selbst und im Westen von Istrien wohnen wieder über 125.000 Seelen kroatischer Nationalität. Fiume ist somit von allen Seiten von der kroatischen Nation umgeben, und wenn seine Einwohnerschaft auch italienisch wäre, so würde Fiume einer Insel im kroatischen Meere gleichen. Aber diess ist nicht der Fall. Nach der amtlichen Volkszählung vom Jahre 1851 bestand unter den 12595 Einwohnern Fiumes und seines Territoriums, den Nationalitäten nach, folgendes Verhältniss: 11581 Kroaten, 691 Italiener, 76 Ungarn, 52 Deutsche, 49 Böhmen, 13 Engländer, 10 Franzosen und 88 Juden; Einwohner anderer Nationalitäten, wie Polen, Russinen, Schweizer, Niederländer und Spanier waren nur in Zahlen unter Zehn vorhanden. Nach der kroatischen ist in Fiume die italienische Nationalität am stärksten vertreten; aber auch diese mit ihren 691 Köpfen verschwindet ganz gegenüber den 11581 Kroaten. Wohl ist es wahr, dass die italienische Sprache unter dem Einflusse, den die Venezianer Republik durch mehrere Jahrhunderte auf beide Küsten des adriatischen Meeres geübt, so wie die istrischen und dalmatinischen Städte, auch Fiume erreicht hat. Ferner ist es auch wahr, dass die Einwohnerschaft von Fiume unter dem Einflusse der italienischen Sprache, welche Verständigungsmittel im Handel, im Verkehre und im Unterrichtswesen grossen Theils und besonders in den höheren Schichten wurde, zweisprachig geworden ist. Aber Niemand wird zu leugnen im Stande sein, dass bei der überwiegenden Mehrheit der Fiumaner Einwohnerschaft die kroatische Sprache Mutter- und Umgangssprache ist, und dass es sehr wenige Fiumaner gibt, die nicht kroatisch können, hingegen sehr viele, die italienisch gar nicht sprechen oder es nur radebrechen. In der Fiumaner Kollegialkirche ist die kroatische Sprache die Sprache des Gottesdienstes und des Religionsunterrichtes. Von den Hauptschulen ist eine kroatisch, im Gymnasium ist kroatisch die Unterrichtssprache; in der italienischen Haupt- und der Unterrealschule ist die kroatische Sprache obligater Gegenstand; und nie hat sich noch ein geschickter Lehrer beklagt, dass er mit den Fiumaner Kindern beim Lernen der kroatischen Sprache grosse Mühe habe, während man oft die Klage hört, dass es viele Mühe koste, bis man das verdorbene Italienisch beim Lernen der italienischen Schriftsprache beseitigt hat. Seit dem die kroatische Sprache am Fiumaner Gymnasium Unterrichtssprache ist, vermehrt sich erstaunlich der Besuch desselben; denn während es im Jahre 1860 nur 109 Schüler zählte, hatte es deren im Jahren 1863 schon 173 und im Jahre 1865-6 im Ganzen 199. Seit jener Zeit strömt die Jugend nicht allein aus dem Fiumaner Komitate, sondern auch von den näheren quarnerischen Inseln und aus Istrien dahin; ein Zeichen, dass der Unterricht auf natürlicher Grundlage beruht. Auch jene Fiumaner — ausser sie haben sich durch gründlichen Unterricht die Kenntniss der italienischen Sprache angeeignet — welche italienisch sprechen, denken kroatisch, kleiden aber ihre kroatischen Gedanken in italienische Worte ein.

Sowohl der Lage als auch der Nationalität nach ist daher Fiume eine kroatische Stadt. — Lage und Nationalität erzeugen gleichzeitig Bande der Interessen und Vortheile, die erstere natürlicher, die letztere höherer, geistigerer Art. Beide wären geeignet zwischen Fiume und Kroatien unauflösliche Bande zu knüpfen, besonders der zweite Faktor, welcher im gegenwärtigen Jahrhundert der Nationalitäten alte Bande löst und neue knüpft. Aber auch das rein materielle Interesse bindet Fiume unmittelbar an Kroatien. Es ist und kann nach seiner Lage nur eine Handels- und Verkehrsstadt sein. Und so wie nicht allein die nächste Umgegend, sondern ganz Kroatien und Slavonien an Fiume gewiesen sind, eben so, ja noch mehr ist Fiume in dieser Beziehung an das kroatisch-slavonische Hinterland gewiesen. Wir sagten „noch mehr"; denn das kann uns Niemand bestreiten, dass es ausser Fiume noch andere Punkte gibt, welche, nun mit den Worten älterer Gesetze zu sprechen, „Ausfuhrsthore" unseres Handels am adriatischen Meere sein können, während vom Handel in Fiume ohne Verkehr zwischen dieser Stadt und ihrem kroatischen Hinterlande nicht zu denken ist. Hiedurch wollen wir jedoch jenen Ausspruch Napoleon I. nicht bestreiten: „Wenn ich diese (illyrische) Länder behalte, so muss Fiume und nicht Triest die Hauptniederlage des Handels sein."

Es wird natürlich in Fiume Schreier geben, welche diese in der Sache selbst liegende Wahrheit leugnen und sich darauf berufen werden, dass angeblich Handel und Wohlstand in Fiume, seit dem Jahre 1848 in welchem es mit Kroatien in administrativer Beziehung vereinigt wurde, zu Grunde gegangen. Wenn diess wahr wäre, so könnten wir diese Verdächtigung der kroatischen Nation in Kürze dadurch zurückweisen, dass ausser in jener kurzen Zeit, wo während des Umschwunges im Jahre 1848 die Bande zwischen dem Dreieinen Königreiche und Ungarn sich lösten und die österreichische Regierung die Verwaltung noch nicht übernahm, weder Kroatien noch Fiume ihre nationale Regierung hatten und auch gegenwärtig nicht haben. Die kroatische Nation verlangt erst nach einer verantwortlichen, in autonomen Angelegenheiten unabhängigen Regierung. Sie verwahrt sich daher gegen Alles was nach dem Jahre 1850 in Fiume, Kroatien und Slavonien geschehen. Sie ist an all' dem gerade so viel Schuld, wie an der Erhöhung und Vermehrung der Steuern und Abgaben, die ohne ihre gesetzliche Mitwirkung eingeführt wurden und für welche sie dieselben Schreier etwa verantwortlich machen wollten. Aber es ist auch nicht wahr, dass nach dem Jahre 1848 der Handel in Fiume zu Grunde gegangen sei. Mit Uebergehung des einheimischen wollen wir nur des Ein- und Ausfuhr-Handels erwähnen, welcher ein getreues Bild des Verkehrs in Fiume gibt. Den Werth der Ein- und Ausfuhr, so wie des ganzen Verkehrs vor und nach dem Jahre 1848 wird aus die nachfolgende auf amtlicheu Daten beruhende Uebersicht geben: [1]

---

[1] Diese Daten theilte mir der Prof. Dr. Peter Matković mit.

Jahre	Einfuhr	Ausfuhr	Zusammen.
1842	240.000 fl.	1,764.000 fl.	2,004.000 fl.
1844	306.000 „	1,930.000 „	2,236.000 „
1846	513.000 „	1,378.000 „	1,891.000 „
1847	525.000 „	1,851.000 „	2,376.000 „
1850	1,232.000 „	1,855.000 „	3,087.000 „
1851	4,599.500 „	5,121.000 „	9,721.400 „
1853	6,784.400 „	3,554.400 „	10,338.800 „
1859	5,603.200 „	7,339.400 „	12,942.600 „
1860	5,333.400 „	7,248.800 „	12,582.200 „
1861	4,884.000 „	6,310.700 „	11,194.700 „
1862	6,047.900 „	7,010.500 „	13,058.400 „
1864	5,700.000 „	5,100.000 „	10,800.000 „
1865	5,772.800 „	5,220.600 „	10,993,400 „

Aus dieser Uebersicht entnimmt man deutlich, dass der Handel in Fiume nach dem Jahre 1842 in drei Perioden abgetheilt werden kann. In den fünf Jahren der ersten Periode wuchs er langsam und unbedeutend; während im J. 1842 die Ein- und Ausfuhr 2,004.000 fl. betrug, erreichte sie im Jahre 1847, also unmittelbar vor den Ereignissen des Jahres 1848 erst 2,376.000 fl. In der zweiten Periode, d. i. vom Jahre 1850 bis 1862 stieg die Ein- und Ausfuhr von 3,087.007 fl. auf 13,058.400. In der dritten Periode, d. i. nach dem J. 1862 fiel beides auf 10,800.000 und 10,993.400 fl. Der schwächste Verkehr fand daher in jener Zeit statt, in welcher Fiume die Hauptstadt des „ungarischen Küstenlandes“ und Sitz des Guberniums war, und wuchs seit der Zeit als Fiume administrativ mit Kroatien vereinigt ist, u. z. in rascher Progression. Das Jahr 1862-3 bildet einen Wendepunkt im Verkehre von Fiume; denn er fing an wieder zu sinken. Die Hauptursache dieser Erscheinung wird Jedermann leicht errathen und sie ist: die Eröffnung der Eisenbahnlinie zwischen Sisek und Steinbrück (im Oktober 1862) durch welche der Handel nach Triest abgelenkt wurde. Aber selbst in der dritten Periode ist der Ein- und Ausfuhrs-Handel von Fiume noch immer beinahe fünfmal so gross, als er vor dem Jahre 1848 war.

Welch' grossen Antheil Kroatien und Slavonien an diesem Handel hat, wird Jedermann ermessen können, dem es bekannt ist, dass der Handel mit Holz, namentlich zum Schiffbau, den Hauptverkehr daselbst bildet; besonders seit der Handel mit unserem Getreide, von welchem in neuerer Zeit jährlich in Sisek nur 300.000 Zentner zur Ausfuhr nah Fiume angekauft wurden, gesunken ist, während das russische Getreide alle Häfen des Mittelmeeres in der Art überschwemmte, dass davon in neuerer Zeit in unseren adriatischen Häfen allein bei 2 Millionen Metzen jährlich verkauft wurden und selbst die Fiumaner

Mühlen es bezogen.[1] Im Fiumaner Komitat allein gibt es 49 Sägemühlen, welche jährlich bei 3,500.000 Bretter im Werthe von einer Million Gulden erzeugen. Auf der Karolinen-Strasse werden aus den benachbarten Wäldern jährlich 6—800.000 Kubikschuh weiches Holz ausgeführt. Alles dieses Holz wird grösstentheils nach Fiume gebracht. Ferner bewegten sich auf der Louisen-Strasse zwischen Karlstadt und Fiume jährlich bei 1,700.000 Zentner theils Fassdauben, theils anderes Holz. Vom J. 1853 bis 1862 wurden auf den Werften von Fiume, Buccari und Portoré im Ganzen 227 Schiffe im Werthe von 9,116.082 fl. gebaut. Zum Baue und zur Reparatur von Schiffen wurden 487.724 Kubikfuss Holz verbraucht. Dieses Holz kömmt aus den kroatisch-slavonischen Wäldern, aus welchen im J. 1862 im Ganzen 3,348.700 Kubikfuss davon ausgeführt wurde.

Mit Rücksicht auf diese amtlichen Daten möge Jemand sagen, dass materielle Interessen Fiume an Kroatien nicht binden! Oder was wäre aus Fiume, was aus seinen Handel geworden, wenn die kroatisch-slavonischen Naturprodukte den Zug in einen andern Hafen des kroatischen Küstenlandes genommen hätten? Und welche Höhe würde erst der Handel in Fiume erreichen, wenn die Eisenbahn Semlin-Fiume gebaut wäre? Auch das wird uns kein vernünftiger und seine Heimat aufrichtig liebender Fiumaner bestreiten, dass Fiume keine nützliche Eisenbahn, wodurch ihr Handel mit jenen von Triest wetteifern könnte, ohne und ausserhalb Kroatiens nnd Slavoniens erlangen kann. Und er wird uns wahrscheinlich auch das nicht ableugnen, dass die Semlin-Fiumaner Eisenbahn nicht durch Schuld der kroatischen Nation noch ungebaut ist. Es gab seit dem Jahre 1860 keinen Landtag, keine Munizipal-Versammlung, wo nicht unsere Nation ihre Stimme erhoben und sich zur Mitwirkung und zu Opfern für dieses hochwichtige Unternehmen, von welchem grossen Theils der Wohlstand des ganzen Vaterlandes und besonders des kroatischen Küstenlandes und Fiumes abhängt, bereit erklärt hätte. Dass man diese Stimme an massgebender Stelle nicht gewürdigt, daran ist die kroatische Nation eben so schuld, wie daran, dass die ihrer materiellen und geistigen Entwicklung gewidmeten Institute noch nicht in's Leben getreten sind, wiewohl sie denselben aus ihren eigenen Mitteln die erforderlichen Bedingungen des Entstehens und Bestandes geschaffen hatte.

Wenn wir alles das in Kürze Gesagte unpartheiisch und reiflich erwägen, so werden wir uns zur Genüge überzeugen; dass Fiume nicht nur nach der Geschichte und nach dem Rechte, sondern auch nach seiner Lage, nach seiner Nationa-

[1] Denkschrift über die Eisenbahn von Semlin nach Fiume. Wien 1864. Seite 11.

lität und nach seinen materiellen Interessen ein Bestandtheil Kroatiens ist; und dass die Hand, welche dieses natürliche und historische Band zwischen Kroatien und Fiume zerrissen dadurch auch nicht allein die Principien des Rechtes und der Nationalität, sondern auch die wahren Interessen dieser Küstenstadt verletzen würde.

BEILAGEN.

1.

Fluminene S. Viti die 9. Martii 1776.

Congregato minori, majorique consilio ad sonum campanae more solito, in quo interfuere nobiles dni Consiliarii ad nr. 17. computata persona Illmi Domini caesaraeo-regii repraesentantis. (Ommissis).

La risposta, che S. E. il Signor Conte Teodoro de Batyany diede alla soprascritta publica lettera; tenoris, ut sequitur: (Messieurs).

Weilen Ich das Wohlsein der löblichen Stadt Fiume als meiner Nachbarinn allzeit zum besonderen Augenmerk hatte, liess Ich mir gleich bei den jetzt vorgefallenen Veränderungs - Umständen gar gern angelegen sein, Nachrichten einzuhohlen von denen hier anwesenden Fiumanern, wie zum Exempel Benzoni und Marotti, in Betreff der uralten Fiumaner Independenz von Friaul und Krain, und solche Nachrichten bei Behörde schicksam anzubringen; worauf dann auch der glückliche Erfolg sich bereits geäussert hat, so dass berührte Stadt Fiume ungeachtet aller widrigen Einstreiungen als eine königliche Freistadt der Kron Ungarn einverleibt zu werden bestimmet worden ist, und bestimmet bleibet. Wie dann auch bereits in der erst abgehaltenen Concertation zwischen der Ungarischen, Oesterreichischen Kanzlei, Hofkriegs-Rath und Hof-Kammer die vorläufige Uiberantwortung geschehen worden ist. Zu welcher Ich allso herzlich gratulire, wünschend, dass die nunmehro zwei eröffnete von einander independente concurrirende Meer-Porten Triest und Fiume durch die schon so längst erwünschliche Aemulation sich auf ein viel höheren Gipfel der Glückseligkeit hinauf schwingen möchten, zu welcher Ich meinen zwar kleinen Kräften aber doch grossen Eifer nach allmögliches mitwirken werde und freiete mich nicht wenig, dass die beide Herrn in Nahmen der Stadt in dieser wichtigen Vorfallenheit zu mir ein sonderliches Vertrauen bezeigen und persuadirt sein wollen, dass Ich mit wahrer Aufrichtigkeit das Wohl- und Aufkommen der ruhmwürdigen Stadt Fiume wünsche und zu beförderen mich bestrebe, wann Ich ferners nach Recht u Billigkeit dieser Löblichen Stadt oder Ihnen beiden Herrn sollte können in einem oder anderen an die Hand gehen, wird es mir ganz ein besonders Vergnügen sein, und bin mit vieler Hochachtung Euerer Wohl Edlgebohrnen. Wien den 14. Februarii 1776. Ergebenster Diener Gr. Theodor Batyiani m. p. A Messieurs Antoine de Monaldi, e Francois Antoine de Steinberg a Fiume.

(Abschrift aus dem Protokolle des Stadtrathes vom 9. März 1776. S. 271.)

2.

Triest: der kais. königl. Hauptmannamts-Verwaltung. Fiume. Ex offo. Von der röm. kais. Hungarn und Böheim königl. apost. Majestaet Kommerzien-Haupt-Intendenz des gesammten oesterreichischen Litoralis der kais. königl. Hauptmannamts-Verwaltung in Fiume hiemit anzufügen. —

Ihre kais. kön. apost. Majestät haben vermöge eingelangten Hofrescripts ddt. 14. praes. 29. Hornung abhin allergnädigst zu entschlüssen geruhet, dass nach der bereits erfolgten Vereinigung des zeitherigen Kommerzienrathes mit der böheimisch-oesterr. Hofkanzlei der Seeplatz Fiume mit seinem territorio zum Königreiche Kroaten einverleibet, mithin künftig mittels des kroatischen Consilii regii von der hungarischen Hofkanzlei allein darüber die Aufsicht und Leitung geführet werden solle.

Gleichwie nun die Herrn Uebergabs- und Uebernahms-Commissarien demnächstenst daselbst erscheinen werden, also werde ein und das andere derselben Theils zur einstweiligen nachrichtlichen Wissenschaft, theils zu dem Ende eröffnet, damit inzwischen zu der bevorstehenden Uebergabe alles in guter Ordnung, besonders die Archive und Registraturen, die Kassen, und das gesammte Personale in Bereitschaft gehalten werden solle.

Per supr. caes. reg. commercialem Intendentiam univ. litor. austr. Triest den 2. März 1776. Franz graf v. Lamberg m. p. Franz Freih. von Königstein. Kappus de Pichelstein.

(Diese Zuschrift ist den 5. März d. J. empfangen worden. Abschrift aus dem Originale.)

3.

Nr. 77. Ref. li 7. Marzo 1776. Ordine grazioso dell' Eccelsa suprema Intendenza ddto 2. praes. 5. Martii 1776. contenente, che sua caes. reg. apost. Maestá in vigor dell' aulico Rescritto dei 14 e pres. 29. Febr. trascorso siasi compiaciuta di graziosissimamente risolvere, che doppo la giá seguita congiunzione del fú Consiglio commerciale con l' aulica cancellaria della Boemia ed Austria il porto di Fiume con il suo territorio sia incorporato col regno die Croazia, consequentemente che per l' avvenire mediante il consiglio regio della Croazia dalla sola cancellaria aulica d' Ongaria, abbiasi in quello l' ispezione e la direzione.

In seguito soggiunge il prefato eccelso dicastero, che avendo prossimamente a comparire qui li Signori Commissarii per la rinunzia e ricevemento, questa Luogotenenza ne viene avertita, parte per sua interimale notizia e parte affinche per l' imminente rassegna gl' archivi e le registrature, le casse ed il personale tutto sia in pronto ed in aparechio.

Del surifferito si renderanno intesi li giudici della cittá ed il publico di Fiume, tutte le ces. reg. casse che hano relazione con la Commerciale, il magistro di Sanitá, e Casino, capitan del porto, il tribunal mercantile, il personale della cancellaria Luogotenenziale e la Luogotenenza medesima, et il foro Vicariale per loro notizia e direzione. De Orlando.

(Abschrift aus dem Concepte.)

4.

Hochlöbl. Consilium Regium!

Da der dortige Herr Kommissarius zur Uebernehmung der dem Königreiche Kroaten von dem Kommerzial-Bezirke allerhöchst zugetheilten Plätze noch nicht anher benennet worden, hingegen aber das Karlstädter General-Militär-Kommando von dem Kais. Königl. Hof-Kriegs-Rathe den an diese Stelle mitgetheilten Befehl erhalten, Sich auch ohne allfälligen Beytritt des Warasdiner Kommissarii die ihm durch die allerhöchste Vertheilung zugefallenen Plätze von der Intendenza übergeben zu lassen; so hat Man nicht umhin können, in die in der Frage stehende Uibergabe, nach einem wegen Ausbleibung des dortigen Herrn Kommissarii herrührenden so langem Verzuge zu willigen, und zu diesem Ende den Herrn Mittelsrath Grafen von Scharffenberg, massen der ehevor hierzu ernannte diesseitge Kommissarius wegen der durch die bisherige Verzögerung der Uebergabe veränderten Umstände von diessfälligen Auftrage enthoben werden, unter heutigem Dato nach Fiume abzuordnen, mit der Anleitung, dass er den 26. dieses sich in Fiume einfinden, inzwischen mit dem dort seit 8 Tagen schon eingetroffenen Militaer-Comissario den Anfang mit der Uibergabe der zwo Seestädte Zengg und Karlobago machen, in der Rückreise abor die Uebergebung des Links der Karolinen-Strasse, wenn man von Karlstadt nach Triest fährt, liegenden Kommerzial-Bezirks allenfalls auch in Abwesenheit des Provinzial-Kommissarii dergestallt beendigen solle, dass die betreffenden Beamten angewiesen würden, von solcher Zeit an, dem löbl. Generalat, in soweit es den demselben zufallenden District angehet, die Parition zu leisten und Rechenschaft zu geben.

Man ersucht daher ein Hochlöbl. Consilium Regium in Freundschaft, dass, wo möglich, die Absendung des dortigen Herrn Commissarii nach Fiume dermassen beschleuniget werde, damit er auch bey der sonst an das Militare allein respectû dessen Antheils von dem Buccaraner und Kolonien-Territorio beschehenden, Uibergabe interveniren möge; Und Man verbleibet anbey einem Hochlöbl. Consilio Regio zu all- angenehmen Dienst und Freundschaftserweisungen ganz bereit und befliessen.

In Abwesenheit dieses Mittels Herrn Präsidenten Excell. Franz Xaver Freiherr von Königsbrun. — Ex Consilio Caesareo-Regiae-Supmae Intendentiae Comlis in Univo. Litt. Austco. — Triest den 23. April 1776. Kappus de Pichelstein, m. p. v. Triest. — An Ein Hochlöbl. Consilium Regium in Königreiche Croatien in Warasdin. — Ex offo.

5.

Nos Maria Theresia etc. Memoriae commendamus tenore praesentium significantes, quibus expedit universis, quod nos honorem seu oficium supremi comitis comitatus Szeverinensis, ex districtu Fluminensi, partibus item illis, quarum aliae maritimae aliae transcolapianae audiunt, nec non portubus, bonis et dominiis in alis nostris litteris, quas eidem comitatui in forma privilegii ac diplomatis concedendas benigne resolvimus, uberius specificandis, efformandi ac instaurandi fideli nostro, dilecto nobis egregio Josepho Majlath de Székhely, consiliario nostro nec non portus et urbis Fluminensis gubernatori simul cum consueta in aliis s. regni Hungariae coronae comitatibus, supremi comitis iurisdictione et praerogativa, solitisque obventionibus, proventibus ac emolumentis dederimus ac contulerimus. — Datum Vienae 1776., 26. Aprilis. Maria Th. m. p. C. Franz Eszterházy m. p. Antonius Klobussiczky m. p.

(Aus dem Protokolle des Severiner Komitates.)

Fiume den 3. Juni 1776. Excellenz, Hochgeborener Reichsgraf! Die allerhöchste Hof-Entschlüssung von 14. Hornung des Inhaltes, dass nach der bereits erfolgten Vereinigung des zeitherigen Kommerzien-Rathes mit der Böheim-Oesterreichischen Hof-Kanzlei der Seeplatz Fiume mit seinem territorio zum Königreiche Kroatien einverleibt, mithin künftig mittelst der kroatischen Consilii regii von der Hungarischen Hofkanzlei allein darüber die Aufsicht und Leitung geführt werden soll, eröffnete die damalige Triester Haupt-Intendenza hieher zur vorläufigen Wissenschaft mit dem Anhang, dass die Uebergaben und Uebernahms-Commissarien demnächstens daselbst erscheinen werden. Zumalen aber bishero solche noch nicht hierorts erschienen sind, die Activitet der Triester Haupt-Intendenz inzwischen aufgehört, hingegen obgedachtes kroatisches consilium regium mit der Aufsicht und Leitung den Anfang noch nicht gemacht hat, daher bei solcher Ungewissheit der Sache, und da in Betreff des instehenden neuen Gouvernial-Systems ausser obangeregten General - Intimats eine speciale Notiz hieher nicht eingelofen ist, sehe mich bemüssiget immediate an Eure Gnaden unterthänigst zu verwenden, und Hochderoselben gnädigste Anleitung mir zu erbitten: wie in fürkommendem sowohl politischen Recurs als auch Iustitial - Appellations - Fällen an höhere Behörde einstweilen mich zu verhalten, durch was für einen Kanal solche ihren Zug zu nehmen, dann überhaupt in was Wege die ex officio Berichte allerhöchsten Orts werden einzulangen haben. Es sind erloschene k. k. Flagen - Patents zurückgestellt worden und werden neue ausgesucht, deren Bittschrift berichtlich einzubegleiten kommen. Die salirten, pensionirten, Armen, Wittwer und Waisen, die Hauseigenthümer der Militär - Bequartirungen seufzen heftigst um Ueberkommung ihrer verfallenen Quartals und respective Zins-Beträge, welche aus Mangel der allergnädigsten Geld-Assignation des zu Completirung ersterdeuten, und mehr anderen Kommerzial- und Bau - Erfordernissen, nach Ausweise der im Monate December 1775 durch jemalige Triester Haupt - Intendenz allerhöchsten Orts einbeförderten, bis nun zu unerledigt gebliebenen Fiumer Kommerzien-Kasse-Präliminar-Standes pro anno currenti sich nöthig erzeigenden Hofbeitrag von 4037 fl. 15¼ kr. diese Kommercial-Kasse für sich selbst ohnvermögend ist.

In Erwägung daher, dass es mit der Uebergabe dieses Seeplatzes an das Königreich Kroaten noch längerhin anstehen dürfte, in solcher Zwischenzeit aber, und bis zur Einschreitung des Warasdiner Consilii Regii die hierorts zuerstatten kommende ex offo Berichte in's Stocken geriethen . . . . auch die Geld-Erforderniss. sich nimmerdar nothdringlich macht: geruhen Eure Excellenz so in einem als anderem die fürzüglichst anscheinende Ankehrungsmittel, hocherleuchtest zu veranlassen, sonach Hochderognädigsten Befehle mich würdig zu machen. Zu welchen hohen Hulden diesen Seeplatz und mich unterthänigst empfehle, unter gehorsamsten Handkuss in tiefsten Respect ersterbend.

(Aus dem Concepte.)

7.

Von der k. k. Oest. Regierung. Dem Wohlgeborenen H. Johann Felix Freihernn von Gerlizich, Haubtmann-Amts-Verwalter zu Fiume und Tersat, unserem besonders lieben Herrn und Freund. Fiume. Ex offo.

Wohlgeborener Freiherr! . . Es hätten Ihre k. k. Majestaet Ihro Dienstes zu sein befunden: primo, die Zeithero bestandene comercial-Haupt-Intendenza zu Triest aufzuheben, und deren Geschäfte einem Gouverneur in der Person des H. Karl Grafens von Zinzersdorf anzuvertrauen. Bei dieser Gelegenheit aber secundo das derzeit durch das Intendenza - Personale besetzt gewesene Iudicium delegatum in causis consiliariorum et officialium so wohl, als tertio den consessum in causis summi Principis et commissorum mit dem Judicio civico der Stadt Triest zu vereinigen allergnädigst resoluieret, und zwar mit eben der Dependenz wie vorhin, das ist: in Causis civilibus an Uns J. oest. Regierung und an das Gubernium, in causis criminalibus an Uns Regierung allein; in causis consessualibus aber ohnmittelbar an das J. oest. Gubernium mit der Anmerkung, dass quoad Iudicialia des städtischen Consilii civici in Triest es durchaus bei der Verfassung so in dem Statuto und in denen nachgefolgten allerhöchsten Resolution vorgeschrieben werde, sein Bewenden, mithin auch der neue Gouverneur wie vorhin der Intendenza-Präsident seines Orts die Stelle eines Capitaneo Civile untereinstens zu besorgen habe. Quarto haetten ihre Majestaet den bisherigen Intendenza - Rath H. Grafen von Suardi pro iudice regio und als Vorsteher bei diesem Iudicio civico mit dem Rang eines J. Oe. Gubernial-Rathes (mit dem Gehalte von 2000 fl.) resolviret. Eben dieser Giudice regio Graf von Svardi behielte quinto das von ihme bishero geführte praesidium bei dem mercantil-Tribunali erster Instanz . , welches durchaus in seiner damaligen Verfassung bleibe mit der Dependenz s e x t o in appellatorio von dem mercantil-Tribunali zweiter Instanz in Triest, bei welchem der neue Gouverneur, wie vorhin der jeweilige Intendenza Praesident, das praesidium in der nemlichen Verfassung wie bishero zu führen habe; jedoch höre s e p t i m o der zug in Appellatorio an dieses mercantil-Tribunal II. Instanz zu Triest von dem übrigen Theil des Litoralis auf, da Ihre Majestät o c t a v o Fiume, Buccari, Buccariza, Porto Ré und die Carolinen-Strasen dem Königreiche Hungarn, dessen es ein eigenes Appertinens machte, zu incorporiren; Zengg und Carlobago aber dem Militari gänzlich zu übergeben haetten. So wurde auch in Zukunft von dort Orten das Justiz-Wesen in seine bisherige Wege eingeleitet werden.

Welch so gestaltig Allerhöchste Entschlüssung aus hereingelangten Hof-Decreto der k. k. Obersten Justiz-Stelle de dto Wien den 9. I. Oe. Gubernii Intimato 23. May abhin et praesto 5. curr. ihme H. Hauptman-Amts-Vevwalter zur nachrichtlichen Wissenschaft hiermit erineret wird. G r ä t z den 14. J u n i 1776. Johann Christof graf zu Wildenstein m. p. . . Ex Conso sac. caes. reg. Maiestatis Regiminis J. Austriae. Josef gr. von Langheiml. m. p.

(Abschrift des Originals.)

8.

Sacræ caesareæ et regio-apostolicæ Majestatis Cancelariæ Hungarico-aulicæ nomine Domino Josepho Majlath de Székhely, portus et urbis Fluminensis gubernatori, hisce intimandum.

Comitatum Zagrabiensem, ubi superioribus annis ad ordinatam in gremio suo atque partibus omnimode directioni suae parentibus conscriptionem quam primum terminandam altissimo nomine inviatus extitisset, tenore in copia annexarum, ac via Consili regii in Croatia constituti repraesentatarum litterarum suarum referendo: supremam Intendenzam Tergestinam in bonorum maritimorum a dicto Comitatu praetensive non dependentium conscriptionem consentire nolle, una easdem partes maritimas, velut per publicas Regni leges iurisdictioni et directioni comitatensi in politicis et iuridicis subjacere debentes, ad agnoscendam legalem hanc, quippe comitatensem iurisdictionem efficaciter inviari supplicuisse.

In hujus porro sequelam ab eodem comitatu via praedicti Consilii regii, specificam in eo informationem altissimo nomine exactam fuisse: num et qua ratione dominia Chabar, Brod et Grobnik hactenus sub iurisdictione Comitatus hujus fuerint? et quantum subiecta erant, cur per comitatum pro rata proportionis eisdem Qvantum hucadusque impositum non fuerit? et cur idealiter praescripta conscriptio ibidem, in locis quippe iurisdictionis comitatensis peracta non sit? Jam vero ex ulteriori comitatus informatione, ac super his quaesitis dato, et hic copialiter adjacente responso, ac signanter relate ad illam quaestionem: an, et qua ratione antelata dominia hactenus sub iurisdictione comitatus fuerint? intelligi: partes illas indice nobilium à comitatu dependente semper provisas fuisse, quin ad statutionem quoque tyronum eadem dominia semper concurisse, adeoque iurisdictionem comitatus in easdem partes, velut et in lege fundatam, et subsequo continuo usu roboratam indubiam quidem esse, quod tamen nec proportionata contributio in praesens iisdem admensa sit, sed neque idealiter praescripta conscriptio ibidem peracta habeatur inde evenisse, quod cum regnicolariter ad repartita partibus illis 10909 fl. 16 cr. contributio subinde per Suam Majestatem Sacratissimam ad fl. 3742. reducta, ex benigna ordinatione regia non ad cassam comitatensem verum per imputationem ad cassam directe militarem inferatur, ex parte comitatus circa objectum contributionale nihil agi potuerit, ac conscriptionem etiam ideo ibidem peragi nequiuisse, quod cum justam adrepartiendi Quanti methodum pro scopo habuerit, haec autem non per comitatum, verum, ut praeinsinuatum est, per Intendenzam Tergestinam tractata fuerit, eadem Intendenza talis modi conscriptionem haud admiserit.

Atque hanc anteactorum seriem, hoc rei habitu, quod per neoresolutam portus Fluminensis incorporationem, atque partibus illis iurisdictioni regni Croatiae reapplicandis, uberior objecti hujus evolutio secutura esset, praefato domino Gubernatori pro congrua ad negotii istius manipulationem directione atque notitia communicari. Ex consilio cancellariae regiae Hungarico - aulicae die vigessima sexta Julii millesimo septingentesimo septuagesimo sexto celebrato. Antonius Klobussicky m. p.

9.

Maria Theresia etc.

Reverendi, spectabiles, magnifici, magnifici item et egregii, fideles nobis dilecti.

Tempore eodem, quo clementer Nobis visum fuerat constituere, ut objecta commercialia (consilio commerciorum aulico cessante) in haereditariis Nostris provinciis per respectiva politica provincialia et aulica dicasteria pertractentur, pro materna nostra im publica regni Hungariae et partium eidem adnexarum commoda et incrementum hactenus etiam praehabiti in iis commercii sollicitudine, ac peculiari hujus documento ex clementia Nostra caesareo-regia benigne resolvimus: ut urbs et portus Fluminensis, nec non bona Buccariensia, in quantum illa Carlostadio Flumen versus proficiscendo ad dexteram viae Carolinae sita sunt (Buccari, Buccaricza et Porto Rè, tanquam ad levam dictae viae Carolinae sitis, pro statu militari relictis) ipsa praeterea civitas Carlostadiensis, in liberam regiamque civitatem evehenda, immediate Regno Croatiae reincorporentur; ex taliter porro neoreincorporandis partibus novus comitatus erigatur, idemque in omnibus ad normam aliorum comitatunm (iis, quae mox declarandae directioni Guberniali in puncto commerciali immediate reservarentur, exceptis) consilio regio Croatico subordinetur, ejusque jurisdictioni subsit. Pro eadem porro praedeclarata materna Nostra solicitudine atque providentia, volentes nimirum, ut res commercii in districtu et portu hoc Fluminensi, ex ipsa ordinata atque systematica manipulatione ad statum florentiorem evehatur, benigne visum est Nobis urbi et portui huic Fluminensi egregium fidelem Nostrum Josephum Majláth de Székhely, antehac cameralem consiliarium aulicum Nostrum et referendarium, in qualitate Gubernatoris, et cum pari, ac comes Zinzendorff Tergesti obtinet, activitate, iisdemque praerogativis praeficere, simulque eum pro Comitatus, et reincorporando hoc districtu efformandi et nomine comitatus Severinensis insigniendi, supremo comite clementer denominare.

Cohaerenter autem ad praemissa quoad resignationem et receptionem districtus hujus id quoque clementer jussimus, ut commissarij ex parte cancellariae Bohemico-Austriacae aulicae exmittendi, urbem et portum Fluminensem, omnesque hujus littoralis appertinentias, quemadmondum etiam reliquae ad districtum hunc applicandae partes per respectivarum iurisdictionum commissarios in cohaerentia benignae Nostrae resolutionis resignabuntur commissariis ex parte iurisdictionis Hungaricae, signanter autem ex gremio consilii Nostrii regii Croatici exmittendis, ac in specie per Nos in personis c. Stephani Niczky et Nicolai Skerlecz clementer nominatis, in praesentia ipsius etiam denominati Gubernatoris Fluminensis in termino, se inter et Gubernatorem Nostrum Fluminensem nec non Consilium regium Croaticum concertando, resignent.

Hi autem ipsi confecto taliter reincorporationis actu omnia haec reincorporata rementionato gubernatori Fluminensi eadem occasione et eodem actu tradant; dein vero ad reliquarum reincorporandarum partium divisionem inter statum militarem et provincialem instituendam procedendo operentur ac respective divisione iuxta praeatactam generalem ideam Nostram instituta, easdem etiam recipiendas partes eidem Gubernatori, qua commissario politico et simul cammerali nec non supremo comiti, paeinsinuato modo resignent; de omnibus autem compertis et operatis relationem suam C o n s i l i o h u i c r e g i o exhibeant, abinde Nobis demisse repaesentandam.

Interea vero post editam benignam hanc *de districtu hoc Fluminensi regno Croatia reincorporando* resolutionem financialia nostra dicasteria qualesnam reflexiones in puncto teloniorum ac vectigalium habuerint, protocollum eorumdem pro congrua fidelitatum vestrarum notitia in copia adnexum minutim perhibet. [1]

Ft siquidem circa hoc ipsum financialium dicasteriorum protocollum nonnullae Nobis tam a parte cancellariae Nostrae regiae hungarico-aulicae, quam vero consilii Nostri aulae bellici exhibitae fuerint reflexiones, super illis autem omnibus ulteriorem benignam resolutionem iam impertitae simus, signanter autem in sequellam talismodi ulterioris resolutionis Nostrae praefatus Fluminensis Gubernator iam instructus, inviatusque habeatur; propterea nunc dictae benignae Nostrae resolutinois puncta illa, quae pro congrua earundem directione deservitura essent, in sequentibus clementer intimamus, et quidem :

1. In quantum in annexo financialium dicasteriorum protocollo liberam hactenus productorum mare versus evectionem in moderna providentia, praestabilitis nempe modalitate in eodem protocollo declarata telloniis et vectigalibus deinceps cessare debere innueretur, benigna nostra resolutio haec est: ut Portus Fluminensis pari qua Tergestiensis ratione et modo tractetur seu favorem eundem obtineat, et evectio illius sortis productorum, quibus regnum Nostrum Hungariae abundaret, quorumve distractio et exportatio in exteras ditiones caeteris provinciis Nostris haereditariis nociva haud esset, porro quoque indulgeatur; atque hoc sensu evectio productorum Hungaricorum mare versus tam per portum Tergestiensem, quam Fluminensem ultro etiam admittatur; in specie autem a lana, clavellatisque cineribus, velut caeteroquin vectigali obnoxiis mercibus, taxa nonnisi trium et respective unius floreni occasione invectionis Flumine dependatur, nisi quis super ejusmodi jam facta depensione per Essito - expeditionem semet legitimare veluerit.

(Caeteris ommissis.)

11. Siquidem in hac providentia, quod iuxta benignam nostram resolutionem c i v i t a s C a r o l o s t a d i e n s i s et ad hanc pertinens super fluvio Culpa crectus pons ad partem, subque iurisdictionem provincialem recidat, eo etiam reflectendum fuerit, quanam ratione compensatio expensarum in erectio-

---

[1] Protocollum concertationis mixtae die 2. aprilis 1776. celebratae sub praesidio c. r. camerae aulicae praesidis com. a Kolovrat, praesentibus: vice praeside com. a Palffy, camerae rationum aulicae praeside com. a Kevenhüller, vice praeside m. Bco. d. aulicae com. a Kobenzel, consiliariis aulicis: bar. a Spiegelfeld, bar. a Gigauth, bar. a Degelmann ref. bar. a Bolza Pet. bar. a Majlath, bar. a Neuhold, cons. Coonis Schallhass, cons. rat. Zach. secret. a Kornberg, concipista Eberl actuante. Debattirten über folgende Frage: „Wie der abzutretende District im Zoll- und Mauth-Sachen, dann in Ansehung anderer ad Camerale gehörigen Regalien künftig anzusehen sein werde? Was für Einfluss den administrirenden Stellen daselbst zu überlassen, und welche Erfordenisse sie davon zu bestreiten haben? endlich: wie die Entschädigung dem Caali und Bancali zu verschaffen?“

nem pontis huius per statum militarem factarum procurari possit, huius autem intuitu ex parte status militaris nobis propositum fuerit: compensationem hanc per instituendum pontium Novigradiensium super Dobra fluvio per Cameram extructorum cambium perfici posse, clementer resolvimus: ut localis commissio sumptis in computum tam utraque ex parte extructionem pontium factis expensis quam etiam percepto ex illi medio tempore fructu, quid pars una alteri in adaequatam complanationem resarciendum habeat, investiget, relationemque circumstantialem submittat: fidelitates itaque Vestrae cohaerenter ad benignam resolutionem Nostram exmittendos commissarios suos eo inviabunt, ut de modalitate compensationis huius praevia ratione procuranda sese cum gubernatore Nostro Fluminensi cointelligant, rem secundum omnes circumstantias expendant, ac si quid obstaculi vel reflexionum in obversum occurreret, relationem eatenus exhibeant.

12. Cum ad haec ea sit benigna mens Nostra et voluntas, ut tam provinciales, quam et omnes universae monarchiae subditi in omnibus portubus, etiam militari jurisdictioni subjectis una eademque libertate commercii gaudeant, parique justitia et vectigalium alliisve favoribus fruantur; non absimiliter cum et intuitu civitatis Carolostadiensis in liberam regiamque invitatem, ut praemissum est, evehendae id benigne constituerimus: ut tam in iudicialibus, quam politico et contributionali conformiter sistemati regni absque ullo tamen commercii praejudicio pertractetur: ideo fidelitates Vestrae solertem in eo adhibeant vigilantiam, ne vel provinciales subditi in obversum benignae hujus resolutionis nostrae ad dictos portus commerciantes quaqua ratione in commercio suo turbentur, impediantur, aut molestentur, quin potius ut pari jure et libertate ac alii sub militari statu existentes subditi gaudeant; civitas vero Carolostadiensis ad normam aliarum liberarum regiarum regni Hungariae civitatum et juxta leges patrias in omnibus pertractetur, quae proinde fine extrahendi eatenus privilegii debite invianda erit; prout i horum omnium intuitu ipse quoque praefatus gubernator Fluminensis instructus jam esset.

13. Ex quo item reflexe ad superius explicitam in eo benignam mentem ac resolutionem nostram regiam, ut ex reincorporando hoc Fluminensi districtu comitatus, qui Severinensis audiet, errigatur, ea ulterior occurreret consideratio: num districtus hic justam pro uno comitatu extensionem habeat, ideoque passu in hoc Gubernatorem Fluminensem eo instruendum jusserimus, ut mox ubi linea separatoria militare inter et provinciale ducta fuerit, idem qua ex parte status politici commisarius in concursu deputatorum consilii hujus regii quantitatem, ac extensionem districtus hujus jrrisdictioni provinciali aquirendi examinet, et num pro efformando uno comitatu sufficiens futurus sit, vel nefors ad abtinendam justam unius comitatus extensionem aliquid ex comitatu Zagrabiensi, cujus alioquin velut caeteris magis extensi debita et exacta administratio difficilis foret, eo applicandum sit, serio expendat et pro re nata, quippe nefors pars quaepiam dicti comitatus eo applicanda videretur, ex parte etiam memorati Zagrabiensis comitatus deputatos ad deliberandum et suggerendas pleniores informationes adhibeat. Hinc consilium hoc regium conformiter praeviae benignae dispositioni nostrae exmittendos etiam e gremio sui comissarios instruere, ac ipsum etiam eidem se accomodare et ad effectum ejus opportuna agere, signanter autem praefatum comitatum Zagrabiensem super idaeata hac sui partitione edocere, opinionemque ac projectum ejus eatenus experiri, ac ut se idcirco etiam cum gubernatore Fluminensi cointelligere debeat inviare noverit; et

14. Quemadmodum rementionatus gubernator fiuminensis eo etiam instructus jam esset, ut confecta comitatus emensione, circa ipsos districtus, in quos ipse comitatus subdividi deberet, efformandos, nec non officia magistra-

tualium, emetiendaque his salaria, ita etiam respectu quanti contributionalis partibus illis imponendi, quoad archivum item et domum comitatensem, quo loco constituendum ac extruendam, verbo: item respectu omnium illorum, quae ad bene formandum comitatum pertinerent, projectum suum atque opionem exhibeat: ita pariter Consilium hoc regium super omni hoc objecto sensa sua demisse depromat, projecto individuorum ad officia isthaec magistratualia applicandorum pro prima hac occasione rementionato gubernatori benigne delato existente. Pari ratione

15. Pro eo ac saepefatus Fluminensis gubernator eo in specifico instrueretur, ut teloniorum conscriptionem curae habeat ac dein tricesimalibus rationibus investigatis ac cognitis, de his etiam num et quorsum opportune transferendis opinetur, praeterea vero ut facta mox districtus resignatione debitae jurisdictionum separationi per erectionem etiam metarum distinctivarum, visibilium, atque durabilium intentus sit, respectu autem colonistarum juxta viam Carolinam, ipsam quippe lineam separatoriam habitantium, in puncto eorum translocationis eam operationis ideam assumat, ut siquidem omnino ad finem et scopum illum, quo onera publica et praestationes cum certitudine citraque praemetuendam confusionem accolis his adrepartiri valeant, et quo meliore ratione conservationi viarum ac limitum tranquillitati, denique et quieti inter jurisdictiones prospectum, consultumque sit, separatio, ac respective translocatio horum colonistarum ad hanc aut illam dehinc jurisdictionem spectare debentium quo meliore pro futuro providentia fieri debeat. Hinc si in dextra statui provinciali obventura parte viae eiusmodi loca populosa vel etiam solitariae populosae domus reperirentur, quorum fundi et appertinentiae in sinistra, consequenter sub jurisdictionem status militaris recidente parte, situarentur, et vice versa, casu hoc coloni talium locorum ad praecavendam omnem jurisdictionum comixtionem, ad aliam partem, in qua nempe appertinentiae eorum praeexisterent, ad vires et a proportione earundem appertinentiarum translocentur. Ne autem per instituendam praedeclarata modalitate colonorum ex una parte viae in aliam translocationem, domus in adversa parte remanentes desertae maneant, ligneae quidem per proprietarios transferentur, casu vero, quo eaedem e solidis materialibus extructae forent, illa jurisdictio, cui tales domus obtigerint, curam habeat, ut domus hae incolas nanciscantur. Ita fidelitates vestrae pariter ad effectum horum omnium apud gubernatorem dispositorum medio exmittendorum gremialium consiliarium suorum agere noverint.

16. In quantum vero crebro fato gubernatori Fluminensi intuitu civitatis Fluminensis id commissum extitisset, ut cum ad majus commercii in districtu hoc incrementum eiusque in florentiorem statum evectionem et id nefors collaturum esset, si urbs Fluminensis pari ratione ac civitas Carolostadiensis in liberam regiam civitatem eveheretur, communibusque regni Hungarae legibus inibi stabilitis secundum easdem gubernaretur, objecto hocce rite expenso uberiorem hac super re cum depromenda opinione relationem submittat, consilium quoque hoc regium sensa sua superinde depromere non intermittat.

Caeterum autem clementissimam hanc resolutionem nostram regiam tam de incorporando toto hoc littorali districtu, item et urbe Fluminensi, quam verro gubernatoris fluminenisis nominationem in persona egregii fidelis Nostri Josephi Majláth de Székhely factam, fine etiam et scopo illo, ut in commerciis partem habente settrafficantes regnicolae sese dirigere, et quo se convertere sciant, circumstantialiter publicare noverit. — Ultra haec porro pro congrua fidelitatum vestrarum notitia suique directione deservirn volumus sequentia, et quidem:

17. Hac occasione commissarium nostrum regium in regno hoc Croatiae in urbarialibus operantem mediante peculiari benigno rescripto eo instrui: ut partes quoque maritimas (quarum intuitu demmissam fidelitatum Vestrarum de 2. mensis Julii anni labentis submissam repraesentationem clementer acceperamus) fine introducendae in illis urbarialis regulationis sese cum gubernatore Fluminensi eatenus cointelligenter habendo adeat ac dein projectum quodpiam regulationis ac tractamenti in eorum pro futuro alleviamen dirigendum via Consilii hujus regii exhibeat, abinde nobis cum voto et opinione demisse repraesentandum; non absimiliter

18. rementionatum gubernatorum Fluminensem uno eodemque tempore in his etiam altissimo nostro nomine inviatum haberi, ut interea etiam, donec novus hic comitatus regulatus et constabilitus fuerit, ipse, qua alioquin politicus et cameralis comissarius, locorum et partium districtus hujus nec non omnium ibidem occurentium objectorum curam et moderationem habeat ac inter cetera eo etiam vigilanter collaboret, ut omnia, quae per benignam resolutionem nostram regno huic Croatiae reincorporanda sunt, in sua integritate tradantur, seu ut pro objecti merito omnem circumspectionem atque attentionem adhibeat, per consequens cohaerenter ad editam benignam resolutionem nostram, praexistentem studiorum fundum Fluminensem a comissariis prioris jurisdictionis integre recipiat, et super subsecuto effectu informet. —

(Caeteris omissis.)

Atque haec illa sunt in quibus fidelitates Vestrae exmittendos e gremio sui praefatos consiliaros, qui quidem in constituendo cum cointelligentia gubernatoris termino omne hoc negotium dextere suscipiendum, pertractandum admaturandumque habebunt, rite instruant, eidemque una altissimo nomine Nostro iniungendo, quatenus ultra etiam haec specifica generatim objectorum in reincorporando hoc districtu occurentium occasione resignationis et comissionis quo pleniorem notitiam capere satagant, quo sic suo tempore ipsum hoc consilium regium circa omnia publico — politica et contributionalia districtum hunc respicientia objecta (immediata commercialium manipulatione gubernatori, ut premissum est reservata) eo meliore fundamento opinari valeat. In reliquo gratia et clementia etc. . . Datum in archiducali civitate nostra Vienna Austriae die nona Augusti a. 1776. Maria Theresia m. p. Comes Franciscus Eszterhazy m. p.

10.

Excellentissime ac illustrissime domine domine comes Bane, domine gratiosissime!

Tametsi portus et urbis Fluminensis, partis item districtus antehac commercialis, a dextris viae Carolinae iacentis, civitatis denique Carolostadiensis incorporatio in iurisdictionem regnorum haereditariorum huugaricorum, signanter autem *J. Regni Croatiae* complures ante menses per suam Majestatem ssmmam clementer decreta, mihique praefectura eiusdem partim ut gubernatori, partim autem ut supremo comiti iam cum exitu mensis Aprilis benigne demandata fuerit; tamen quia circa novum hoc institutum (multis haud dubie in dies circa executionem occurrentibus deliberatorium objectis) altissima Suae Majestatis ssmmae mandata mihi nonnisi 22 mensis praesentis tradita sunt; inde factum est, ut neque ego demissi illius obsequii, quod Excellentiae Vestrae, qua horum regnorum primario capiti et praesidi debeo, testes litteras prius ad Eandem dare potuerim.

Functurus itaquae deinceps novis hisce magistratibus, ad eosque capessendos nunc in qualitate commissarii regii in Croatiam venturus, primum est, ut Excellentiam vestram hummillime rogem, ut conatus meos, quos in obsequium altissimarum intentionum caesareo-regiarum, inque emolumentum districtus curae meae concrediti, impensurus sum, gratiosa Sua, Consiliique regii, Excellentiae Vestrae praesidio subordinati, authoritate et cooperatione efficaciores reddere dignetur. Dein autem obsequiosissime significandum habeo: me hodierna die Vienna discessisse, sumto itinere ad bonum meum Török-Balintiense, ubi tamdiu duntaxat me detinebo, donec decreta cameralium dicasteriorum percepero, quae nimirum in praesenti separationis iurisdictionum et receptionis negotio commissarii provinciam mihi pro veteri sua in me fiducia parte quoque ex sua concrediderunt. Quantum ex modo cursus actorum combinare possem, spero usque 10mam septembris expeditiones camerales mihi reddendas esse. Quibus acceptis mox Zagrabiam proficiscar, acturus ibi cum excelso Consilio et de objectis, quorum individualem notitiam idem excelsum dicasterium ex benigno rescripto regio his diebus transmisso praeliminariter iam hauserat, et de opere commissionali ubi et qualiter exordiendo. Interea autem singulari cum veneratione permaneo Excellentiae Vestrae servus humillimus Josephus Majláth m. pr. Jaurini 23. Augusti 1776.

11.

Humillima repraesentatio consilii regii Dalm. Croat. Slav. circa negotium commissionis Fluminensis praevie cum statibus regni pertractandum.

Sacratissima! Benignam Majestatis Vestrae ssmae de dato 9nae praeterlapsi mensis Augusti et nro 3936 de partibus regni huius maritimis partim militari addicendis, partim provinciali statui reapplicandis, aliaque concomitantia, elargitam resolutionem regium hocce consilium devota submissione accepit. Ac quemadmodum maternam Majestatis Vestrae in promotionem regni etiam huius commercii, procurandamque per id publicam felicitatem directam intentionem exinde tenero devotionis sensu suspexit, ita ad iuratam suam, per ipsam etiam b. instructionem sibi impositam obligationem pertinere demisse existimavit, humillimas suas, quae circa hoc negotium ex legibus regni, ipsoque adeo publico sistemate sibi occurrerunt, reflexiones clementissimo Mttis Vrae obtutui non alio fine substernere, quam ut praevia Majestatis Vrae, velut unice in publicam utilitatem directa mens et voluntas, tanto magis constabiliatur, certioremque, neque ullis obnoxium difficultatibus, effectum sortiatur.

Atque ut haec res ad tanto majorem deducatur claritatem, regium hocce consilium omne hocce negotum ad summa capita reducendum demisse existimavit; nimirum agitur in praesens: 1. de notabili districtu ad regnum hoc, per consequens ad s. regni Hungariae coronam pertinente, statui militari tradendo, diminuendaque ab hac proportione, contributione 2. de libera regiaque civitate Seguiensi militari aeque iurisdictioni subjicienda. 3. efformando novo comitatu regni huius, per consequens s. etiam regni Hungariae coronae futuro commembro. 4. de avellendo indubie, ut ille consistere posset, a comitatu Zagrabiensi notabili districtu, denique 5. de avellendis complurium nobilium familiarum et unius magnatis non exiguis aliquibus particulis, sed maioribus etiam corporibus, in complexo 650 domos efficientibus.

Quod 1. attinet, tritae sunt regni leges de ipsis metalibus, etiam circa limites regni occurrentibus differentiis non secus quam per delectos diaetaliter comissarios pertractandis. Plures adhuc, atque recenter sanciti reperiuntur articuli de partibus his maritimis ac praesertim portu Buccarensi, regno Croatiae postliminio reapplicandis; plurima etiam Majestatis Vestrae eam in rem edita benigna assecuratoria rescripta, diplomatica anni 1750 sanctione consolidata. Ipso recentissimae diaetae 1765 art. 30 dignabatur Majestas Vestra Status regni in eo quietare, quod indita sub inde maritimis his partibus littoralis austriaci compellatio nullum regni legibus praeiudicium sit illatura. Neque tamen haec omnia eum in finem commemorata voluit regium hocce consilium, quasi huius qualiscunque districtus pro statu militari applicationem sub quaestionem ponere, aut benignam Mtis Vrae eatenus iam editam resolutionem morari vellet. Novit regium hocce consilium ad partes regalis Mttis Vrae. muneris pertinere, ut securitati publicae provideatur. Novit altiores, sibique incognitas subesse posse rationes, quibus Mtas. Vra. ad faciendam quampiam eiusmodi provisionem permoveatur. Novit denique, quod eiusmodi excorporationes nuperrime etiam cum ipso Statuum interventu susceptae perfectaeque fuerint, deque his omnibus eo minus dubitare potest, quod firmam foveat in ingenita Majestatis Vrae clementia spem et fiduciam, quod si quae etiam in praesens, exposcentibus ita temporum circumstantiis, regni partes pro statu militari applicentur, eaedem cessantibus subinde modernis rationibus, ad mentem regni legum gremio, limitibusque regni postliminio restituentur. Quod tota hac in re regium hocce consilium spectat id unicum est, ut Mtti Vestrae demisse proponat: absque praevio cum Statibus et Ordinibus regni tractatu, neque conformiter ad legem regni suscipi neque firmiter posse procurari.

Quoad 2. civitas Segniensis catalogo liberarum regiarumque regni Hungariae civitatum a saeculis adscripta per suos postremis etiam comitiis adfuit deputatos. Civitas haec quemadmodum omnes aliae in complexu nobilem constituit, nobilitaribus perfruitur praerogativis, et quarti regni status membrum efficit; ut appareat vel solo hoc titulo de eadem statui militari subjicienda absque praevio cum Statibus et Ordinibus regni tractatu congrue agi haud posse.

In ordine ad 3. Noviter hic erigendus comitatus deberet membrum regni constituere, in congregationibus regni voto et sessione gaudere, causas suas civiles et criminales per ordinaria regni fora traducere. Quod 1. attinet, nihil certe naturalius videtur quam ut Status ipsi de accessione notabilis adeo membri praevie edoceantur et nisi hoc praemittatur metuendum est quoad 2. ne graves, eaeque admodum intricatae quaestiones occurente primo comitiorum casu eatenus enascantur, ita etiam quoad 3. ne magistratus novi huius comitatus legalia in ipsis primae instantiae causis quoad incompetentiam, aut certe ipsa superrevisoria fora perplexa evadant in revidendis sibi legaliter ignoti tribunalis sententiis.

Quod 4. concernit, provisum quidem est, ut limitaneae intra comitatus differentiae in Hungaria quidem comitis palatini, in Croatia vero comitis bani arbitrio definiantur vel ex sola securitatis iurium privatarum familiarum ratione per influxum status publici solennizari debere demisse videtur.

Denique quoad 5. quanquam nemo nobilium nisi iuris ordine rebus aut facultatibus suis privari possit, si quae tamen publicae utilitatis ratio hactenus exigebat, ut Mttas Vra. a cardinali hoc principio tantisper debuerit deviare, dignabatur Mattas Vestra, de alacri gentis huius zelo homagialique promtitudine plurimis iam exemplis clementer assecurata, eam semper inire rationem, ut praevia cum Statibus regni consultatione, dispositisque hac ratione in antecessum animis ad opus ipsum descenderetur. Fiebat ita, ut dato possessoribus ad necessaria quaevis praeparatoria praemittenda spatio, oblatoque ipsis pro regii sui animi magnitudine condigno omnino aut aequivalenti aut pretio, negotium mutuo quasi consensu perficeretur. Quo magis tuti in assimbola hac, recentibusque usque adeo exemplis confirmata, Mttis Vrae clementia regnicolae conquiescunt, eo majorem in ipsis modo animorum consternationem causare deberet, si de ammitendis bonis suis nulla legali via pravie edocti, adeoque ad rem hanc nulla ratione praeparati iacturam hanc praecurrente nonnisi incerto rumore effective pati deberent.

Quare cum tota hac in re, seu in quantum de recipiendo seu in quantum de ammittendo agitur, res Statuum immediate subversetur, horum vero personam exmittendi e gremio consiliarii sustinere posse haud videantur, cum Mtas Vra ssma ipsa errecti consilii huius occasione benigno de dtto 1. et respective 11 Augusti 1767 emanato mandato Status clementer assecurare dignata sit, quod circa politica regni, ad quae praemissa omnia referuntur, activitas ipsorum in salvo sit permansura, demissa est regii huius consilii opinio, ut Majestas Vestra, antequam clementer denominata et provecto iam adeo anno isto ipsa aëris intemperie niviumque, quae interiacentes inter Flumen montes longe citius atque alibi occupare solent copia, in progressu suo facile impedienda comissio exeat, totum hocce negotium cum Statibus regni benigne pertractare dignetur. Ita fiet, ut complanatis systemalibus difficultatibus, praeparatisque animis negotium hoc omne et facilius et firmius conficiatur. In reliquo etc. Ex sessione consilii 2 sept. 1776 celebrato sub praesidio C. Bani, praesentibus eppo Verneck, B. Malenich, c. Niczki, Skerlecz referente, Komaromi, Hajnal.

12.

Maria Theresia etc. Reverendi, spectabiles etr. Quod vero alteram fidelitatum vestrarum demissam repraesentationem circa negotium comissionis Fluminensis praeviae cum Statibus regni pertractandum sub die 2 praesentis mensis isthuc submissam concernit, siquidem omnia illa, quae in praessumpta fidelitatum vestarum repraesentatione continentur, iam praevie etiam expensa, discussa et plene superata essent; hinc fidelitatibus vestris clementer rescribendum esse duximus, quatenus eidem benignae resolutioni nostrae semet ultro quoque conformare non intermittant. Quibus in reliquo gratia et clementia nostra c. r. benigne ac iugiter propensae manemus. Datum in archiducali civitate nostra Vienna Austriae die 16. mensis sept. a. d. 1776. Maria Theresia m. p. Josephus Bajzath eppus m. p. Josephus Jablanczij m. p.

13.

Excellentissimi, illustrissimi etc. Dignabatur Sua sacra Caesareo - regia et appostolica Majestas materna sua in publica regni Hungariae et partium eidem adnexarum commoda et incrementum hactenus etiam praehabita in iis commercii sollicitudine, ac peculiari hujus documento et clementia caesareo-regia benigne resolvere, „ut Urbs et portus Fluminensis, nec non bona Buccariensia, in quantum illa Carlostadio Flumen versus proficiscendo ad dextram viae Carolinae sita sunt (Buccari, Buccaricza et Porto-Re tamquam ad laevam dictae viae Carolinae sitis pro statu militari relictis), ipsa praetera civitas Carolostadiensis in liberam regiamque civitatem evehenda, immediate regno Croatiae reincorporentur; ex taliter porro neo-incorporandis partibus novus comitatus erigatur, idemque in omnibus ad normam aliorum comitatuum (iis, quae mox declarandae directioni Gubernialii in puncto comercial immediate reservarentur, exceptis) Consilio huic regio subordinetur, ejusque Jurisdictioni subsit.

Pro eadem porro praedeclarata materna sua sollicitudine atque providentia, volens nimirum, ut res commercii in districtu et portu hoc Fluminensi ex ipsa ordinata atque systematica manipulatione ad statum florentiorem evehatur, ultro dignabatur Sua sacratissima Majestas urbi et portui Fluminensi dominum Josephum Mailath de Székhely, antehac cameralem consiliarum aulicum et referendarium, in qualitate gubernatoris, ac cum pari, ac comes a Zinzendorf Tergesti obtinet, activitate, iisdemque praerogativis praeficere, simulque eum pro comitatus ex reincorporando hoc districtu efformandi et nomine comitatus Severinensis insigniendi supremo comite clementer denominare.

Noverint igitur praetitulatae D. vestrae clementissimam hanc resolutionem fine etiam et scopo illo, ut in commerciis partem habentes et traficantes regnicolae sese dirigere valeant et quo se convertere sciant, intra iurisdictionis suae ambitum publicam reddere. Datum ex Consilio in regnis Dalmatiae, Croatiae et Slavoniae regio Zagrabiae die secunda Octobris anno millesimo septingentesimo septuagesimo sexto celebrato. Praettarum D. vestrarum ad officia paratissimi Alexander Michael L. B. Malenich m. p. Joanes Michalkovich m. p.

14.

Inclyta caes. reg. Comissio! Judices rectores, consilium totaque communitas fidelissimae civitatis ac portus liberi Fluminensis occasione faciendae incorporationis eiusdem civitatis sacrae apostolici regni coronae humillime supplicant:

1. Cum haec fidelissima civitas a summis imperatoribus et archiducibus Austriae dominis, dominis suis ac principibus terrae gratiosissimis et clementissimis, plurimis saeculis nulli subdita aut annexa provinciae seorsim prorsus eadem ratione, qua singilatim quaeque alia haereditaria Austriae provincia archiducatui Austriae incorporata habebatur et possidebatur; nam et ab ea non secus ac de quacunque alia haereditaria provincia seorsim et fidelitatis homagium et tempore statutae pragmaticae sanctionis ratihabitionem exigere et acceptare non dedignabantur, ut et in futurum eadem ratione qua omnes aliae Hungariae annexae partes et haec civitas cum suo districtu sacrae regni Hungariae coronae annexa ac incorporata habeatur atque possideatur.

2. Leges, statuta ab augusto Ferdinando Imo et augustis successoribus sibi firmata, ac privilegia clementissime concessa (demptis, quae pro varietate temporum, corrigenda restarent) novo clementissimo regio diplomate confirmari.

3. Terrae et possessiones incolarum ab omni onere, pensione, seu contributione, praeter consuetam summo principi debitam fructuum decimam ab Augustis immunes semper servatae, in eadem hac immunitate pereniter servandae confirmentur.

4. Proventuum pro publicis necessitatibus designatorum perceptio, eorumque dispositio, prout ab antiquo sub praesidio ac directione illustrissimi pro tempore capitanei, magistratui et consilio cum onere reddendarum rationum confirmetur.

5. Familiae consiliariorum in hac urbe nobili patriciatus honore gaudentes, et nobilium incolarum in suo gradu more aliorum in pari gradu nobilium indigenarum in regno recognoscantur, omniumque inclyti regni privilegiorum participes fiant atque fruantur.

6. Actis praesentis inclytae comissionis premissa omnia inserere supplicant, ad clementissimos Augustissimae pedes demissum supplicem libellum deffere sibi reservantes, seque humili obsequio vovent. Flumine sancti Viti die mensis octobris anno 1776.

Inclytae caes reg. delegatae Commissionis humillimi, obsequiosissimi servi Antonius de Monaldi m. p. Franciscus Antonius de Steinberg m. p. iudices rectores, etiam nomine consilii ac totius comunitatis Fluminensis.

15.

Excelsum Consilium regium, domini mihi gratiossissime, colendissimi!

Protocolla actum resignationis, et respective receptionis respicientia demisse advolvo; prius urbem portumque Fluminensem, posterius eam, quaae viae Carolinae Carolostadio proficiendo dextrae adjacet, dominii Buccari partem concernit. Receptio Buccarensis ex ratione lucrandi temporis expediendique ocyus comissarii Tergestini, agendis Fluminensibus interposita sint, caeterum reliqua protocolli puncta suapte patent.

Quod punctum . . . . . adnecto copiam, insinuati Cancellariae Bohemico-Aus. Aulicae, e qua apparet capitale missionis Illyricae liqnidatum esse, nec superesse aliud, quam ut excel. Consilium de capitali hoc d. Administratorem massae ex-jesuiticae levando necessaria disponere velit et quia circa . . . . . etiam missionis hujus, duas respicientem dioeceses . . . . lationem comissionalis concertatio adhuc in anno . . . . jam intercessiset, eandem, uti et copiam fundationalium pro notitia, et directione excelsi Consilii isthic adnecto.

Puncta 10. 11. et 20 benignae resolutioni substrata sunt, eorum tamen intuitu motiva opinionis nostrae adeo perspicue exposita mihi videntur, ut eadem hic extendere supervacaneum mihi videatur.

Cras id est 6. hujus denuo Buccarim transibimus ad concertandum cum Comissario militari rectificationis tenutorum, cis-et trans-viam Carolinam sitorum, systema, quo facto ante omnia ea quae ad internam civitatis hujus regulationem pertinent absolvemus, tum vero descendendo per Carolinam Carlostadium, nisi nives nos impediant, progrediemur. Queis ulterioribus commendatus gratiis persevero excelsi Cons. Fiume die 5. mens. Nov. 1776. humillimus servus Nicolaus Skerlecz de Lomnicza m. p.

16.

Consilium r. croaticum gubernatori Fluminensi.

Magnifice! Circa bina commissionis regiae Fluminensis, signanter in merito resignationis, et respective receptionis portus, et urbis Fluminensis, caeterorumque eo pertinentium objectorum, nec non bonorum Buccarensium viae Carolinae Carlostadio Flumen eundo a dextris adsitorum, exhibita protocolla dignata est Sua Majestas Ssmma resolvere, ac clementer rescribere, et quidem: (Caeteris ommissis).

Acceptae eiusdem magnificae ac spectabilis dominationis Vestrae super progressu operationis a locali mixta commissione susceptae relationes perhibent, negotium constituendae separatoriae lineae difficultates subire non modo propterea, quod in dimidia illa viae Carolinae parte, quae inde a Verbovsko usque Carlostadium protenditur ad dextram juxta ac sinistram, multi particulares Domini terrestres possessoria obtineant, sed etiam, quia ex parte status militaris intentio eo declinare videatur, ut pro linea separatoria non per totum via Carolina, ast signanter inde a Novigrad versus Ogulin fluvius Dobra constituatur, ut item in quantum etiam via Carolina pro linea separatoria constituenda fuerit, incolae per separationem hanc territorialem ad iurisdictionem Militarem recidentes tenuta, et possessoria sua in altera parte seu trans viam Carolinam praehabita, porro etiam retineant, nec non ut ex principio illo, quod via Carolina pro separatoria linea habenda esset, non modo littus unum Fiumarae fluminis, sed etiam totus ille tractus, inde a ponte super Fiumara structo in parte militari statui cedere debente juxta cursum viae Carolinae protensus jurisdictioni militari relinquatur.

At vero ad finem, et scopum intentum accelerandum illud potius expedite ac necesse esse, ut jurisdictionum locales comissarii loco ejus, ut se Flumine, vel hujus in littorali in praeliminaribus reflexionibus detineant, ad occulatum localitatum inter jurisdictiones subdividendarum procedant, et sic in facie loci, de loco nempe in locum progrediendo, normalem benignam resolutionem, quatenus per locales circumstantias possibile fuerit, effectuare satagant, suapte intelligitur.

Unde militari comissario ad mixtam hanc localem commissionem deputato, via supremae Carlostadiensis armorum praefecturae eo jam inviato existente, ut super illis quaestionibus ac objectis, quae tenore praementionatae normalis benignae resolutionis ad investigationem, et depromendam opinionem localis comissionis remissa sunt (in quantum eorum, et intuitu sensus comissariorum localium disconveniret, decisionem autem quaestionis exspectare in facie loci cum remora operationis comissionalis esset, sed neque per interimale quodpiam provisorium localis comissionis, seu eo usque, dum super communi localis super operatis relatione resolutio regia subsequantur, duraturum, accomodatio rei obtineri posset) comune protocollum localis comissionis confiat, et omni requisito plano instructum a concurentium iurisdictionum comissariis per respectivos canales suae matti ssima demissae submittatur, sumefata sua mattas ssima benigne rescribere dignata est, quatenus in promissorum conformitate concernentes locales comissarii ad investigationes et concertationes, ac pro re nata objectorum ejusmodi in comune protocollum relationem inviantur; praeterea vero, cum ex parte status militaris constitutus comissarius vice colonellus d. Paulich in relatione sua quoad partem illam bonorum Buccarensium, quae ad iurisdictionem militarem recidere deberet, facta haud obscure innuat; si domus in parte sinistrae viae Carolinae militari statui obvenire debente constitutae, adeoque sub militarem iurisdictionem recidentes, signanter ad castellanatus Tersactensem, Buccaranum, Hrelinensem, et Fuccinensem pertinentes praehabitas, in altera, nempe dextra viae Carolinae parte pro metis territorialibus deservientes sylvas et quae exinde hactenus per industriam etiam nanciscebantur vitae media, beneficiumque lignationis et pascuationis amittere debuerint, paulo post extrema egestate pressos ejusmodi incolas eo ipso ad emigrandum cogendos fore, iidem praementionati quippe commissarii eo instruantur, quo ipsi ad hanc etiam circumstantiam debite et accurate advertant, plenamque passu pariter in isto, reflexe nimirum ad localia adjuncta notitiam capiant et pro re nata eatenus quoque sensum suum depromant.

Praemissam proin benignam ordinationem Consilium istud regium magnificae ac spect. d. Vrae eo fine intimandam habet, ut ad effectum eius agenda agat, denique scriptam informationem exhibeat. Datum ex consilio die 18. Oct. 1776.

17.

Excelsum consilium regium, domini nobis gratiosissimi colendissimi!

Posteaquam ex gratioso excelsi hujus consilii regii sub 2. mens. oct. a. c. Nr. 1812 ad nos emanato Intimato id suam Mattem ssmam circa partes maritimas benigne resolvisse intelleximus, ut nimirum urbs et portus Fluminensis, nec non bona Buccariensia, in quantum illa Carolostadio Flumen versus proficendo ad dextram viae Carolinae sita sunt (Buccari, Buccaricza et Portoré, tamquam ad levam dictae viae Carolinae sitis, pro statu militari relictis) ipsa praeterea civitas Carolostadiensis, in liberam regiamque civitatem evehenda, immediate regno Croatiae reincorporentur, ex taliterque reincorporandis partibus novus comitatus Szeverinensis cottus nomine insigniendus erigatur: clementissimam hanc, pro constanti nostra benignas intentiones regias secundandi promptitudine, velut unico publicae felicatis provehendae animo, benigne editam resolutionem devotis animis suscepimus quidem.

Cum interim duplex circumstatia hujus, quarum una est antememoratarum partium maritimarum sive per novi praevia ratione cottus erectionem, sive per earundem statui militari resignationem a nobis dismembratio, alia vero ipsa praedicti novi Szeverinensis nomine compellandi cottus erectio, non modo grave iurisdictioni regni, et cotus hujus, ipsisque adeo ex ratione concomitantium justissimis tot bene meritarum familiarum juribus allatura praejudicium praevideretur, verum etiam cum praescripta in decretalibus quoque constitutionibus pares operationes in opus deducendi methodo nullla ratione conciliari valeret: pro eo in materna augustissimae dominae benignitate et clementia, pro qua nullius justis juribus et immunitatibus eandem derogare velle tot loculentis benignitatis hujus edocti argumentis plene convincimur, demisse confisi, humillimas praevio in merito altissimo obtutui ejusdem medio excesi hujus Consilii regii reflexiones nostras homagiali cum reverentia substernere praesumimus et quidem:

In ordine quoad primum: Magis notum est, quam ut pluribus demonstrari debeat, quaestionatas partes maritimas, bonorum alias in lege Frangepano-Zrinianorum nomine venientes, tum antea, cum et inde ab interventu horum Graecensi camerae resignationis tempore, continua annorum serie tanquam indubitatam partem sacrae regni Hungaricae coronae considaratas esse; confirmant hoc numerosi superinde editi diaetales articuli, ac novissima etiam sub modo feliciter regnantis glorioso Augustissimae Dominae Gubernio artlo 30: anni 1765. facta in eo declaratio, quod per usitatam partium illarum littoralis Austriaci nomine compellationem nullum habitae in iisdem sacrae regni coronae jurisdictioni praejudicium aut derogamen quodpiam sit inferendum, abunde testatum reddit. Quod praetera eaedem partes jurisdictioni quoque cottus hujus tam in juridicis quam politicis subjectae fuerint, non modo complures regni leges, ac in specie art. 57. 1647 diserte evincit, verum etiam subsecuti praelegati jurisdictionis effectus; quod nimirum modo fatae partes semper dependente a cottu hocce nobilium iudice et prioribus temporibus provisae fuerint et in praesens etiam provideantur; quod item retroactis annis ad tyronum militum nomine cottus istius praestitorum cum reliquis gremialibus ejusdem cottus hujus districtibus statutionem pro sua rata concurrerint, ac denique quod conscriptiones etiam ideales jam olim ibidem peractae fuerint id ipsum ultro palam indicare videantur.

Unde clara per praemissa sacrae non minus regni coronae quam et comitatus istius in easdem partes jurisdictione demonstrata, pronum est ipsas neque per excorporationem ad statum militarem a sacra regni corona via hac salvis publicis sanctionibus rescindi; neque a cottu hocce per novi erectionem comitatus sejungi posse. Nam relate ad primum: omnes diaetales constitutiones de partibus his communibus regni legibus et oneribus subjiciendis editas respectu excorporandarum ad statum militarem, ubi longe alia gubernii norma obtinet, suo vigore destitui, corpusque invitum sua parte destitui oporteret. Relate vero ad 2. si unica civitatis Crisiensis unio tot diaetalibus artlis utpote 103: 1659, 127: 1715, 95: 1723. et 57: 1714. pertractata fuit, longe profecto a fortiori nobilioris ac majoris corporis hujus ab invicem separationem nonnisi pari solenni via definiendam venire naturalis evincit ratio, eo etiam legali motivo accendente, quod per separationem hanc sublatis antiquis limitibus novae metae, objectum alioquin etiam diaetale, erigendae forent; per harum vero immutationem, quaevis privatorum jura in summam confusionem, apertumque discrimen, nisi publica quapiam legali eatenus constitutione provideretur, essent deducenda; ut adeo si caetera etiam abessent, vel unico hoc motivo praeconceptae separationis scopum citra grave et publicis sanctionibus et privatorum juribus infligendum vulnus haud obtineri posse indubium evadat.

Quod porro relate ad 2. ipsam novi hujus cottus erectionem attinet: haec etiam haud dispares spectatis systematibus constitutionibus subire videtur difficultates. Cum expensis penitius his, omnes hujusmodi notabilium districtuum sacrae regni coronae incorporationes, ex iisdem cottuum efformationes non nisi facta in publicis regni comitiis eatenus provisione fieri consuevisse praeter complures alios passim in legibus expressos casus in specie etiam inferioris Slavoniae cottuum art. 118: 1715 et 50: 1741. definita incorporatio sufficiens praebet argumentum. Cujusmodi solennitate cum erigendus novus hic cottus destitueretur, in aperto est omnem ejusdem tanquam ignoti publico membri tam in justitiae administratione, quam et politicis pertractationibus activitatem in dubium, ac crysim revocandam esse, per consequens eundem modo hoc firmam stabilemque permansionem nancisci haud posse.

Ac ideo quemadmodum praededucta demissa legalia motiva et fundamenta nostra, tam praelibatorum partium maritimarum, sive ad statum militarem excorporationem sive earundem a nobis separationem, quam et modo fati novi cottus erectionem citra evidentem sistemalium legum alterationem haud subsistere posse, clare demonstrant, ita cum inde etiam grave nobis impendere praejudicium praevideremus, quod comuni ita ferente rumore non modo gremiale cottus hujus dominium Szeverin, a quo videlicet novus cottus suam obtinet denominationem, cum notabili quoque alia corporeitate a nobis sit divellendum; verum etiam omnis illa pars cottus, quae ad sinistram Carolinae viae Flumen versus proficiscendo sita est, Statui militari veniat resignanda. Idque reipsa eventurum respectu prioris quidem luculentum 53. regni Hungariae reliquo rumque superioris ac inferioris Slavoniae cottuum exemplum, eo quod nullus horum aliunde, quam ab aliquo principaliore gremiali loco suam sortiatur compellationem omne prorsus amplius dubitandi motivum adimeret, respectu posterioris autem nexus quasi coeptae operationis id ipsum indicare videretur. Utrumque porro hoc ipsius etiam dismembrationis excorporationisque meritum ad eandem, quae supra de partibus maritimis adducta sunt, recideret questionem, adeoque eadem legalia, quo minus istud quoque in effectum ire queat, obstarent motiva. Excelsum hoc consilium regium in humilitate iterpellamus, quatenus tum ex praedeductis legalibus demissis rationibus et fundamentis nostris, cum et eo insuper accedente, et quidem relate ad excorporationem, quod consecratis jam a majoribus nostris, amplissimis pro intemerata fide fidelitateque in obsequium Augustae Domus tuitionemque ac securitatem haereditariarum ejus provinciarum regni confiniis, quae utique non aliud sunt, quam sangvinis profusione partae fidelium Nobilium haereditates, adeo constricti simus, ut si aequa generalatus Varasdinensem et Carolostadiensem caeteraque regni confinia inter ac modernum Provincialem statum nostrum ineatur proportio, vix octava aut nona parte nobis relicta exiguum profecto amplius aliquid supersit, quod in praemissum excorporationis finem ultro consecrari possit: quod item recentius Augustae Clementissimae Dominae providentia positos praefatum Generalatum Carolostadiensem hunque cottum inter limites confundi operteret, optatamque vix tandem binos hos Status inter procuratam per id quietem et tranquillitatem per novam metarum erectionem in novam confusionem poni foret necessum, ac denique quod repetitae hae excorporationes nonnisi cum notabili jurisdictionis sacrae regni coronae diminutione, et inferendo per id eidem praejudicio fieri possint. Relate vero ad separationem: quod praeter adductas jam supra hoc in merito reflexiones ipse reliquus contribuens cottus hujus populus sensibile onus ac praegravium inde esset accepturus. Si quidem occasione emensi postremo pro cottu hocce contributionalis quanti totius in concreto cottus, adeoque avellendi etiam districtus viribus expensis idem commensuratum extiterit, quod licet quidem a proportione avellendi districtus a cottu quoque hocce auferretur, per id tamen grave adhuc onus reliquo gremiali nostro populo imansurum sit, cum fatalitates, quae mutuo hactenus per omnes sustinebantur, jam notabili Montanorum parte avulsa, in longe pauciores cum summo eorum praejudicio, et extrema enervatione essent derivandae: maternum clementissime Dominae animum eo permoveret, quo eadem his omnibus una expensis et in benignam reflexionem assumtis, ad antevertendum etiam grave, quod publico non minus inde quam et privatorum juribus impendet discrimen, ipsiusque adeo materno publicarum sanctionum vigoris conservandi studio a praenotata sive maritimarum sive harum partium excorporatione, novique cottus hujus erectione clementer abstrahendo, tam praelibatas partes maritimas, velut alioquin pro legali jam hactenus cottus istius districtu semper habitas in politicis non minus ac juridicis, quam et antenominatas civitates, velut nulli alteri quam nostro viciniores cottui, in politicis adinstar aliarum liberarum ac regiarum civitatum regni Hungariae, partiumque eidem adnexarum, iurisdictioni nostrae benigne subjicere dignaretur.

Qui caeteroquin gratiis et favoribus ejusdem excelsi Consilii regii enixe comendati perseveramus excelsi consilii regii. Datum ex generali nostra pro 18. et sequentium mens. nov. diebus Zagrabiae celebrata congregatione, humillimi, obsequentissimi servi N. N. Universitas cottus Zagrabiensis.

18.

Flumine s. Viti die 15. Januarii 1777.

In sala palatii civitatis. Congregato more solito ad sonum campanae minori, majorique consilio, cui interfuere nobiles dni consiliarii ad nrum 25. computata persona illustrissimi dni regii gubernatoris.

Praesentibus illmo d. Josepho Majláth de Székhely reg. gubernatore, nobilibus ac spectabilibus dd. iudicibus et rectoribus: Antonio Vito Barcich, Franc.

Rossi Sabbatini, Ant. de Terzi secretario, nobilibus dominis: Franc. X. de Orlando, Michaele Ant. de Zanchi, Josepho de Gerliczi, Sigismundo de Zanchi, Aloysio de Orlando, Felice de Verneda, Carlo Ios. de Steinberg, Antonio de Gaus, Franc. Xav. de Lumaga, Antonio Monaldi, Josepho de Troyer, Joanne B. Galob, Ignatio de Zanchi, Franc. X. de Franul, inn. Anselmo Nepom. Peri, Franc. Steph. de Munier, Ant. de Mordax, Franc. de Bardarini, Andrea Nicol. de Calli, Petro Monaldi, Julio de Benzoni.

Propose il nob. spett. sigr. giudice rettore della mfica communità di essersi radunato l' odierno consiglio per significare a questo mfco. publico:

1. un grazioso decrreto dell' inclita regia comissione Croatico-Ungarica di data Fiume 14. dicembre dell' anno pross. passato 1776. in virtú di cui viene commesso alli sigri giudici rettori di rassegnare quanto prima alla pretit. inclita regia comissione genuino rapporto sopra li 20. punti, che si contengono nel medesimo decreto, e di produrre in appresso quelle clementissime ces. regie normative ordinanze, nelle quali si aggirava fin' ad'ora l' amministrazione di questo publico.

Perlettosi de verbo ad verbum il tenore del citato grazioso decreto, i di cui punti N. B. si troverrano registrati a carte 2 del publico protocollo, il nob. spettab. sigr. giudice della mfca Communità fù di parere, che richiedendo maggior indagine l' importanza e delicatezza delle materie, sopra le quali si deve informare, converrebbe procedere secondo la disposizione del patrio statuto alla nomina di alcuni soggetti esperti nelle cose pubbliche, e idonei a compillare con fondamentó in una particolar commissione l' ordinata informazione. Per tal effetto il nob. spett. sigr. giudice guberniale nominò li nob. sig. Antonio Monaldi e Francesco Ant. de Steinberg, come giudici dell' anno decorso, e il nob. spett. sign. giudice della mfca. communità elesse li nob. sigri Andrea Nicoló Calli e Michiel Ant. de Zanchi. Fù lodata ed approvata per parte del mfco. publico la seguita nomina con l' aggiunta, che nelle sessioni dell' istituita commissione intervengano ancora li nob. sigri giudici dell' anno corrente e il publico segretario.

19.

Flumine S. Viti die 17. Julii 1777.

In sala palatii civitatis congregato more solito ad sonum campanae minori majorique consilio, cui interfuere nobb. dmni consiliarii ad nr. 22. computata persona nobilis ac perillustris dmni inclyti vicariatus gubernialis praesidis.

Propose il nobile spettabile sigr. giudice rettore della magnifica comunità di essersi radunato l' odierno consiglio per comunicare a questo magnifico publico l' abbozzo dell' informazione, che si rasegnerà all' eccelsa regia aulica commissione croatico-ungarica sopra li 20. punti contenuti nel rispettabilissimo suo decreto delli 14. Decembre dell' anno decorso 1776. trattandosi di un affare, che dee riguardarsi tanto piu importante, quantochè s'aggira sul publico e privato bene, ed abbraccia il nuovo sistema di questa fedelissima città e porto franco, rammentò il detto nobile spettabile sigr. giudice l'inviolabil osservanza dei doveri, alli quali ciascuno delli nobili sigri. consiglieri è tenuto in forza di giuramento prestato nell' ingresso al consiglio.

(Ommissis). Fù ripresa e proseguita dal segretario de Terzi lettura della publica informazione, la quale giunta al suo termine, dopo il corso di tre grosse ore, ebbe la sorte d' incontrare l' aggradimento del pretitolato sigr. presidente de Orlando, e la soddisfazione del magnifico publico. Onde si determinò plenis votis, che la medesima relazione si facesse trascrivere con politezza, e si umiliasse quanto prima all' eccelsa regia aulica commissione croatico-ungarica; indi si registrasse nel publico protocollo a memoria dei posteri.

Quibus habitis fuit dimissum consillum.

Sequitur tenor relationis:

Inclyta reg. aul. Croatico-ungarica Commissio!

Ad cognoscendum, quaenam optima et publico Fluminensi maxime proficua ratio administrationis publicae in moderno ejus nexu cum haereditariis suae majestatis sacratissimae regnis Hungaricis constituenda veniat, decreto hujus inclytae regiae aulicae commissionis de die 14. decembris anni proxime elapsi, nobis judicibus rectoribus impositum fuit, ut genuinam exhiberemus informationem super punctis sequentibus.

(Ommissis) Postquam sic toto animo et omni cura temporum antiquitates rimando, statum, et conditionem hujus civitatis exposuissemus, in quantum ex Venetorum irruptionibus nobis relictum extat, simul etiam debita integritate enucleassemus, quemadmodum actu se res publici Fluminensis habeant, recte nos fidimus, aequissimis hujus inclytae regiae aulicae commissionis postulatis pro viribus satisfecisse. Ut vero rei tum publicae tum privatae hujus urbis prospiciatur, et res nostrae suum rursus pro universali omnium bono statum teneant, meliusque fluant, nos totius magnifici publici nomine, sua forma in consilio congregati, hasce humillimas pro bono publico preces ponimus:

1. Quemadmodum haec fidelissima urbs a seculis nulli provinciae subdita aut adnexa, seorsim et eadem prorsus ratione, qua singillatim quaeque alia haereditaria Austriae provincia, eidem archiducatui incorporata, habita et possessa fuit a summis imperatoribus et archiducibus Austriae, dominis suis ac principibus terrae gratiosissimis, clementissimisque, ut plane ab hac ipsa urbe non secus ac a singulis aliis quibuscumque haereditariis provinciis sensim et fidelitatis homagium, et statutae pragmaticae sanctionis ratihabitionem exigere, et acceptare non dedignarentur: ita quoque in futurum eadem ratione, qua omnes aliae inclyto regno Hungariae adnexae partes, provinciaeque et haec urbs cum suo districtu sacrae regni Hungariae coronae adnexa ac incorporata habeatur, et possideatur.

2. Leges et statuta ab Augustissimis imperatoribus Ferdinando I. successoribusque firmata, nec non privilegia clementissime concessa, demptis iis, quae pro temporum, circumstantiarumque varietate corrigenda forent, novo clementissimo regio diplomate confirmentur.

3. Terrae, et possessiones incolarum ab omni onere, pensione, seu contributione, praeter consuetam summo principi debitam fructuum decimam, ab Augustissimis semper servatae immunes, in hac ipsa immunitate perenniter servandae confirmentur.

4. Proventuum pro publicis necessitatibus designatorum perceptio, eorumque dispositio, prout ab antiquo, sub praesidio et directione illmi dni p. t. capitanei, magistratui et consilio cum onere reddendarum rationum, confirmentur.

5. Familiae Consiliariorum in hac urbe nobili patriciatus honore gaudentes, et nobilium incolarum in suo gradu more aliorum in pari gradu nobilium indigenarum in regno recognoscantur, omniumque inclyti regni privilegiorum participes fiant, atque fruantur. (Ommissis punc. 6. 7.)

8. Similiter petimus, ut sub jurisdictionem hujus urbis, cujus territorium est alias perquam leve et angustum, perenni accesione redeat vicina terra Podbregh cum suis incolis eorumque possessionibus, his inixi rationibus, atque congruentiis: 1. quia licet Castua, tanquam caput bonorum ex-jesuiticorum, exerceat utile dominium super hanc terram Podbreghense, non tamen habet in eandem dominium politicum: Podbreghenses enim incolae, utpote nunquam subjecti, incorporati, aut caracterizati in provincia Carnioliae, non subsunt jurisdictioni Castuae, quia nec fruutur ejusdem sylvis et pascuis, nec gaudent ipsius juribus et privilegiis, sed in persona eorum judicis, dicti xupani, qui alter non est quam rudis et crassus rusticus, constituentes sibi forum primae instantiae, reputantur distincti, liberi et independentes ab omni jurisdictione. E contra vero Podbreghenses incolae quoad venundationem vini, aliorumque suorum fructuum jura hujus ubis Fluminensis participant, quin haec in illos ullam jurisdictionem exerceat, aut de illo-

rum territorio ullum emolumentum capiat 2. Quia aliunde Podbreghenses in spiritualibus subsunt jurisdictioni hujus parooeciae Fluminensis 3. Quia sunt nobis plane finitimi, et nostro territorio contermini, atque in omni commercio, et mercatura adeo nobis juncti, ut non sine gravi incommodo, perturbatione, ac laesione reciproci juris, ab hoc Fluminensi politico-civili ac justitiali gubernio abstrahi possint.

9. Ut binae cauponae trans pontem Fluminis, una a militari, altera a provinciali jurisdictione noviter errectae, et educillationes vini alla minuta, quae ibidem exercentur, in perpetuum cessent, et aboleantur. Cum tam in locis Buccari, et Tersat, quam in eorum singulis pagis sufficientissimae pro incolarum commoditate erectae sint cauponae, cumque binae illae trans pontem sitae procul sint ab omni Buccarensium vel Tersactensium incolatu et frequentia, eaedem solitario in loco constitutae non nisi publica praebeant scandala, ac immanium scelerum, turpis ac publici scortorum exercitii nullius faeminarum ac puellarum, in publica via securitatis et homicidiorum, nos tetros faciunt hucusque praesentire effectus, illaeque educilationes vini non alium in finem institutae sunt prae foribus ipsius civitatis Fluminensis, quam ut multitudinem civium et incolarum Fluminensium ad se alliciant, et avocent, inutiles vero reddantur ferme omnes urbis hujus cauponae. Verum quia hoc vergit in summum rei tam publicae, quam privatae exitium, iram divini numinis provocat, destruit principem reditum vectigalis septimi, ab augustissimis principibus huic civitati donatum, aeque ac alterius vectigalis pauperum, noviter indultum, et non solam privatam utilitatem praeprimis pauperum civium, quibus ad sustentationem donatum est privillegium educilationis vini tertiae classis, ad nihilum rediget, verum etiam ipsos ad incitas pertrahet. Ne hac ratione locupletatione unius vel duorum multae civium Fluminensium familiae destruantur, et civitas integra lugeat, immodicae unius aut alterius utilitati subditam esse, instantissime supplicat huic inclytae aulicae commissioni, ut in posterum liberetur ab hac servitute, et omnes cauponae, educilationesque vini, uti admodum perniciosae, ab ejus limine abigantur. Eapropter

10. Sacratissimae caes. regiae. ap. majestatis mediante hac inclyta regia aulica commissione imploramus providentiam et mandatum, ut abhinc jurisdicenti Tersactano inhibeatur omnis venditio et innovatio tam intra quam extra septa ipsius loci, quae aliquo modo arctaret, impediret, aut deviaret commercium et mercaturam hujus liberi portus et regiae urbis contra ejusdem libertatem, jura atque privilegia, sed omnia maneant et teneantur, prout fuere in priori systemmate, bonae vicinae per tot saecula, ut sub comitibus Zrinijs, nec non in futurum tollatur aemulatio, omneque motivum alterutrius quaerulationis indebitae, submissione proponimus et rogamus:

11. Ut huic regiae urbi ad dilatanda quoque confinia suae jurisdictionis liceat emere ipsum dominium et territorium Tersactense, inque jus perennis proprietatis convertere; neque adeo laboriosum erit huic urbi erga assecurationem fundi ipsius Tersactensis et publicae fidei pretium emptionis, et pecuniae summam mutuo accipere erga 4 procentum, et successu temporis restituere per congessionem pecuniae, quae ex annuis fructibus remaneret, ejusque foenerationem (prout infra demonstratibur) in hoc monte pietatis seu publicae oppignorationis cassa. (Ommissis punc. 12—17).

18. Ut judiciariae sedes, tam civilis quam criminalis jurisdictionis, hujus liberi portus et urbis Fluminensis sua recta necessaria ac florenti methodo constituantur, quatenus cuncta, quae juris sunt, tranquillo et expedito ordine procedant. Hinc ad habendum in urbe continua serie in theoria et praxi tam civili quam criminali viros versatos et excellentes confidenter proponimus institutionem civilis et criminalis consilii ex septem, adnexa persona regii et publici fisci, viris, ex gremio magnifici publici cum constitutione congrui fixi annui salarii seligendis, atque in hoc judicio, tanquam foro ordinario primae instantiae debere tractari ac

definiri omnia judicia tam civilia quam criminalia. Huic tribunali adjungi possent (quae non pridem a foro ordinario abstracta fuerunt, dederuntque frequentem causam molestae contentionis et inanis conflictus de fori competentia) omnia alia separata tribunalia, prout sunt: unum cambio-mercantile et consulatus maris, alterum in causis personalibus regiorum consiliariorum et officialium delegatum, tertium in causis summi principis et commissorum; qua occasione molesta illa, atque foro potius pedaneo propria, methodus tractandi causas per comparentias personae seu procuratoris revocari posset in rectam, et bene ordinatis iudiciis propriam formam, scilicet ut partes sua acta, in modum libelli ordinata, in duplo descripta pro iudicio unum, pro comparte alterum, atque non nisi statutis in hebdomade pro sessione diebus praesentent, ac ordinatum ad normam aliorum tribunalium in hoc quoque judicio instituatur protocollum, cui decreta, vota ac sententiae inseri queant. Tandem ipsae taxae iudiciales, civiles, et criminales melius ordinari et determinari deberent pro bono tam partium litigantium, quam etiam aerarii. (Ommissis punc. 19—24).

25. Ut totus districtus constituens una cum Fluminensi nr. 16. parochias, quoad potestatem iurisdictionis subditus huic Fluminensi archidiacono, qui simul est Vicarius foraneus, quoad potestatem vero ordinis subjectus episcopo Polensi ditionis Venetae, penitus evellatur ab eadem dioecesi et potestate episcopi Polensis, tum quia ob nimiam Polae distantiam clero hujati difficilis, atque magni dispendii redditur accessus ad suum episcopum, tum quia hujates clerici, licet dicantur ejusdem dioecesis, ex eo quod non admittantur ad beneficia, quae sunt sub ditione Veneta, jam facti praesbyteri, aut domi haerere et otio tempus terrere aut alio migrare, et huc illucque vagari coguntur, unde corruptio morum, et disciplinae ecclesiasticae labefactatio; tum etiam quia haec, ac alia quaevis regio haereditario-austriaca, aut hungarica sentire non potest commoda spiritualia ab hoc suo Ordinario, eo quod is tanquam episcopus Italiae facultates habet magis restrictas concordatis Germaniae, et solitis episcoporum Hungariae facultatibus ac privilegiis minime accomoda. Hinc ab augustissimis principibus nostris ratione status severe cautum est, ne huic episcopo Veneto in nostris ditionibus aliud liceat, quam benedicere et sanctificare, regere autem et gubernare sit solius archidiaconi Fluminensis; ex quo factum est, ut jam ab anno 1741. haec pars dioecesis sacras episcopi visitationes non recipiat, fidelium populorum animae absque sacramenti Confirmationis decedant, clerus a suo pastore episcopo non perlustretur, tandem et disciplina ecclesiastica sensim declinet, et paulatim difluat. Eapropter cum et sacri apostolici regni Hungariae, a quo in hanc tanquam suae ditionis provinciam sua jura et privilegia transfundenda pro certo confidimus, constitutionibus prospectum sit, ne ullus forensis, et praecipue Venetus, in regno aliquam bonorum possessionem habere aut iurisdictionem quandam exercere possit: augustissimae imperatricis et reginae nostrae clementiam imploramus, quatenus pro bono praecipue animorum nostrarum sic nobis provideat, ut haec regia urbs cum suo districtu suo proprio episcopo frui glorietur, qui aut exurgat ex hoc ipso archidiaconatu Fluminensi cum congrua ex eodem fonte regiae pietatis et munificentiae haurienda, ex quo tot alii in Hungaria Episcopatus, tum Latini, tum Graeco-uniti promanarunt, aut ex translatione episcopatus Petinensis Istriae imperialis, si eidem tum praepositura Pisinensis seu Mitterburgensis cum suo districtu, abstracta a Veneta Parentina dioecesi, tum etiam ipse archidiaconatus Fluminensis cum suo quoque districtu canonice unirentur; et si huic episcopo nec ex hac redituum unione sufficiens congrua exurgeret, tum omnino recurrendum foret ad regiam piissimam munificentiam; nisi fors rectius judicarentur, ipsum comitatum Mitterburgensem, cujus iuris patronatus et praesentationis est episcopatus Petinensis, emere et aggregare camerae Hungaricae, huicque Severinensi comitatui; ut hac ratione non solum facilior reddatur errectio hujus novi episcopatus per episcopatus Petinensis, praepositurae Mitterburgensis, et archidiaconatus Fluminensis in eundem transfusionem, sed etiam ut fines hujus apostolici regni ad oras mari-

timas magis, magisque dilatentur, officium salutis rectius administretur, navigatio, mercatura, et omne commercium floreat, et accrescat.

(Omisso punc. 26.)

27. Ut juxta sacri hujus apostolici regni legum sancita et per benignam sacratissimae regiae et apostolicae Majestatis resolutionem, qua etiam reliquas regnorum, regno Hungariae adnexorum, partes complecti dignata est decretanni 1741 art. 11. 15. filii etiam nativi Fluminenses sub denominatione Hungarorum, quoad officia et benificia ecclesiastica et secularia comprehensi, intelligantur, et

28. Patritiarum, et civicarum familiarum filii in collatione regiorum officiorum in hac urbe praelatione gaudeant.

29. Ut magnifico publico, tanquam habenti jus patronatus ecclesiae parrochialis collegiatae Fluminensis, jus praesentandi canonicos ejusdem ecclesiae, ut illud antiquis demonstratum est monumentis ad quartum §. 3., pristino iterum usui restituatur, atque perbenigna sacratisimae Majestatis resolutione firmetur; reservantes nobis additionem ad haec puncta, omniaque de jure reservanda, quatenus superius recensita et producta clariori indigerent demonstratione.

30. Ut tandem ipsa haec fidelissimae titulo decorata urbs cum suo licet tenui districtu, tanquam et imposterum consideranda pro separata provincia, ut in puncto 1. a nobis ejusdem nomine enixe petitum est, in eo inclitorum Statuum et Ordinum loco cum suis decoretur insignibus, in quo et gloriae sibimet ipsi, et debito sacrae apostolici regni coronae honori cedat.

Ut sicuti divis olim praedecesoribus, augustissimisque suis principibus, et fidelitatis personalia homagia, et divo gloriosae memoriae Carolo VI. etiam pragmaticae Sanctionis vinculum ab ipsa placuit assumere, per eamque summa cum allacritate talia singularis devotionis obsequia fuere praestita, ita et imposterum suae nunquam minuendae, et magis, magisque augendae fidelitatis, devotionisque praebeat specimina.

His omnibus demissa cum obsecratione huic inclitae regiae aulicae Commissioni subnexis, plenae exauditionis indubia spe freti omni veneratione devovemur.

Huic Incl. reg. aulicae Croatico-Hungaricae Commissioni Flumine S. Viti die 1. Augusti 1777. Humillimi, obsequiosissimi Ant. Vit. Barcich m. p. Franc. Vicent. Rossi Sabbatini m. p. Judices Rectores nomine totius magnifici Publici.

I n d o r s a t u m : Suae Excellentiae illmo domino dno p(at)rono gratiosissimo dno Josepho Majláth de Székhely, Liberi Portus et Urbis Maritimae Fluminis Gubernatori, Praefecto Civili et Militari, Inclyti Comitatus Severinensis Supremo Comiti, et Sacratissimarum Caes. Regiarum et Apostolicae Majestatum Consiliario. Ex Offo Vienna-Austriae.

20.

E repraesentatione gubernatoris Josephi Majláth ddto. Viennae 13. Augusti 1777. ad Suam Majestatem Ssmam.

„Sub priori Intendentiae Tergestinae providentia c u n c t a n e g o t i a F l u m i n e n s i a, q u e m a d m o d u m d i r e c t i o n e m T e r g e s t o h a b e b a n t i t a e t c u r s u m s u u m e o d i r i g e b a n t, demtis dumtaxat causis civilibus, quarum aliae, velut natura sua inappellabiles, ut in exemplo sunt causae servitutum urbanarum, iudicio repraesentantis regii seu locumtenentis capetanealis definiebantur, aliae e converso appellabiles cursum suum ad regimen i n t e r i o r i s A u s t r i a e G r a e c i u m a c c i p i e b a n t. In moderno systemate dignata fuit Majestas Vestra ssma per benignum decretum aulicum sub. 9. Augusti 1776 nro 3936 emanatum benigne constituere: ut commercialia directioni Gubernatoris localis et immediatae corespendentiae aulicae reserventur, *politica e contra seu urbana cursum suum per Consilium regium in regnis Dalmatiae, Croatiae et Slavoniae constitutum accipiant* . . . . Ordinaria caeteroquin correspondentia, intuitu huius generis negotiorum, manuducente praeatacta benigna resolutione tenenda esset *cum Consilio regio in regnis Dalmatiae, Croatiae et Slavoniae constituto,* cui protocolla quoque consiliorum publicorum pro statu notitiae, repraesentationes autem faciendae, transmitttendae forent; consilium regium e converso intimata sua Gubernatori, qua capetaneo urbis, intitilanda haberet . . . Quantum ad causas civiles ex foro iudicum urbis appellabiles reflectendum occurit, quod parte ex una urbs Fluminensis nexum regnorum haereditariorum Hungaricorum ingressa sit, parte autem ex alia eandem in formam liberae et regiae civitatis transmutare nec statui eius interno ac politico cohaereat, nec etiam systemati commerciali proficuum futurum esse, leges e converso hungaricae altissimo regiae Majestatis arbitrio relinquunt in casibus, pro quibus iudices ac fora determinata non sint, iudicia constituere . . . . Itaque censerem appellationem omnium causarum a foro iudicum urbis dirigendam esse ad publicum urbis consilium, cui ad integritatem iudicii paeter praesidem gubernatorem ... secretarium item et cancellarium publicum decem ad minimum commembra adesse oporteret. Ab hoc porro revisorio foro capitaneatus urbis, causas infra valorem mille flor. omnino inappellabiles declarandas, in aliis e converso maioris substrati causis appellationem *ad tabulam banalem* et sic ulterius ad tabulam regiam et septemviralem admittendam, transmissionales extradandas esse . . . Restat tantum modo ut provisionaliter et ex occasione alteram quoque partem districtus commercialis, ex locis immediatae iurisdictioni hungaricae subiectis, enascituram: Buccarim nempe, Buccarizam et Portum regium cum locis intra hos portus et Flumen iacentibus, attingam. Quae loca ego iurisdictioni commerciali Fluminensi ita concedenda esse .. existimo, ut in consimiles liberas commerciales communitates evehenda, *comitatui quidem una cum urbe Fluminensi ingremiata sint*, iurisdictioni tamen commerciali et respective capitaneali haec quoque ad instar Fluminis instructa sint, ad obtinendam eiusdem generis negotiorum manipulationis uniformitatem et administrationis simplicitatem, tum vero rei iustitiariae maius compendium.

21.

Maria Theresia, dei gratia Romanorum imperatrix vidua, Hungariae, Bohemiae, Dalmatiae, Croatiae, Slavoniaeque regina Apostolica, Archi-Dux Austriae etc.

Spectabiles ac magnifici, honorabiles item et egregii, fideles nobis dilecti. Ut cursus justitiae quantum ad revisionem causarum Flumine appellatarum iterum restauraretur, ac in moderna etiam rei providentia, seu postquam urbs Fluminensis per sui regno Croatiae immediatam incorporationem, nexum nostrorum regnorum haereditariorum hungaricorum ingressa est, certa ratione constituatur, reflexe item ad id, quod in casibus pro quibus judices ac fora determinata non sunt, iudicia constituere ductu etiam regni Hungariae legum ad nostram pertineat

Majestatem, in ordine ad causas civiles, ex foro iudicum urbis Fluminensis appellabile, sbenigne visum est nobis resolvere, ut appellatio omnium ejusmodi causarum a foro iudicum urbis dirigatur ad publicum urbis Consilium, cui ad integritatem iudicii, praeter praesidem Gubernatorem seu capitaneum vel ejus vices gerentem et vicarium, secretarium item, et cancelarium publicum, decem adminimum commembra adesse oportebit; ab hoc porro foro capitaneatus urbis causae infra valorem 1000 fl. inappellabiles sint, in aliis e converso maioris substrati causis appellatio ad tabulam hanc Banalem et sic ulterius ad tabulam nostram regiam et Septemviralem admittatur, transmissionalesque extradentur.

Ordinatione hac regia ad alteram etiam partem districtus commercialis, ex locis iurisdictioni Hungaricae subjectis enascituram, Buccarim nempe, Buccariczam et Portum regium, loca iurisdictioni commerciali Fluminensi connectenda, ac in consimiles liberas commerciales communitates evehenda, intellecta.

Quam proinde ordinationem ac provisionem nostram regiam pro congrua notitia et sui directione fidelitatibus vestris una clementer intimamus. Quibus in reliquo gratia et clementia nostra caesareo-regia benigne jugiterque propensae manemus. Datum in archi-ducali civitate nostra Vienna Austriae die vigesima nona mensis Augusti, anno domini millesimo septingentesimo septuagesimo septimo. Maria Theresia m. p. Comes Franciscus Eszterházy m. p. Josephus Jablanczy m. p.

Tenor Indorsationis: Nr. 4468. Spectabilibus ac Magnificis, Honorabili item et Egregiis N. N. Tabulae Banalis regnorum Dalmatiae, Croatie et Slavoniae Praesidi, et Assessoribus, fidelibus nobis dilectis. Per Sopronium, Zagrabiae — Ex offo.

22.

Maria Theresia Reverendi Spectabiles etc. In continuationem benigni nostri rescripti, quoad bonorum Buccaranorum et portuum Buccari, Bukkaritza, et Porto Ree resignationem et receptionem, nec non in et excorporandorum conscriptionem ac aestimationem, constitutivum denique ac statum personalem et salarialem cottus Severinensis sub hodierno aeque dato ad fidelitates vras expediti intuitu nonnullorum adhuc politico — cameralium Fluminensium objectorum bgnam resolutionem nostram in sequentibus impertimur, et quidem 1. Quod respicit systema gubernialis manipulationis Fluminensis, et cassae ibidem comercialis dotationem; siquidem mox a resignatione portus, et urbis Fluminensis stabile quodpiam gubernii systema elaborari nequiverit, verum omnia ibi negotia politica, commercialia et iudicialia penes interimalem dumtaxat administrationem gubernatori nostro Fluminensi concreditae manere debuerint, et ideo eidem gubernatori nostro caetera inter id quoque negotii, ut ideam constituendi stabilis ejusmodi systematis, mox ubi a partibus officii praefereuter urgentibus expeditus fuerit, proponat, benigne dederimus, idemque projectum catenus suum, cum reflexione ad modernum districtus istius cum reliquis haereditariis Hungaricis regnis nexum ac proinde systema ipsum regni Hungariae, Nobis demisse jam exhibuerit, una autem necessitatem etiam dotandae ibidem commercialis cassae humillime remonstraverit: eapropter clementer visum est Maiestati Nostrae pro stabili gubernii istius systemate statum personalem et salarialem pro futuro necesarium, quem hic adjecta tabella exhibet, stabilire, proque omni cassae hujus Fluminensis comercialis necessaria dotatione, incluso etiam gubernatoris salario, annuos 30m. fl. ex aerario nostro camerali tamdiu, donec ex progressu rei commercialis cassa eadem viribus propriis ad suas necesitates sufficiat, percipiendos benigne resolvere.

(Ommissis punc. 2. 3.)

Pro 4. Cum juxta praeviam benignam Nostram resolutionem bona Buccarana et commercialia, in quantum a littore maris aliquanto remotius situarentur, et pro immediata commerciali manipulatione necessaria non essent, sub cameralem dispositionem recipienda veniant, respectu talium immediata manipulatione commerciali reservandorum locorum et portuum benigne resolvimus, ut illa, utpote praeter et ultra Flumen, portus quoque Buccari, Buccaritza et Porto Ree nec non Tersactum et Costrena et respective Draga, velut loca intra praemissos portus et Flumen juxta mare jacentia, mox post resignationem resignandorum, a parti militari faciendam, sequestrentur et adiministrationi iurisdictionique Fluminensis Gubernii tradantur. Quod vero rubricas conscriptionis residuae partis eorundem bonorum commercialium sub administratione camerali reliquenda, ex qua videlicet respective bonificatio privatis possessoribus bona sua pro aequivalenti statui militari dando dimittentibus facienda erit, attinet, camerae Nostrae regiae Hungarico-aulicae in mandatis dedimus, ut pro his quoque bonis rubricas conscriptionis elaboret, et pro acceleratione totius laboris conscriptionalis, aliorumque quoad calculum occurrentium negotiorum rationatum vice-magistrum Szurkovich aut aliud idoneum individuum commissioni adjungat. Caeterum

5. In merito projectatae erectionis postalium in via Carolina stationum benige resolvimus, ut siquidem de stationibus his, postalique partium maritimarum illud in comperto sit, quod per has dum praeexistebant, exiguum litterarum commercium promotum fuerit, neque proinde ex portoriis literarum tantum quantum pro salari postae magistrorum suffecturum erat proveniset, ideo pro primis his initiis, quemadmodum in Transsylvania et districtu Temesiensi res obtinet, quod postae magistri seu cambiaturarum administri assignatis sibi fundis provisi sint, ita etiam in commerciali hoc districtu interea donec appareat, num postae stationes ex portoriis literarum subsistere queant (quod pro modernis manipulandae ibidem commercialis rei circumstantiis sperari omnimode poterit) de cambiaturis provideatur, harumque introducendarum, prout et fundis convenientibus dotandarum negotium suis viis manipulandum Gubernatori Fluminensi, qua etiam commissario camerali, concredatur.

Ad harum igitur benignarum nostrarum resolutionum effectum fidelitates quoque vestrae respective oportuna agere atque disponere, exiturumque e gremio sui commissarium in harum conformitate inviare noverint, Gubernatori Fluminensi omni hac benigna resolutione abhinc directe jam intimata existente. Datum Viennae die 5ta septembris anno 1777. Maria Theresia m. p. Comes Franciscus Eszterhazi m. p. Josephus Jablanczy m. p.

23.

B. Rescriptum R. Mariae Theresiae SS. et OO. regnarum Dalmatiae, Croatiae et Slavoniae missum et ordinans, ut in cambium statui militari cassarum plagarum urbs et portus Fluminensis cum Podbregh et Lopacza, nec non bona Buccarensia, Carlostadio Flumen versus ad dextram viae Carolinae sita, una cum civitate Carolostadio immediate regno Croatiae reincorporentur, et ex neoincorporatis partibus novus, consilio regio Croatico subordinandus comitatus erigatur.

Maria Theresia etc. Reverendi, honorabiles, spectabiles ac magnifici item egregii et nobiles, nec non prudentes, ac circumspecti, fideles nobis dilecti! Tam ex intimationibus consilii regii, quam et publica fama, notum est alioquin fidelibus regnorum istorum nostrorum SS. et Ordinibus, cessante cum exordio anni proxime praeteriti comerciorum consilio aulico, adeoque pertractione objectorum commercialium juxta benignam mentem nostram ad respectiva politica provincialia et aulica dicasteria recidente, Nos pro materna nostra in publica regni Hungariae et partium ei adnexarum commoda, incrementumque hactenus etiam praehabiti in his commercii sollicitudine benigne resolvisse: *ut urbs et portus Fluminensis, nec non bona Buccariensia, in quantum illa Carlostadio Flumen versus proficiscendo ad dextram viae Carolinae sita sunt*, (Buccari, Buccaricza et Porto-Ree, tamquam ad laevam dictae viae Carolinae sitis pro status militari relictis) *ipsa praeterae civitas Carlostadiensis in liberam, regiamque civitatem evehenda, immediate regno huic Croatiae incorporentur; ex taliter porro neoincorporandis partibus novus comitatus erigatur* et in omnibus ad normam aliorum regni comitatuum, iis, quae mox declarandae directioni in puncto commerciali immediate res rvarentur, exceptis, *regio regnorum horum consilio subordinetur, ejusque iurisdictioni subsit;* non absimiliter, quo res commercij in districtu et portu hoc Fluminensi ex ipsa magis ordinata atque systematica manipulatione ad statum florentiorem evehatur, urbi et portui huic egregium, fidelem nobis dilectum Josephum Majláth de Székhely, antehac cameralem nostrum consiliarium aulicum et referendarium, attributa ei intimi consiliarii nostri dignitate, in qualitate gubernatoris, et cum pari, ac comes a Zinzendorf actu Tergesti obtinet, activitate per nos benigne praefectum, *simulque pro supremo comite comitatus ex districtu hoc efformandi, ac nomine comitatus Szeverinensis insigniendi, clementer denominatum esse.* Ac ad hujus quidem benignae nostrae resolutionis effectum procurandum et constabiliendum omne hoc propositum necesariis in facie locorum operationibus per respectivarum iurisdictionum commissarios mox susceptis, ac subinde in parte terminatis, in progressu executivae hujus manipulationis eo recte jam deveniri debeat, ut, cum praementionàta via Carolina pro limite districtus provincialis destinata, atque benigne per nos resoluta fuerit, negotium constituendae lineae hujus separatoriae in concertationem et practicam manipulationem per concernentium iurisdictionum commissarios assumeretur; praeterea vero id, num novus hic districtus pro efformando exinde justae proportionis comitatu sufficiens futurus sit? examinaretur, ac de comitatu hoc methodica ratione constituendo res effective agenda susciperetur.

At vero, dum manus omni huic reliquo operi admovenda fuerat, pro uberiori documento ejus, quantum causa boni publici ex progressu rei commercialis certo certius expectandi, cupiamus, quo item votis regnicolarum, quoad partes has maritimas reiteratis hoc, magis benignitas nostra respondeat, clementer visum est maiestati nostrae, illam, quae praeviae jam benignae nostrae resolutionis virtute statui atque iurisdictioni provinciali obtigit, acquisitionem ea ratione locupletare, *ut omnino perinde portus Buccari, Buccaricza et Porto-Ree, quae iurisdictioni militari reservabantur, immediate regno Croatiae, cum omni juxta viam Carolinam posita colonia et praehabito ibi commerciali districtu, reincorporentur.* Caeterum autem, quemadmodum portus Buccari, Buccaricza et Porto-Ree ad iurisdictionem antelati Gubernatoris cum cohaerentia sua adjiciuntur, ita totus hic districtus commercialis, qui se juxta viam Carolinam porrigit, et omnis ibi colonia, demptis duntaxat locis ad immediatam commercialem manipulationem deservituris, adeoque iurisdictioni illi privative subalternandis, per cameram nostram regiam hungarico-aulicam mox recipiantur, adeoque velut bona cameralia, quousque nobis aliter disponere visum fuerit, respiciantur, proque talibus habeantur.

Vicissim autem, siquidem per hoc iurisdictioni militari haud modicum decessurum sit, hinc tum pro recompsatione secundum id ac justum et aequum esse suapte intelligitur, tum vero ex subversante altissimi servitii nostri ratione, ob systematicum nempe militaris jurisdictionis atque manipulationis nexum ac opportunam communicationem, et denique, ut difficultatibus et molestiis, quas status militaris in inclavationibus hactenus habuisse exponitur, certum ac stabile infallibileque remedium ponatur, in forma cambii districtus Sztenichnyak, una cum possessoriis claustri Paulinorum Kamenszkoinensis, ita etiam ex respectu subversantis inclavationis projectata per consilium nostrum aulae bellicum in confiniis banalibus bona episcopatus Zagrabiensis atque ejusdem capituli, et hujus quidem nominanter Sziszekiense, nec non praepositi, atque possessio Szunya ad comitem Keglievics spectans, praeterea vero districtus Szihelburgensis, nec non de futura libera regiaque civitate Carlostadiensi ipsa arx seu fortalitium cum exscidendo pro usibus militaribus secundum rationem localis situs, adeoque rei possibilitatem, habitaque ad necessatem militarem reflexione proportionato pomoerio, e i d e m j u r i s d i c t i o n i a c s t a t u i m i l i t a r i c e d a n t, ac proinde illa ex jurisdictione, in qua actu sunt, provinciali, ad militarem jurisdictionem applicentur. Caeterum autem, siquidem pariter in partibus transcollapianis, ad constitutivum comitatus Szeverinensis designatus, ac finem in eum per comitatum zagrabiensem resignandis, inclavationes militares praeexistant, ad has etiam, in quantum partem jurisdictionis provincialis respicerent, ac ob hanc ipsam causam recidere deberent, ex integro tollendas, res pravie per localem commissionem, exmittendos quippe comissarios, uberius investigetur et cognitione earum obtenta, modus accomodatus earum intuitu, occasione eadem proponatur. Quod vero modalitatem effectuandae omnis hujus benignae resolutionis attinet: p r a e i n d i c a t i p o r t u s B u c c a r i, B u c c a r i z a e t P o r t o - R e e, n e c n o n b o n a B u c c a r a n a c o m m e r c i a l i a p e r s t a t u m m i l i t a r e m, i n q u a n t u m i n h o r u m p o s s e s s o r i o a c t u c o n s t i t u e r e n t u r, mox et citra dilationem, atque adeo primum et ante omnia, j u r i s d i c t i o n i p r o v i n c i a l i, ac in specie g u b e r n a t o r i n o s t r o F l u m i n e n s i, qua simul c o m m i s s a r i o n o s t r o p o l i t i c o e t c a m e r a l i, resignentur, intermedio a u t e m t e m p o r e, quoad nimirum militaris status aequivalens suum obtineat, huic decedentes annui proventus ex aerario camerali bonificentur, pariter dein ad resignationem et receptionem c i v i t a t i s e t p o n t i s C a r l o s t a d i e n s i s, excisionemque pomoerij ibidem ad fortalitium pro usibus militaribus necessarii, mox procedatur, atque sic domum, postquam status militaris praedesignatos portus et bona civitatemque Carolstadiensem et pontem resignaverit, attunc e vestigio, quorumvis districtuum et corporum in et excorporari intentorum in concursu respectivarum jurisdictionum deputatorum, item ex congregatione hac regni exmittendorum, suscipiendae conscriptioni et aestimationi, juxta rubricas eatenus via camerae nostrae regiae Hungarico-aulicae indicandas, ac respective illis, quae tempore postremae excorporationis observabantur, accommodandas, manus eo modo admoveatur, ut initio commissario nostro politico-camerali opus illud manuducere debente, idem conscriptionis et aestimationis labor, expost per subdelegatos commissarios, in finem accelerationis ad duas distinctas partes continuentur, quo sic postea finalis tractatus, de qualiter obtinendo proprietariorum bona sua excorporanda dimittentium aequivalenti, nec non in specifico etiam quoad reluitiones ac redemptiones determinandas, in mutua respectivorum nostrorum dicasteriorum aulicorum concertatione assumi, discuti et benigno nostro determinio substerni valeant.

In cohaerentia autem horum urbarialia telonia in S. Cosmo et Fusine in priori systemate praeexistentia mox cessent, in Buccari autem ex officio tellonii urbarialis fiat finitima statio tricesimalis, Flumine porro officium, quod praeexistit, bancale (manipulatione ejus respectu mercium et productorum, in et ex Hungaria venientium, cessatura), manipulationem etiam tricesimae hungaricae habeat, et quidem usque dum nova tariffa vectigalis hungarici elaboretur, veteri vectigali accommodandam, Carlostadii demum tricesima capitalis in forma duntaxat depositoriali seu Legstatt permaneat. Non absimiliter benigne nobis visum est, respectu e t i a m c o n s t i t u t i v i, s t a t u s i t e m p e r s o n a l i s e t s a l a r i a l i s c o m i t a t u s S z e v e r i n e n s i s id clementer resolvere: ut status quidem salarialis, ac etiam pro prima hac vice personalis officialium, in hoc comitatu ille, qui Majestati nostrae per gubernatorem Fluminensem, qua una nunc dicti comitatus supremum comitem, et alioquin ad actum etiam hunc efformationis et instaurationis comitatus istius provinciam habentem, demisse propositus est, stabiliatur; *pro ipso autem comitatus constitutivo habeantur et sint; urbs et portus Fluminensis cum Podbrey et Lopacza, cum aliis item tribus portubus Buccari, Buccaricza et Porto-ree,* nec non sex castellanatus dominii Buccarensis, et dominium ita dictum colloniale, dominia ad haec Brod et Grobnik Battyaniana, uti et dominium montanum Chabar camerale; juxta haec porro partes etiam, quae modo trans-collapianae audiunt, utpote bona dominii Szeverin, cum dominiis Boszilyevo, Ozaill, Ribnik, Berlog et Novigrad; ac demum ipsa etiam civitas Carlostadiensis, velut per statum militarem statui provinciali praeallegato modo resignanda, ac in liberam et regiam civitatem evehenda; prouti etiam, quod rementionatas partes transcollapianas concerneret, ad harum pro Comitatu Szeverinensi receptionem perinde Gubernarnator noster Fluminensis, qua ejusdem comitatus supremus comes, et ad actum quoque hunc commissarius noster regius, ac ad earum resignationem comitatus Zagrabiensis, benignis nostris ordinibus inviati instructique sunt, ea quidem ratione, ut partes hae inde a 1ma novembris anni labentis Quottam contributionalem jam ad cassam comitatus Szeverinensis dependere debeant.

Atque in his ipsis fideles regnorum istorum status et ordines et rationem benignae nostrae resolutionis satis intelligent, et peculiarem nostram maternam solicitudinem pro incremento boni publici defixam, distinctum regium nostrum favorem grati agnoscent. Cum autem ad effectum benigni hujus propositi illud necesse esse suapte intelligatur, ut praementionata accurata conscriptio et justa aestimatio quorumvis districtuum et corporum in-et excorporandorum ratione atque modalitate in praemissis declarata suscipiatur, atque ideo benigne nobis visum fuerit, pro executione propositi hujus, fine nempe pradesignatae in-et excorporationis, atque scopo instituendarum conscriptionum et aestimationum a parte respectivarum jurisdictionum commissarios, tum juxta immediate praemmissa, cum vero omni, quo meliore facilitandae manipulationis ratione instructos, et quidem ex parte politico-camerali gubernatorem Fluminensem Josephum Mailáth, huicque adjunctum ex parte politica Nicolaum Skerlecz, Consilii nostri regii croatici consiliarum, ex parte vero militari et quidem generalatus Carlostadiensis generalem a Posee, generalatus autem banalis ibidem constitutum brigaderium generalem exmittere, fideles adeo regnorum istorum status et ordines, fine quo effectuandis benignis his intentionibus nostris pariter per deputatos suos intervenire, eosdemque cum commissariis nostris cooperaturos denominare et exmittere valeant, in unum congregandos, una clementer jubere.

Eaproptor quemadmodum pro eo, ac in his explicita benigna mens atque resolutio nostra regia nonnisi circa optatum boni publici vehiculum et quaesitam diu pro utili et commodo regnicolarum accessionem versatur, ipsos proinde regnorum istorum status et ordines voti compotes reddit, nullae dubitamus, quin firma spe teneamur, fore ut idem status et ordines in summa animorum gratitudine suscipiant agnoscantque regiae nostrae atque maternae benignitatis documentum isthoc, ita una ne quid favorabilis hujus benignae resolutionis nostrae effectum morari possit, signanter ne exmissi commissarij regii expectare debeant, fidelibus regnorum istorum statibus et ordinibus benignam mentem, et voluntatem nostram regiam in eo pariter clementer intimandam injungendamque duximus: ut duos omnino deputatos suos ad executivam omnis istius benigne suscepti in-et excorporationis propositi operationem, ac proinde qui scopum hunc praeparare debet, conscriptionum ac aestimationum laborem, pro termino, per commissarios nostros regios tempestive indicando, ac in iis, quae ad facilitandum scopum conferre posse viderentur, sufficienter, atque benignae intentioni nostrae consona ratione inviandos indubitanter exmittere non intermitant iidem regnorum istorum fideles status et ordines. Quibus in reliquo gratia et clementia nostra caesareo-regia benigne jugiterque propensae manemus. Datum in archiducali civitate nostra Vienna Austriae die 5-ta Mensis Septembris, anno domini 1777.

Maria Theresia m. p. Comes Franciscus Eszterházy m. p. Josephus Jablanczy m. p.

24.

Magnifice!

Qualemnam benignam resolutionem sua Majestas ssma *in ordine ad partes maritimas immediate regno Croatiae reincorporandas, indeque novum cottum Severinensem efformandum ac erigendum,* concomitantiaque objecta, clementer impertiri dignata sit? ex adjacente copia benigni rescripti sub 5. deflui mensis ad consilium hocce regium emanati uberius intellectura est magnifica et spectabilis D. vestra. Cujusmodi benigna resolutio, velut dno gubernatori Fluminensi, et cottus Severinensis Supremo comiti jam intimata, et in ejus conformitate cottus quoque Zagrabiensis debite inviatus est: ita etiam regium istud Consilium benignam hanc resolutionem mgfcae. ac spbli. D. vestrae intimandam habet, ut eandem ad effectum dirigere, deque hoc qualiter procurato regio huicce consilio relationem facere velit. Dat. ex consilio die 25. septembris 1777. Zsombor m. p.

Commissario politico Nicolao Skerlecz.

25.

Repraesentatio SS. et OO. regni Croatiae de partibus maritimis Gubernatori Fluminensi non subjiciendis, de regulatione novi Severinensis comitatus et omnibus usque ad generalia regni Hungariae comitia sistendis.

Sacratissima caesareo-regia apostolica Majestas! Domina clementissima, benignissima! Benignum majestatis vestrae sacratissimae ddto. Viennae Austriae sub 6. mensis septembris anni currentis sub marginali 4527. numero ad nos emanatum rescriptum in homagiali devotione suscepimus, una quantis curis et regia sollicitudine reliquas suas regales curas inter in commoda regni hujus promovenda, inque feliciorem et florentiorem statum ponenda commercia feratur Majestas vestra sacratissima, venerabundi perspicimus, potissimum dum iam in effectum horum objecta commercialia, quae commerciali aulico consilio hactenus substrata, ex ejusdem benigni rescripti tenoribus intelligimus ad respectiva politica provincialia et aulica dicasteria esse translata; immo pro Sua materna in publica regni Hungariae et partium eidem adnexarum commoda incrementumque hactenus etiam praehabiti in his commercii majestatem vestram sacratissimam benigne resolvisse: *ut urbs et portus Fluminensis, nec non bona Buccarensia simul cum civitate Carlostadiensi, in liberam et regiam civitatem evehenda, immediate regno huic Croatiae incorporentur: ex taliter porro neoincorporandis partibus novus comitatus errigatur, in omnibus ad normam aliorum regni comitatuum* (iis solum, quae guberniali Fluminensi directioni reservata sunt, exceptis) *regio in regnis his errecto consilio subordinandus.*

Legalem hanc et vere maternam maiestatis vestrae Sacratissimae *providentiam, velut caeteroquin ad effectum regni legum circa eorum, quae ad sacram regni Hungariae coronam jurare regni pertinent, reincorporanda legibus regni constituta sunt cum effectu benigne et materne praesusceptam de genu humillime veneramur, et Majestati vestrae sacratissimae dominae nostrae clementissimae immortales et in animis nostris nunquam intermorituras humilli-*

mas agimus gratias, devotis animis et homagialibus votis nostris id exoptantes: ut altissime intenta susceptaque commercii promotio, ex parte quoque nostra pro omni virium possibilitate homagialiter secundanda, effectus quam optatissimos producat; firmissima in reliquo spe tenemur, quod Majestas Vestra sacratissima pro tenore regni legum ab omnibus illegabilibus exactionibus regnicolas in antelatis comerciorum locis immunes conservari facere clementissime dignabitur.

Verum quia parte ab una praenotatae maritimae partes, *bona quippe marittima Frangepano-Zrinyana,* jam in exordio hic; ut primum videlicet in successionem et regni majestis vestrae sacratissimae fisci manus devoluta erant, per articulum 71. 1681., tractu vero temporis per 44. 1715., 94. 1723, ac 52. 1741. articulares diaetales conclusiones, communibus legibus et regni jurisdictioni subjecta, nunc, *dum regno incorporantur,* maxima sui in parte ab ipsa regni et legum jurisdictione abstrahi et privative cuipiam guberniali Fluminensi directioni reservari ac subjici; parte vero ab altera *horum intuitu, regno incorporatorum,* aequivalens ex altera actuali regni jurisdictione a nobis praestandum ex tenoribus ejusdem benigni rescripti intelligimus: non possumus conceptum exinde animi sensum non explicare; ac intuitu quidem legibus regni et diplomaticis assecurationibus, in articulis etiam 3. 1715. et 8. 1743. palam expressis, praecautae immo nobis ignotae gubernalis administrationis occurreret illud, quod partes et districtus ad sacram regni Hungariae coronam, adeoque jura regni spectantes, et quocunque tempore incorporandae, non ad normam aliarum provinciarum, sed propriis ipsius regni Hungariae diaetaliter conclusis legibus subsint et gubernandae veniant, *dum ad effectum conditarum eatenus legum regno et ejus jurisdictioni reapplicantur*, nulla in iis gubernatoris Fluminensis, velut caeteroquin ab universali regni legum systemate separata et tergestini gubernatoris activitati conformata, jurisdictio et administratio seu etiam dependentia sustineri possit; tanto quidem evidentius, quod administratio seu etiam dependentia jurisdictioque talis gubernialis, communi cum majestate vestra sacratissima statuum et ordinum regni Hungariae consensu, adeoque diaetali constitutione introducta stabilitaque non sit. Qua de causa etiam majestatem vestram sacratissimam de genu humillimis precibus exoramus, *ut neoincorporatae partes, velut ad sacram regni coronam et regni jura pertinentes, non guberniali Fluminensi aut alteri cuicunque directioni, sed ordinariae, in sensu et intellectu legum, regni administrationi subjaceant, subordinenturque; compellatio porro earundem maritimarum partium sub nomine districtus Fluminensis recens introducta, pari ratione ac littoralis austriaci nomenclatio articulo 30. 1765. Diaetae praecauta, juribus et jurisdictioni regni non praejudicet.* Novi itaque comitatus sub nomine Szeverinensis erectionem quod attinet: non diffitemur equidem in ultimis regni Hungariae comitiis fuisse nostrum demissum postulatum, ut cum officiolatus in partibus illis, bonis et populo praefectus, in apertum conditarum regni legum vilipendium et benignarum majestatis vestrae sacratissimae etiam resolutionum subterfugium, regni authoritatem, justitiaeque juribus regni conformis administrationem reniteuter subterfugiebat, in et ex iisdem maritimis partibus, quae, ut praemissum est, regni et comitatus Zagrabiensis jurisdictionem, tametsi eidem supra insinuatis legibus immo et benignis majestatis Vestrae sacratissimae rescriptis mandatisque subordinabantur ac in specificis casibus etiam suberant — utpote in gremio eorum judex nobilium partium maritimarum dictus et per nos nominatus semper existebat et hodie etiam Georgius Ivanchich existeret; tyrones in altissimi majestatis vestrae sacratissimae servitii promotionem pro quotta sua impositos in gremium comitatus Zagrabiensis praestabant; ita et banderiatos extra patriam in servitia regia majestatis vestrae sacratissimae expediebant; in gremium nostri ad congregationes regni vocati comparebant et conclusa se concernentia exequebantur; denique per nos conscripti, ejectatam per nos contributionem pro quotta sibi comensurata, supportabant, adeoque nos in eos jurisdictionis effectus exercuimus, — *sub nomine Vinodolensis comitatus erigatur*, eidemque cum legali activitate regni legibus conformata supremus comes cum reliquo magistratu praeficiatur. *Nunquam vero postulatum nostrum eo se extendebat, ut pars maritimorum Frangepano-Zrinyanorum bonorum guberniali cuipiam directioni et legibus regni praecautae administrationi subjiciatur*, pars vero major de comitatus zagrabiensis actuali, indubitata et saeculis perdurante jurisdictione, sine regni Hungariae Diaeta evellatur, et comitatui, qui sub nomine hoc nunquam praexstitit, adeoque vel ideo legali comitatus Zagrabiensis aviae jurisdictioni praejudicare non potest, adjiciatur. Consequenter, *si etiam ex incorporandis maritimis partibus et veteris Vinodolensis comitatus pertinentiis comitatus jure postliminii, ad normam aliorum regni Hungariae comitatuum cum* omnibus juribus, praerogativis, adeoque plena legali activitate, supremi comitis directioni, pro desiderio et demisso postulato nostro in generalibus regni comitiis posito, *diaetaliter efformatus fuisset, propterea tamen mixtae, partim supremi comitis, partim gubernatoris Fluminensis directioni credi et per id a systemali regni Hungariae manipulatione abstrahi tanto minus potuisset*, quod parte ab una in legum et jurium regni Hungariae convulsionem, parte ab altera in privatorum regnicolarum jurium insecuritatem involutionemque, ipsius autem comitatus Zagrabiensis, diaetalibus regni legibus firmati, et cui per articuli 57. 1647. diaetalem provisionem in justitiae administratione subjectus est, praejudicium et diminutionem absque diaetali determinatione tenderet et erigeretur. Qui si ex totalibus maritimis partibus, sub nomine Frangepano - Zrinyanorum Fiscalium bonorum venientibus, pertinentiis item Vinodolensis districtus, cum diaetali concursu efformatus fuisset, relate ad complures regni Hungariae comitatus congruam et justam omnino comitatus unius extensionem sortiretur. Interim cum comitatus idem in generalibus regni comitiis, in quibus de quibusvis occurribilibus circumstantiis SS. et OO. regni audiri potuissent, errectus et legali sua activitate donatus non sit: Majestati Vestrae sacratissimae supplicamus, dignetur benigne in eo acquiescere, ut circa ejusdem errectionem, nomenclationem, extensionem item et futuram subsistentiam in iisdem generalibus regni comitiis legali cum effectu constituatur, interea vero regni et sacrae coronae ita et comitatus Zagrabiensis, qui non tantum maritimarum partium, vigore articuli etiam 57. 1647. sibi ingremiatarum, per benignam resolutionem incorporationem et reapplicationem non obtinet, verum etiam de reliqua indubitata sua jurisdictione, totum transcolapianum in se vastiorem processum seu districtum et quoad justitiae administrationem et deportandae contributionis commoditatem securitatemque, cum hyeme et vere rigor hyemis ac nivium extraordinaria copia, aestate vero latronum viarumque insidiatorum grassatio Flumen et Buccarim transitum et communicationem impediant Zagrabiae commodiorem et nexum habentem, amittere deberet, quoad eandem, avelli praeconceptam actualis ejusdem possessorii partem, jurisdictio et ejus effectus in salvo conserventur.

In ordine porro ad benigne nobis intimatam *excorporationem, quae partim in cambium regno incorporandorum* et per statum militarem cedendorum, partim vero ex ratione subversantis cujuspiam inclavationis, erga aulae bellici consilii projectum tam ampla nobis proponitur, ut politicam regni, quae jam attrita exhaustaque est, jurisdictionem sensibiliter et extreme coarctet: dolorem, quem inde privati aeque ac publicum concepimus, non possumus coram Majestate Vestra sacratissima non exponere. Dolorem auget hunc nova circumstantia, parte ab una per militarem statum Banalium confiniorum facti via etiam partis bonorum Topolovecz sub nomine possessionis Szunye excorporai projectatae, per colonellum a Bottichky attentata occupatio et proprietarii comitis Keglevich in juribus suis turbatio, parte ab altera comitatus quippe ita dicti Szeverinensis ante resignationem etiam partium ad indubitatem Zagrabiensis comitatus, perdurante hac generali regni congregatione, in 10. mensis Novembris congregatione praefixa. *Si tamen incunabula nostra ac statum et sortem praesentem nostram repetamus, videmus et vere cum dolore reminiscimur bonorum et facultatum amplissimam partem per inimicum, qui in hoc aperto bellorum theatro nos, antemurale regni, incursionibus et rapinis semper infestabat occupatam et dirreptum, aliam in captivitatum redemptionem et lytrorum* exolutionem cum extrema posterorum nostrorum ruina conversam, supremam eamque maximam *pro fundandis binis generalatibus, Carlostadiensi uno et Varasdinensi altero, dupplicatis item amplis Sclavonicis et Banalibus Confiniis, adeoque in tutamen et defensionem regni et sacrae coronae, immo aliarum etiam Majestatis vestrae sacratissimae haereditariarum provinciarum, per nos majoresque nostros jam abunde esse sacrificatam, ita quidem, ut exinde nullum propterea aequivalens praestitum sit;* recenter etiam in annis 1767, et 1768., occasione localis aulicae commissionis, quae ad effectum regni legum ad accomodandas differentias inter militarem et provincialem statum vigentes et quaerimonias accomodandas operata est, sub titulo stabilis et perpetuae lineae tam ad Carlostadiensem generalatum, quam alterum Varasdinensem, undique provinciali jurisdictione cinctum, qui caeteroquin personali servientium et terreno amplo, supra videlicet competentiam servitii amplius ac in triginta sex mille jugeribus supernatante, abundat, cum factis de non secuturis amplius excorporationibus interpositis cautellis, de politica jurisdictione sensibilem partem sub eodem lineae stabilis ductus titulo amissimus, *ut adeo, quid sola haec exigua provincia in obsequium Majestatis vestrae sacratissimae amplius sacrificare debeat aut possit, non inveniamus*, potissimum autem, quod projectata haec per aulae bellicum consilium excorporatio, si etiam a juribus regni et sacrae coronae avulsionem non induceret, quam evidenter inducit systema illius, pariter excorporari projectatorum amplissimorum districtuum provinciali jurisdictioni pro futuro etiam praejudiciosa sit. Clementissima domina! *tot et tantae, ac tam amplae frequentesque excorporationes, quae totam hanc provinciam* in se exiguam, semper tamen fidelem, et quae totum ferme, quod habuit in publici, sacrae quippe regni Hungariae coronae et haereditariarum provinciarum defensionem, adeoque in obsequium et servitium altissimum summorum terrae principum semper sacrificavit et impendit, *tangunt, adeo sensibiles sunt nobis, ut nisi de clementia et benignitate regiae Majestatis vestrae* sacratissimae, pro tenore etiam benignarum assecurationum et diplomatum, *modus et finis tandem iisdem imponatur* et haec, quae in projecto est, ac futurae omnes praecaveantur, *omnis politica regni hujus jurisdictio suapte cessare et expirare deberet, quod tamen ipsius monarchiae ratio non admitteret.* Quantum itaque cambium pro maritimis partibus in recompensationem dandum concernit, dignetur Majestas vestra sacratissima in benignam reflexionem summere, *quod per maritimarum partium,* quae in articulo 71. 1681. et subsequis in rem hanc conditis legibus bona Frangepano-Zrinyana maritima et trans-colapiana audiunt, *regno reapplicationem, nil novi accedat aut adjiciatur, sed unice legum effectus per divos Hungariae reges praedecessores et Majestatem quoque Vestram sacratissimam promissus procuretur* et exercitium jurisdictionis, officialatus maritimi renitentia impeditum, restituatur; consequenter hujus intuitu aliquod aequivalens a regno praetendi haud possit, tanto quidem evidentius, quod omnis ejusmodi excorporatio sit et redoleat a regno et sacra corona jurisdictionis alienationem; haec autem 21. 1647., 3. 1715. et 8. 1741. articulis adeo praecauta est, ut nos, facto nostro potissimum, extra generalia regni Hungariae comitia eam absolute ingredi non possimus eo evidentius, quod accasione illius, in anno 1768. ad Carlostadium factae excorporationis, regnicolae spe omni ullo unquam tempore ad bona etiam solido radicali et donationali jure possessa et militari cessa, redditus privati sint, dum fassione solemni mediante jura sua cessare debebant.

Et sane si hoc excorporationis tam amplae projectum in effectum deduci deberet vel posset, quid aliud previdere est, quam novum militarem et politicam regni jurisdictionem statumque inter odiorum, dissensionum et differentiarum fomitem excitatum iri. Civitas namque Carlostadiensis (arce cum pomoerio statui militari remansura) in liberam et regiam cavitatem evehenda regno incorporanda benigne insinuatur, cum tamen secundum sui naturalem situm, quia videlicet ab oriente, meridie et occidente semper militari jurisdictione cincta esset, et ultro per pomoerii excisionem etiam ex septemtrionali parte cingetur, si pomoerium vel in minima parte pro statu et jurisdictione militari excindatur, nullum suburbium immo ne quidem liberam viam aut pro foro quotidiano aliquod spatium reservatura sit, consequenter ad statum tantae constrictionis ponetur, ut nec commercio, nec liberarum et regiarum civitatum sistemali administrationi deservire poterit, quae caeteroquin si a jurisdictione militari eximatur et ad statum liberae et regiae civitatis collocetur, comitatui Zagrabiensi, in gremio cujus sita est, quoad politicam jurisdictionem subjici et ingremiari incorporarique posset. Ita et bona excorporari projectata, ideo pro inclavatis declarata, quod Militari adjaceant, Szteņichnyak, Claustri Paulinorum Kamensko, nec non sua serie recensita episcopatus et praepositurae capitulique Zagrabiensis, ita rippae colapianae adsita sunt, ut in sinistra jam ab olim turbulentis illis irruptionum hostilium temporibus propter personarum et facultatum securitatem, partim etiam propter aquarum inundationes habitationum loca in altera seu dextra rippa maxima in parte ad subsistentiam populi necessaria arabilia et falcabilia terrena, immo ipsae sylvae et pascua jaceant; insuper vero generice bona episcopatus et praepositurae Zagrabiensis in specifico vero capituli Zagrabiensis, Sziszekiensi excorporationi per projectum subjiciuntur: constat autem et palam certum est, episcopatum ultra et praeter Hrastovicensem praeposituram, bona in utraque rippa Colapiana possidere, denique arcem Sziszek cum totali bonorum eo nomine vocatorum corpore (solis binis, Komarovecz et Blinya, possessionibus ac sylvis, ad caput bonorum pertinentibus et in dextra rippa situatis, exceptis) in ripa omnino sinistra jacere et latius Savum ac Odram versus in regni jurisdictionem nulli clavationi obnoxiam protendi. Unde quid aliud expectandum venit, quam, quodsi ita in genere antelata episcopatus, praepositurae et capituli aliarumque complurium familiarum bene meritarum jura et bona ampliora ideo, quia militari adjacent, per projectum aulae bellici consilii regno caeteroquin inaudito et in partem pertractationis nunquam vocato involvi, quae non inclavata, sed contigue adjacentia sint, imo ipsa militaria loca nonnulla magis provinciali inclavarentur, et tamen propterea titulum aquisitionis ut uni ita alteri statui non praeberet declarari et denique excorporationi lege vetitae subjici possent, majores limitum et jurisdictionum ac unquam erant confusiones differentiasque seqni et tardem hoc titulo nunquam cessaturas excorporationes ad nova projecta deventuras esse, quod utique a pientissima majestatis vestrae sacratissimae mente alienum esse firmiter speramus.

Ipsa porro excorporatio, si etiam ex ratione status et in monarchiae conservationem inevitabilem fieri deberet, quae, ut projectata est, tanti momenti est, ut comitatus Zagrabiensis actualis jurisdictionis et possessorii facile quartam partem superet, in sensu sistemalium regni legum extra generalia regni Hungariae comitia institui; nos enim partem saltem sacrae coronae constituimus et in praejudicium ejusdem sacrae coronae ac regni Hungariae nil agere possumus.

Proinde majestati vestrae sacratissimae praemissa rationum momenta, omni hic in parte candide et sincere exposita, de genu humillime substernimus supplicantes, ut iis in benignam reflexionem demptis tam novi comitatus Szeverinensis errectionem et instaurationem, quam omnem ad statum militarem quocunque sub titulo provincialis politicae jurisdictionis excorporationem clementer antevertere, et si quid utrisque his in meritis agendum esset, ad futura generalia regni Hungariae comitia benigne relegare, rebusque in statu quo conservatis reservare dignetur majestas vestra sacratissima. In reliquo vero in obsequium et altissimum majestatis vestrae sacratissimae servitium vitam et sanguinem consecrantes emorimur majestatis vestrae sacratissimae. Dabantur ex generali nostra pro 27. et sequentibus Octobris mensis Zagrabiae celebrata congregatione. Humillimi perpetuoque fideles subditi N. N. regnorum Dalmatiae, Croatiae et Sclavoniae Status et Ordines.

A tergo: Humillima statuum et ordinum regnorum Dalmatiae, Croatiae, et Sclavoniae in merito erectionis novi Szeverinensis comitatus et ad statum militarem desideratae excorporationis repraesentatio. — Prima DD. SS. et OO. regni ad benignam regiam resolutionem e generali pro 27. Octobris 1777. considente congregatione.

26.

Maria Theresia ordinationibus suis de partium maritimarum reincorporatione, de inducendo commerciali systemate, deque praestando statui militari aequivalente porro quoque insistit.

Maria Theresia dei gratia Romanorum imperatrix vidua, Hungariae, Bohemiae, Dalmatiae, Croatiae, Sclavoniaeque etc. regina apostolica, archi-dux Austriae. etc., Reverendi, honorabiles, spectabiles, magnifici, magnifici item egregii et nobiles, nec non prudentes ac circumspecti, fideles nobis dilecti. Demisse relata sunt nobis ea, quae fideles regnorum istorum status et ordines quoad benigne *resolutam partium maritimarum reincorporationem*, stabilimentum item pro publico regni Hungariae et partium ei adnexarum bono in portubus Fluminensi, Buccariczensi et Porto-ree commercialis systematis, nec non hoc titulo statui militari per suscipiendam excorporationem praestandum aequivalens ex generali sua congregatione Zagrabiae celebrata sub 27. mensis proxime praeteriti humillime repraesentarunt.

Atque haec quidem eo minus fuerant nobis expectata, quo magis in apertam lucem collocaveramus, in omni hac benigna nostra resolutione materno-regiam intentionem nostram pro incremento boni publici, atque in favorem regni Hungariae partiumque ei annexarum directam esse, et quo certum est, reflexiones per regnorum istorum status et ordines in medium adductas in accuratiori examine non aliter quam benignarum intentionum nostrarum remorativas, eoque colimantes considerari posse; quippe quod fidelibus regnorum istorum statibus ex ipso tenore benigni nostri rescripti, ad se sub 5. septembris ultimo praeteriti expediti, constare debeat, alioquin in hocce systematis commercialis stabilimento per expressam benignam nostram resolutionem sublata esse illa etiam, quae hactenus legaliter in commerciali hoc districtu viguissent telonia, adeoque metum illum, ut regnicolae in locis commerciorum illegalibus exactionibus aggraventur haud subesse; ita etiam siquidem benignum idem rescriptum expressim innuat, objectorum commercialium pertractationem ad respectiva politica, provincalia et aulica dicasteria recidisse, ex omnibus praeterea nunc reincorporandis novum comitatum efformandum et regio nostro in regnis his consilio subordinandum fore, in hoc ipso satis intelligi potuerit, possitque, neo-incorporatas has partes ordinariae in sensu et intellectu legum regni administrationi subjectas subordinatasque esse.

Illud porro non possunt congrue non intelligere fideles regnorum istorum status et ordines, immediatam in ipso proximo et stricto rei commercialis objecto manipulationem, in quantum nimirum objecta eiusmodi nec plurium manus, nec moram (quam correspondentiae praesupponunt) patiuntur, ast instantaneam aut decisionem aut inviationem exigunt, alicui deferri, concredi, reservarique debuisse; illud autem, num individuum tale sub nomine Gubernatoris aut alio praeficiatur, vel vero num Gubernator Fluminensis, aut Gubernator totius littoralis miritimi Hungarici audire debeat, meritoriam reflexionem (ne de nomine lis sit) haud subire; quod vero idem Gubernator cum pari ac tergestiensis activitate constitutus esse tenore benigni nostri rescripti perhibeatur, in hoc favorem potius illum, quod ei haud minorem activitatem et convenientiam pro ipso etiam gentis decore benigne attribuerimus, cum gratitudine agnoscendum esse.

Sed etiam quod attinet erectionem et nominationem comitatus Szeverinensis: materno-regiam hanc provisionem votis et petitioni suae diaetaliter propositae in ipso merito (nisi passu etiam in hoc de nomine litem esse conveniat) conformem esse, ipsi, meminerunt agnoscuntque fideles regnorum istorum status et ordines, ac hoc etiam argumento positivae voluntatis nostrae effectum ne momento morari, atque resignationem designatarum Zagrabiensis comitatus partium differi patientur.

Excorporationem porro statui militari et quidem intuitu bonorum episcopatus trans Collapim intra et ad banale confinium designatam, quae alioquin nullo privatorum damno aut praejudicio futura est, tam fundamento justi et aequi spectato, quae vicissim jurisdictioni regni et statui politico provinciali fit accessione, quam vero ex subversante altissimi servitii nostri ratione, ob systematicum nempe militaris jurisdictionis atque manipulationis nexum ac opportunam communicationem, ac etiam necessitati nobis quam optime notae et per nos jure metiendae, ut certum et stabile infallibileque remedium ponatur, prout hocce in praecitato benigno nostro rescripto indicabatur, inevitabilem esse. Eius autem intuitu, si nempe civitas Carlostadiensis per excissionem pomaerii pro statu militari ad statum tantae constrictionis poni deberet, ut nec commercio, nec liberarum et regiarum civitatum systemati administrationi deservire possit, ubi eatenus nobis per exmissos commissarios specificum secundum adjuncta et locales circumstantias remonstratum fuerit, ulteriorem benignam impertiemur resolutionem, atque simul commercio, quod nobis ex ratione felicitatis populi cumprimis cordi est, prospiciemus.

Provocationem demum statuum et ordinum ad regni Hungariae diaetam quod attinet: Nos plane persvasas esse, ipsos status et ordines regni nostri Hungariae non modo cum jubilo aquieturos omni huic materno-regiae ad publica commoda directae provisioni, verum etiam in animorum debita gratitudine *inarticulationem sollicitaturos; adeoque in omni hoc negotio non aliud reliquum esse, quam ut fideles sitorum in regnis his comitatuum in unum congregati status,* ad effectum in aperto positarum benignarum nostrarum intentionum agendo et cooperando, tacita ipsorum regni Hungariae statuum et ordinum vota expleant et aemula virtute adimpleant, eaque ratione materno-regiam sollicitudinem nostram ad complacendum etiam principi suo cum zelo et promptitudine in partem juvent.

In his porro etiam explicata benigna mente nostra eisdem statibus et ordinibus fine, quo effectuandis benignis intentionibus nostris cooperaturos denominare et exmittere valeant, in unum congregatis porro etiam clementer duximus rescribendum, ut deputatos suos ad executionem omnis istius benigne suscepti in-et ex-corporationis propositi, ac proinde qui ad scopum hunc praeparare debent conscriptionum et aestimationum laborem, praescripta modalitate instruendos mox et inomisse ac citra ulteriora expectanda exmittere noverint, quo sic commissarii nostri parte ex politica, camerali et militari in promptu existentes, sine temporis atque aliorum concomitantium jactura indilate mutuis potius operationibus rem occipere, ac dein comitatuum ad hanc congregationem deputati, quando alioquin hac anni parte in ipso comitatuum gremio plurima agenda occurrant, reverti valeant. In reliquo eisdem statibus et ordinibus gratia et clementia nostra caesareo-regia benigne, jugiterque propensae manemus. Datum in archi-ducali civitate nostra Vienna Austriae die decima mensis Novembris anno domini millesimo septuagesimo septimo. Maria Theresia m. p. Comes Franciscus Eszterházy m. p. Antonius Klobusiczky m. p.

27.

Flumine S. Viti die 4 Novembris 1777 in sala palatii urbis, congregato more solito ad sonum campanae minori maiorique consilio, cui interfuere nobiles domini consiliarii ad nrum 24 computata persona excellmi ac illmi d. gubernatoris et capitanei civitatis. Insinuò il nobile spettabile sign. giudice rettor della magnifica communità di essersi radunato l' odierno consiglio per trattare diverse interessanti materie: (Caeteris ommissis).

4. Un grazioso decreto dell' eccelso regio governo di questa città inesivo a clementissima sovrana normale risoluzione emmanata sub 4458 circa la direzione politica, economica, e giustiziale delle cose civiche in questi precisi termini (Ommisso tenore benigni gubernialis decreti diei 27 mae Octobris 1777).

In sequela del citato rispettabil decreto de' 27 Octobre 1777 furono conchiuse le sequenti provvidenze:

a) Doversi avanzare *all' eccelso regio consiglio ne' regni di roazia, Dalmazia* etc. l' informazione in nome del capitaniato civile di questa città che la Sovrana Normale, concernente la direzione politica, economica etc. sia stata formalmente intimata al consiglio pubblico, *e che sua Eccelenza l' Illustrissimo signor Governatore nel carattere di capitanio civile raccommandava se medesimo e tutto il magnifico publico alla grazia e patrocinio del pretitolato regio Croatico consiglio.*

b) La giudicatura delle cause accennate dalla statutaria rubrica competerà in prima instanza alli nobili spetabili sigri giudici rettori.

c) L' Illustrissimo sigr Vice-governatore e Vice-capitanio si darà la pena d' istruire tanto li sigri giudici quanto gli avvocati intorno al modo di trattare le cause secondo lo stile ungarico.

d) Gli atti delli processi non eccedenti la concorrenza di fiorini mille potranno compillarsi nel corrente linguaggio italiano; all' incontro si trattaranno in lingua latina quelle cause che oltrepassano la summa di mille fiorini.

e) Le sessioni della prima instanza si terranno nella superior sala del publico palazzo, giacché nell' antica sala inferiore li sigri giudici per la ristettezza del luogo e per mancanza di altra stanza di ritiro eran' obbligati a framischiarsi contr' ogni buon ordine con gli avvocati, nunci e parti, e della diversità degli oggetti venivano frastorni nelle loro giudiciali operazioni.

f) Restano nell' antico lor sistema le cause spettanti al rispettabilissimo giudizio di sua Eccellenza l' illustrissimo sigr. capitanio civile eccettuate *però quelle che riguardano li nobili del regno ungarico e sono riservate in virtù di personale privilegio alla giurisdizione dell' inclita contea di Szeverino.*

g) Si consegneranno alli nobbili spettabili sigr. giudici rettori, alcune cause che pendevano indecise nel giudizio delegato in causis personalibus regiorum consiliariorum et officialum e nel consesso in causis summi Principis et commissorum, onde li detti sigri giudici le definiscano con loro sentenza.

h) Le sportole, e tasse del giudizio civico si esigeranno ed incasseranno dal 1mo corrente per conto e benefizio della publica cassa a riserva di quelle delli nuncii, che rimangono in statu quo, sino ad ulterior benigna disposizione dell eccelsa superiorità. E per stabilire un' ordine più equo e più conforme all' ugarico sistema nell' esazione e respettiva corrisponsione delle motivate tasse *si supplicarà con distinta rimostranza l' eccelso regio consiglio Croatico per la communicazione delle giudiciali tasse che si osservano in quell' inclito Regno.*

i) In compenso delle sportole che eran annesse all uffizio delli sigri giudici rettori e che si esigeranno nell avvenire a beneficio della publica cassa fu ad essi sigri i giudici constitnito l' annuo salario di fiorini quattrocento, insino a che si accrescerà il fondo della rammentata publica cassa.

k) Fù abolita per giusti riflessi, e politici motivi quella poca porzione di pesce, che li (tit) sigri capitani civili e giudici pro tempore percepivano dalle tratte e barche pescareccie; e quest'-abollizione si annunciarà con editto da pubblicarsi prout moris per notizia e direzione delli proprietari delle ratte e di tutti li pescatori.

l) Non essendo ancora nata la sovrana clementissima risoluzione sopra informazione, che fu rassegnata in nome publico- *all' eccelsa commissione croatico-ungarica* in proposito del nuovo sistema di questà citta e perchè li nobli sigri Antonio Vito Barcich, e Francesco Vicenzo Rossi Sabatini conservano fresca reminiscenza delle cose esposte nella medesima informazione: si è stimato bene di confermarli per il corso di un altro anno nell' uffizio di giudici rettori lodevolmente esercitato nel primo anno, salvis tamen juribus hujus magnifici publici.

28.

Consilium urbis Fluminensis gratulatur de sui r. consilio croatico subordinatione.

Excelsum consilium regium, domine domini, gratiosissime, colendissimi!

Postquam Sua majestas sacratissima suam circa cursum et manipulationem tam iustitiariorum quam politicorum et oeconomicorum *rei urbanae Fluminensis* objectorum, correspondentiamque hoc titulo occurrentem medio decreti aulici ddto 5ta septembris anni proxime evolventis et nro 4458 via cancellariae regiae hungarico-aulicae ad regium huias gubernium directe inviati, benigissimam normativam resolutionem publico antelatae urbis istius liberae commercialis intimari curare dignata est; ac eadem in pleno consilio suo modo iam publicata extitit: pertinet ad partes obsequiosae illius subordinationis, qua directio politicorum et oeconomicorum relate ad candem urbem excelso regio consilio delata habetur, super praemissa benignissimae normativae resolutionis interventa publicatione demissam relationem facere, *ac una sincerum illud universi publici gaudium in demissione testari, quo de ejusmodi suprema directione excelso consilio regio quoad politica et oeconomica clementissime delata tanto sincerius gratulatur, quo firmissime sibi persuasum habet: se in eodem excelso consilio regio verum patrem et studiosissimum protectorem,* a quo tam in particularis boni sui publici emolumentum, quam relate ad altissimas intentiones salutaris in re commerciali stabilimenti promotionem prosperare possit, nactum esse. In cuius altas gratias et favores idem capitaneatus totumque consilium publicum se fiducialiter devovet.

Et ego in omni venerationis cultu persevero. Datum ex consilio urbis Fluminensis publico die 4ta novembris 1777 celebrato. Excelsi consilii regii in absentia Suae Excellentiae domini gubernatoris humillimus servus Paulus Almasy m. p.

29.

Anni dni 1777 pro 10 et seq. mensis novembris in possessione Merkopail. inclyto neo-instaurando comitatui Szeverinensi ingremiata, sub praesidio exmi et illmi d. Josephi Majláth de Székhely smae c. r. et apost. Majestatis consiliarii intimi, liberi portus et urbis tociusque littoris maritimi Fluminesis et Buccarensis gubernatoris, ac relate ad actum praesentem instaurandi antelati incl. comitatus Szeverinensis clementer constituti commissarii regii, celebratae generalis congregationis acta et articuli.

Articulus I. de instauratione comitatus Szeverinensis, praetitulataeque suae excellentiae per suam Mttem ssmam in supremum eius comitem et moderatorem denominatae iuramenti depositione, aliorumque eiusdem comitatus magistratualium constitutione. (Caeteris ommissis.)

Sua Excellentia d. Josephus Majláth de Székhely . . . . sequenti dd. status et ordines excepit sermone:

Inclyti status et ordines! Cum recogito longam adeo annorum seriem, quae ab extinctis temporum vicissitudine comitatibus Modrussiensi et Vinodolensi evoluta est, abolitos magistratus, interruptam legum observantiam, e converso universorum sacrae regni Hungariae coronae statuum et ordininm vota pro instauratione veteris iurisdictionis saepe numero facta, non possum dubitare inclytos status et ordines ad hodiernae diei festivitatem non solum ardentibus studiis sed etiam maximis cum solatiis convolasse.

Consecuti enim sumus augustissimorum principum nostrorum aequitate et benignitate omnino id. quod exoptaveramus; et mox sentiemus reddi patriae pristinos magistratus, suam magistratibus publicis dignitatem, et legibus auctoritatem, et quo diuturnam orbitatem statim in exordio nova faecunditas abstergeret *comitatum hunc Szeverinensem e cineribus Modrusiensis et Vinodolensis postliminio consurgentem* augusti principes commerciis, quae in late patentes sacrae regni coronae immo totius augustae monarchiae terras propagarentur, instrui et florentem fieri volunt, *atque hinc ultra Buccarim, iteratis regni legibus commendatam, vicinam praeterea Liburniae veteris urbem Fluminensem, maritimis commerciis apprime idoneam cum toto suo territorio cumque insigni portus liberi beneficio provinciae Szeverinensi et finibus regnorum Hungaricorum adjunxerunt.* Sane inter omnes, quos numero vitae meae dies, hunc mihi jucundissimum illuxisse profiteor, quando nuncium tanti solatii ut inclytis statibus et ordinibus immo toti patriae perferem, mihi ab augustissimis principibus nostris, provincia commissarii regii instructo, demandatum fuit.

Gaudeamus incl. status et ordines de tanto beneficio, gaudiique nostri monumenta ad posteros ita propagemus, ne ejus memoriam ulla unquam aetas aboleat. Me porro, quoniam augustissima princeps imperatrix regina et domina nostra clementissima in primum istauratae hujus provinciae moderatorem et supremum comitem praeficere dignata est, oro incl. status et ordines, ut exaudiendo benigno diplomati regio faventes aures atque animos accomodare velint. (Ommissis.)

Magnificus commissarius regius (Nicolaus Skerlecz), posteaquam per deputatos ad sessionem et in medium SS. et OO. solemniter fuisset deductus, subsequam hanc ad eandem suam excellentiam (supremum comitem) omnesque modo praevio cogregatos dd. ss. et OO. festivam praemesit orationem:

(Caeteris ommissis.)

Horret quidem montibus tuus hic comitatus, et saxis asper est et sylvis impeditus, neque unquam propitiam sibi polliceri potest agriculturam; verum habet ille copiosum, qui praecipuas singulae regionis divitias efficit, populum; ipsa situs necessitate ad industriam jam comparatum, nec alio nomine hactenus etiam miserum, quam quod producta, quae clemens natura Hungariae prodegit, in exteras provincias transferendi occasio fuerit impedita.

Habet ille in gremio sui insigne maris emporium Flumen, legalemque et totis regni Croatiae votis exoptatum portum Buccari, habebit propediem centrale continentis emporium Carlostadium, nec nisi per te stabit, ut portus, qui jam modo regius nuncupatur, dignam et hoc nomine faciem induat et ad eum, ad quem instaurator ejus gloriosae condam memoriae Carolus rex et imperator destinavit, splendorem provehatur.

Provehatur sane, neque in hunc solum procuratae industria tua commercii liberatis influentia redundabit; sentiet illam littus omne Hungaricum pluribus imposterum navibus frequentandum; urbes, municipia, agri, ipsa seu in novos virium ordines seu in majorem commeantium commoditatem composita saxa, multifaria curae sollicitudinisqu tuae sentient argumenta, mitescent, quae commeatum hactenus admodum impediebant, praerupta montium juga; artis praestantia uberes illic rivos deducet, ubi aquam viator jumentaque sua arido condam ore nec quidquam suspirabant; surgent qua udhuc parte pro justa stationum transportusque emensione desiderantur novae coloniae; omnis denique haec regio, principum nostrorum benignitate, cura vero et solicitudine tua, in tam laetam assurgent faciem, ut attonita posteritas praesentium vestigia ruinarum vix agnoscere possit.

Quidni autem, assurgat? quando clementia Augustae et sollicitudine tua praecipua grandis hujus operis jacta jam sunt fundamenta; nimirum redditum commercio Carlostadium, sicque naturalis fluviorum Croatiae et Hungariae cum mari nexus restitutus, abolita quaestui admodum noxia urbarialia telonia, cursus veredariorum restauratus, denique fluviorum Croatiae, Hungariaque navigandi ratio ordinata. Quod unum adhuc ad complenda tam magni operis intia desideratur, ut novum Hungariae vectigal salutari introducendi commercii scopo adaptetur, id a tua, qui plurium annorum curriculo his in rebus magna cum laude versatus es, industria, principumque nostrorum benignitate regnum omne sibi tuto policetur.

30.

Relatio comitatus Severinensis de sui instauratione et accepta organisatione, e prima sua generali congregatione 10-a Decembris 1777., Consilio croatico praestita, demonstrans, commercialem communitatem Fluminensem una cum suis possessionibus Podbreg et Lopacza in dicto comitatu Severinensi quoad contributionem ante diplomatis eliberationalis ddo 23. Aprilis 1779. emanationem taxatam, regnoque Croatiae immediate incorporatam, hancque incorporationem usu roboratam fuisse.

Excelsum consilium regium, domini nobis gratiosissimi collendissimi! Posteaquam secundum tenores gratiosi excelsi consilii regii de dato 14-ae maji anni labentis 1777., ad dominum supremum comitem neo-erecti comitatus hujus de benigno iussu regio emanati, ac nro. marginali 536. signati Intimati, idem dominus noster supremus comes in merito instaurationis ejusdem comitatus generalem pro 10. et sequentibus decurrentis mensis novembris anni aeque delabentis 1777. diebus, in possessione Merkopail, praefato comitatui adjacente, indixisset congregationem, cunctosque comitatus hujus gremiales status et ordines de praeapposito celebrandae instaurationis termino litteratorie edocuisset, ad eundem dominum nostrum supremum comitem sub marginali nr. 1011. emanatum gratiosum excelsi consilii regii Intimatum, ipsum etiam vicinum comitatum Zagrabiensem, quatenus hic pro praescripto loco et termino deputatos suos ad mentem benignarum resolutionem cum regia commissione ibidem adfutura in comitatuque hoc Szeverinensi processuros exmitteret, interea autem exactionem quanti contributionalis et domestici in partibus transcollapianis jurisdictioni praefati inclyti comitatus Zagrabiensis prius subjectis, jam vero comitatui huic Szeverinensi accedentibus, inde a 1ma Novembris anni currentis 1777. sisteret, litteris suis isthic in copia advolutis officiose requisivisset, quo minus benigna haec dispositio regia circa objectum partium, ad complendam novi hujus comitatus integritatem ex districtu transcollapiano eidem comitatui Zagrabiensi subjectarum et comitatu huic nostro resignandarum, clementer elargita, debito effectui mancipari potuerit, illud omnino obstitit, quod praefatus comitatus Zagrabiensis nullum ex parte sua ad qualemcunque praemissorum intuitu pertractationem vel proceduram, ex rationibus, in advoluto itidem isthic in copia ejusdem comitatus responso contentis, ingressum se facere posse declaraverit.

Quantum tamen ipsam comitatus hujus instaurationem attinet, non obstante eo, quemadmodum in errectione novi hujus comitatus benignitatis regiae et vere maternae ad provehenda boni publici commoda sollicitudinis insigne documentum perenni gratitudine suscipimus et homagiali devotione sumus venerati, ita congregatis pro praescripto termino reliquis comitatus hujus statibus et ordinibus, ejusdem comitatus instaurationem et in merito nonnullorum etiam aliorum in benignis resolutionibus regiis expressum, discutique per nos clementer demandatorum negotiorum, generalem congregationem omnino celebravimus, cujus acta dum excelso consilio regio hicce acclusa demisse submittimus, una excelso consilio regio humillime referimus; relate ad 4-um in iisdem actis contentum articulum, salaria magistratualium nostrorum, aliasque in schemate isthic adnexo contentas necessitates domesticas eferre universim florenos 7050., *communitatis vero Fluminensis annuum quantum contributionale calculatum in actis commissionis aulicae die 18-a Aprilis 1776. ad flor. 978 xr. 19½ assurgere,* ex contributione denique pro anno 1766. per statum militarem exacta pro statu provinciali nonnissi florenos 1043. xros. 34¾ cadere.

Hinc ad complendam quidem praeviam in schemate salariali expressam summam, quemadmodum pro imponendo dominiis quoque Chabar, Brod et Grobnik, dominiis item cameralibus, ex districtu autehac commerciali efformatis, quanto contributionali, necessariam eatenus per suam majestatem sacratissimam mediante benigno de dato 26-a Juli 1776. ex consilio cancellariae regiae Hungarico — aulicae ad excellentissimum dominum gubernatorem Fluminensem emanato decreto aulico, et tenoribus postremae benignae resolutionis demandatam eorundem dominorum conscriptionem relate ad efformandam justam porportionem, omnino proxime aggrediemur; ita et fundamento, relate nempe ad constitutivum et summam ipsius quanti contributionalis ad mentem ibidem provocati decreti aulici quantum contributionis juxta ejectationem anni 1770. in schemate per Suam majestatem sacratissimam benigne approbato, contentum in fl. 3742 xr. 50 per nos ex generali hac congregatione, inclusa etiam parte, quae ex praemissa summa communitati commerciali Buccariensi inhaesura est, et per nos communitatemque illam peracta mox conscriptione, pro justo et aequo ab invicem separabitur, assumptum haberi demisse significamus, tamque summam hanc, quam et refusionem anticipationis florenorum 10 000 in benignis resolutionibus regiis contentam, pro salariis status personalis, comparatione praeterea domus comitatensis, aliisque necessitatibus extraordinariis, in praeadvoluta tabella uberius expressis, ad interim deservientis, nobis applacidare gratiose dignetur. — Caeterum illud etiam excelso consilio regio humillime referimus, quod cum plenariam repartitionem et ejectationem praemissi quanti contributionalis antelatis dominiis uberius imponendi, impositae item domesticae relate ad quantitatem summae benigna ratificatio regia, relate vero ad proportionem individualis quanti ipsa locorum conscriptio praecedere debeat, ne interea omnis incasatio in aggravium ipsorummet contribuentium suspensa remaneat, per modum interimalis impositae, hoc titulo cuivis domui xros 45. simus adrepartiti ea ratione, *ut huic oneri etiam possessiones binae academaie Fluminensis Prodbreg et Lopacza per immutationem praestationum, sbir et sztrasa compellatarum, et hactenus per easdem dependi solitarum, simili modo sub titulo contributionis subjecta habeantur.* (Caeteris ommissis.)

Qui in reliquo altis excelsi consilii regii gratiis humilime commendati perseveramus. Dat. ex generali nostra pro 10. et seq. mensis nov. diebus 1777. in possessione Mercopail celebrata congregatione.

31.

Illustrissime dne comes generalis et supreme comes, dne singulariter colendissime!

Notum est illumae dvestrae, inclytoque cottui Zagrabiensi moderationi ejus concredito, qualiter sua mattas Sacrma caes regia *veterem olim cottum Modrusiensem, et Vinodolensem sub nomine novi cottus Szeverinensis instauran-*

dum clementer resolvere, ejusque limites a Carlostadio, Collapi fluvio, et Carniolia Flumen usque, inde vero mari, et limitibus confinii militaris Carlostadiensis definire dignata sit, cujus instaurandi provinciam, cum Sua Mattas Sacrma mihi, qua primo ejusdem cottus supremo comiti, simulque regio suo comissario benigne concedere, ac simul ordinare dignata fuerit, ut partes, quae ad explendam novi hujus cottus integritatem e partibus transcollapianis jurisdictione inclyti comitatus Zagr. nunc subjectis accessurae sunt, a prima 9bris an. 1777. contributionale domesticum quantum jam ad cassam cottus Szeverinensis dependant, prout desuper cottum Zagr. via exelsi consilii regii instructum jam esse nullatenus dubito; proinde, ut haec regia intentio in effectum debite perducatur praefixi primam, eamque generalem cottus Szeverinensis congregationem pro die 10. 9bris anni currentis 1777. ad possessionem Markopail eidem cottui ingremiatam; pro quo termino et loco, ut illuma dvra. atque. cottus Zagr. deputatos suos in executione benigne hujus regiae resolutionis cum regia commissione, ibidem adfutura, cottuque Szeverinensi processuros exmittere, interea autem exactionem quanti contributionalis et domestici pro proxime venturo anno militari dependendi in partibus illis sistere dignetur, hisce perofficiose rogandam ac requirendam habui, tum illumam dvram, cum et cottum moderationi ejus concreditum; et peculiari cultu persevero. Flumen 17. 8bris 1777. Josephus Majláth m. p.

32.

Diploma Maria Theresiae comitatui Szeverinensi datum.

Nos Maria Theresia, divina favente clementia Romanorum imperatrix Vidua, Hungariae, Bohemiae, Dalmatiae, Croatiae, Sclavoniae, Lodomeriae, Galliciae, Bosniae, Serviae, Cumaniae et Bulgariae Regina Apostolica, Archidux Austriae, Dux Burgundiae, Styriae, Carinthiae et Carnioliae, Magna Princeps Transylvaniae, Marchio Moraviae, Dux Brabantiae, Limburgiae, Lucemburgae, Gelddriae, Virtembergae, superioris et inferioris Silesiae, Mediolani, Mantuae, Parmae, Placentiae et Guastallae, Auschviczy et Zatori, Princeps Sveviae, Comes Habsburgi, Flandriae, Tyrolis, Hannoniae; Kyburgi, Goritiae et Gradiscae, marchio sacri Romani imperii, Burgoviae, superioris et inferioris Lusatiae, Comes Mamurci, Domina Marchiae Sclavoniae et Mechliniae, Vidua Dux Lotharingiae et Barri, Magna Dux Hetruriae etc. Memoriae commendamus tenore praesentium significantes quibus expedit universis: Quod Nos, posteaquam pro singulari illa vereque materna, qua in percharum nobis Hungariae regnum partesque eidem adnexas nulla non tempore ferimur, propensionis et benevolentiae studio incessanti in provehendis omni ratione fidelis nobis subditae gentis Hungariae commodis vigilantes cura et sollicitudine, commercium quoque regni hujus, quod angustis nimium hucadusque limitibus circumscriptum erat, ex quo nihilominus innumerae omnem in rempublicam promanant utilitates, ad solidam perfectamque regni cujusvis felicitatem ut plurimum conferret, novis incrementis augere, illudve in perpetuum materni affectus nostri testimonium et argumentum quam firmissime stabilire benigne decrevissemus, atque hoc consilio ardentissimis regnicolarum votis jam dudum exoptatam, summisque omni tempore desideriis suspiratam *partium maritimarum, quae dissolutis maritimis regni Croatiae comitatibus distinctis subinde Guberniis creditae erant, reincorporationem motu proprio ac tempore, ubi minime putabatur, benigne resolvissemus,* hacque ratione iteratis in regni diaetis antenatorum fidelium statuum et ordinum regni precibus clementer deferendo, factae etiam eisdem inaugurationis nostrae tempore solenni de reapplicandis succesive sacrae regni coronae iisdem districtibus et provinciis, quas ad eandem ab olim jure pertinuisse, temporumque vicissitudinibus ac per varias circumstantias avulsas esse dignoverimus, in verbo regio promissioni nostrae satifecissemus, vigoreque benignae resolutionis hujus nostrae *portus Buccari, Buccaricza et Porto-Ree* cum omni juxta viam Carolinam posita colonia, praehabitoque ibidem commerciali dirstrictu, sex castelanatus bonorum Buccariensium complectente, ipsam praeterea *civitatem Carlostadiensem* in liberam regiamque civitatem evehendam, *regno Croatiae in specie reincorporari fecissemus; ultra haec porro urbem et portum liberum Fluminensem peraeque incorporando adjecissemus; benigne una decrevimus, ut ex neoreincorporatis praevia ratione partibus* (iis unice, quae pro rei commercialis manipulatione necessariae, ad immediatam quoad universa publica, politica et judicialia non secus et oeconomicalia constituti eatenus Gubernatoris Fluminensis littoralisque Hungarici jurisdictionem pertinebunt et adjicientur, portu utpote et urbe Fluminensi nec non aliis tribus portubus Buccari, Buccaricza et Porto-re, cum incolis ac terrenis suis, aliisque locis districtus ejusdem littori maris contiguis, qualia essent Tersactum, Costrena et respective Draga exceptis) *in veteris Vinodolensis comitatus locum novus comitatus Szeverinensis nomine insigniendus efformaretur et errigatur;* eidemque non modo, ut justam comitatus extensionem nanciscatur, ferendorumque onerum, praecipue vero conservandae viae Carolinae par efficiatur, verum manipulationi etiam commerciali aptior reddatur, districtus trans-colapianus, qui hactenus quidem jurisdictioni comitatus Zagrabiensis suberat, ob remotiorem tamen situm difficulter admodum administrabatur, majori publici utilitate adjiciatur. Praemissa autem ratione errigendum, atque per operantem actu in negotio excorporationis corporum et districtuum ex provinciali ad militarem localem commissionem suis limitibus accurate distinguendum, ad normam et ad instar aliorum regni Hungariae partiumque eidem adnexarum comitatuum efformari et in omnibus conformem fieri benigne volumus. Atque ideo politica quaevis et provincialia objecta, modalitate alias in regno hoc introducta et usitata, in comitatu hoc quoque geri, tractarique oportebit; adeoque in gremio ilius, dum et quando necesse fuerit, generales cum interventu etiam, qui adesse voluerint, dominorum terrestrium eorundemque officialium, praeviae semper per currentales (uti moris est) invitandorum, congregationes pro tractandis ejusmodi publicis negotiis habebuntur; Quantum contributionale, postquam ex instituenda comitatus conscriptione aequa et justa illius proportio inter loca comitatus elaborata fuerit, a contribuntibus de tempore in tempus sub onere dandarum desuper rationum medio constitutorum generalis et particularis comitatus perceptorum, debite semper exigetur et defectu absque omni persolvetur, solutum demum ad cassam comitatensem colligetur, inde vero ad cassam nostram militarem erga quietantias illic percipiendas fideliter administrabitur; omnia denique, quae ab incolis quocunque titulo praestanda veniunt, eo quo spectant in tempore aeque praestabuntur et administrabuntur; super omnibus autem perceptis et erogatis constitutus comitatus perceptor mox finito anno militari cum requisitis probis et documentis sufficienter instructas rationes, prout in Hungariae nec non Sclavoniae regno usu venit, exhibebit, nolens vero vel intermittens compulsivis etiam mediis, idcirco praescriptis, per magistrum cogetur. Ellaborata verso semel inter contribuentes suo legali modo proportio absque gravi ratione publicaque comitatus determinatione vel in minimo immutari nequibit. Cujus intuitu ea, quae leges regni et signanter articulus sexagesimus tertius anni millesimi septingentesimi vigesimi tertii in praemissis praescribunt, exacte observari debebunt. Processus et letigia, quae inter terrestres dominos, vel alios nobiles, ibidem sive in personalibus sive realibus vertentur, ac vi legum regni foro comitatensi dijudicanda competunt, magistratus pro administratione justitiae per partes suo modo requisitus et interpellatus, de jure servandis, in hoc sibi concredito comitatu dijudicanda assumet et decidet, partibusque justitiam juxta regni leges exacte et celeriter administrabit, admissa pro qualitate causarum et dictamine legum intra vel extra dominium, si causa appellabilis sit, a vice comiti us et judicibus nobilium in partium (uti dicitur) procedentibus ad sedem judiciariam comitatus, singulis annis quoties necesse fuerit in comitatu debite aeque celebrandam, *inde autem ad tabulam nostram banalem appelatione.* Occasione vero celebrandarum sedium dominalium judex nobilium cum jurato assessore praesentes semper adesse debebunt, diligenter illa, quae iisdem secundum praescriptum legum incumbunt curaturi. Et quia magistratum hujusce comitatus ad instar aliorum etiam comitatuum jure etiam gladii gaudere benigne velimus, hinc jure hoc in solerter perquirendis et pro demerito puniendis praedonibus aliisque malefactoribus ad exigentiam sancitarum eatenus patriae legum, pro quiete et tranquillitate publica utentur. Statum porro personalem et salarialem magistratualium comitatus hujus, per nos pro prima hac vice erga propositionem clementer per nos resoluti supremi comitis Josephi Majláth de Székhely, consiliarii nostri intimi, praefati portus et urbis Fluminensis totiusque littoralis Hungarici Gubernatoris, benigne denominatorum (subdivisione comitatus hujus pariter juxta opinionem ejusdem in duos processus, alterum maritimum, alterum colapinum nominandum, instituenda, individuali autem processus unius ab altero divisione ipsi magistratui ac respective universitati comitatus relinquenda) illi conformem, qui in aliis quoque regni Hungariae partiumque eidem adnexarum comitatibus praeexistit ac respective rectae proportionis exegit ratio, defiximus. Quoniam autem in regno Hungariae partibusque eidem adnexis illa observaretur modalitas, quod quivis comitatus competentia supremis comitibus, aliisque officialibus et servitoribus comitatensibus salaria ex cassa sua domestica persolvat: ideo htc quoque ea methodus observanda erit, ut universa salaria et stipendia magistratiualium et eorsum spectantium, aliaeve quaevis particulares comitatus expensae exinde persolvantur; cassa haec tamen domestica cum contributionali nunquam commisceatur et confundatur; verum separatae et distinctae super hoc rationes a perceptore quotannis indispensabiliter exigantur, exactaeve revideantur, censuratae vero utriusque ordinis rationes, esto ab invicem separatae connexive tamen se habentes, sigillo comitatus et subscriptione magistratualium authenticatas, *constituto in regnis Croatiae, Dalmatiae et Sclavoniae covsilio regio. Varasdinum mittantur, cui nunc dicto consilio regio in omnibus ad instar aliorum comitatuum regnorum Croatiae et Sclavoniae suberit*, ac medio ejusdem de cunctis demissas suas repraesentationes majestati nostrae facturus et benigna etiam mandata nostra eodem canali percepturus est. Cum vero pro pertractandis publicis negotiis domus quaepiam comitatensis, qua omnes reliqui etiam comitatus provisi essent, foret necessaria, pro tali in deligendo apto loco errigenda, vel vero aere parato comparanda, errectaeque vel comparatae domus instructione cassa domestica comitatus, unde similes erogationes fieri valerent. nulla adhuc praeexistente, anticipationem decem mille florenorum ex aerario nostro camerali, ea tamen cum obligatione: quo summa haec intra quinquennium cum annua rata bonificetur, benigne resolvimus; ipsam autem bonificationem. habita reflexione contribuentis novelli hujus comitatus populi, ea ratione praestandam clementer admittimus, ut ex interimaliter comitatui huic admensa ter mille septingentorum quadraginta duorum florenorum, quinquaginta cruciferorum quotta contributionali, per quinquennium, donec nimirum anticipata haec summa integre expuncta fuerit, his mille florenis in sortem quanti contributionalis imputatis cassae militari nonnisi annui mille septingenti quadraginta duo floreni, quinquaginta cruciferi, inferantur.

Denique quum ad plenum et perfectum comitatus hujus stabilimentum ejusdemque instaurationem concessio sigilli authentici, sub cujus videlicet munimine judiciariae sententiae, contractus item solennes, nec non emptiones ac venditiones aliaeque publicae, forenses videlicet et politicae negotiationes et expeditiones firmiores ac fide digniores reddi possent, quaeque ad perpetuam rei memoriam rectarumque actionum normam ut plurimum, faciunt, adhuc desideraretur: hinc ad humillimam fidelium nostrorum totius universitatis praelatorum, baronum, magnatum et nobilium novelli hujusce comitatus Szeverinensis suplicationem, ex prima sua in Mercopail celebrata congregatione nostrae propterea factam Majestati, quo idem ex gratia et clementia nostra caesareo-regia ad legalem caeterisque comitatibus parem positus activitatem informationes suas altioribus instantiis nostris reliquorum regulatorum comitatuum adinstar sub fidedignitate de lege regni comitatibus competente submittere, processusque juridicos coram se promovendos ac alias tam in juridicis quam politicis occurrentes expeditiones suas sub authentico facere, negotia denique comitatus hujus tanto majori cum exactitudine manipulare possint, ex speciali caesareo-regia gratia nostra deque suprema potestatis nostrae plenitudine id clementer indulgendum et concedendum esse duximus: quatenus sigillum pro praemisso usu confectum habere, eodemque in signatione omnium et quarumlibet expeditionum suarum instar aliorum praefati regni nostri Hungariae partiumque eidem adnexarum comitatuum, ceraque rubra uti possint. Cujus quidem sigilli arma et insignia sequentia forent: Scutum videlicet erectum, horizontaliter seu transversim sectum, ac superiore parte polariter bipartitum, pars prima exhibet tesseras antelati regni nostri Croatiae argento et minio stratas, pars secunda e stemate pervetustae et a saeculis florentis familiae Majláth de Székhely, ex qua nimirum rementionato huic comitatui Szeverinensi de providentia nostra regia primus obtigit supremus comes et moderator, refert in area cyano tincta anchoram argenteam, pugione aureo fulgente copule et viridi ramo olivae decussim inscriptis, oneratam. Pars demum scuti inferior caerulea, ad allusionem portus regii in comitatu hocce Szeverinensi constructi cernitur inter praealtos candicantes scopulos seu montes petrosos commercialis maritima navis expansis velis albo viridi et rubro coloribus ungaricis tinctis extremitati navis sinistrae infixo minuto rubro vexillo, crucem et quaternos fluvios ungaricos referente. In centro majoris hujus scuti continetur aliud minus, pectorale dictum, scutum aureum de peculiari clementissima concessione nostra intialibus augustissimi imperatoris fili nostrii carissimi et nostri nominum J. II. M. T. conspicuum.

Eidem huic scuto majori incumbit corona vulgaris aurea; telamonum vices obeuntibus hinc leone aureo, illinc aquila nativi coloris, capitibus a scuto aversis. Sigillum vero ipsum haec epigraphe seu superinscriptio: Sigillum comitatus Szeverinensis, circumdare visitur; quemadmodum haec omnia in principio seu capite praesentis diplomatis nostri, pictoris edocta manu et artificio propriisque et genuinis suis coloribus clarius depicta et ob oculos intuentium lucidius posita esse conspicerentur; annuentes et ex certa nostra scientia animoque deliberato concedentes, ut idem comitatus Szeverinensis vigore praesentis benigni diplomatis nostri plenum suum stabilimentum et consistentiam accipiens, atque ad parem cum reliquis regni nostri Hungariae partiumque eidem adnexarum activitatem per nos positus, a modo in posterum futuris et perpetuis semper temporibus in omnibus et singulis litteralibus instrumentis et expeditionibus tam forensibus quam juridicis aliisque quibuslibet nomine universitatis saepefati comitatus Szeverinensis expediendis litteris, cerave rubra ex benigno indultu et gratia nostra speciali clementique annuentia uti semper possit ac valeat, immo indulgemus, annuimus et concedimus roboramusque et approbamus hujus nostri secreto majori sigillo nostro, quo ut regina Hungariae utimur, impendenti communiti diplomatis vigore et testimonio. Datum per manus fidelis nostri nobis sincere dilecti spectabilis ac magnifici comitis Francisci Eszterházy de Galantha, perpetui in Frakno, aurei velleris et una insignis ordinis sancti Stephani regis apostolici magnae crucis equitis, camerarii, consiliariique nostri actualis Magistri et per antelatum nostrum Hungariae regnum aulae nostrae, prout et praefati insignis ordinis sancti Stephani Cancellarii, in Archi-Ducali Civitate nostra Viennae Austriae, die decima mensis Aprilis anno domini millesimo septingentisimo septuagesimo octavo, regnorum nostrorum Hungariae, Bohemiae et reliquorum anno trigesimo octavo. Reverendissimis, illustrissimis, reverendis item ac venerabilibus in Christo patribus, dominis Josepho e comitibus de Batthyan perpetuo in Németh-Ujvár, sacri Romani imperii principe, Strigoniensis, Adamo libero barone Patachich de Zajezda, Colocensis et Bacsiensis Ecclesiarum canonice unitarum, metropolitanarum Archi-Episcopis; comite

Francisco Zichx de Vásonkő Jaurinensis; comite Carolo Eszterházy de Galantha Agriensis, Christophoro e comitibus Migazzi de Vaal et Sonnenthurn, sacrae romanae ecclesiae cardinale, principe sacri romani imperii, administratore Vaciensis; Josepho Gallyuff Zagrabiensis; Joanne Baptista Cabalini de Szlavnigrad Szegniensis et Modrusiensis seu Corbaviensis; Matheo Francisco Kerticza Bosnensis seu Diakoviensis et Syrmiensis; comitte Ladislao Kollonich de Kollograd Transylvaniensis; Carolo Szalbek Scepusiensis; comite Francisco Berchtold libero barone ab Ungerschitz Neosoliensis, comite Antonio de Reva Rosnaviensis; Josepho Bajzatb Veszprimiensis, Joanne Szilly Szabariensis, Ignatio Nagy de Sellye Albaregalensis, Emerico Kristovics Csanadiensis, (Sedibus Magno-Varadiensi, Nittriensi et Quinque-Ecclesiensi vacantibus); Antonio Zlatarich Belegradiensi; Georgio Richvaldstky Tenagriensis; Stephano Nicolao Jaklin de Elephant electo Almisiensis, comite Sigismundo Keglevich de Buzin electo Makariensis, Ladislao Kovács electo Scardonensis; Raphaele Szent-Ivanyi electo Arbensis etc. ecclesiarum episcopis eclesias Dei feliciter gubernantibus; nec non Serenissimo duce domino Alberto per regnum nostrum Hungariae Locumtenente nostro regio, spectabilibus item et Magnificis comite Geogio Fekete de Galanta, Judice curiae nostrae; comite Francisco de Nadásd, perpetuo terrae Fogaras, regnorum nostrorum Dalmatiae, Croatiae et Sclavoniae bano; comite Adamo de Batthyan, Tavernicorum; illustrissimo sacri romani imperii principe Nicolao Eszterházy de Galantha, nobilis nostrae turmae praetorianae Hungaricae capitaneo; praelibato comite Francisco Eszterházy de dicta Galantha, curiae, comite Joanne Csáky de Keresztszég, agazonum, comite Francisco Döry de Jobbaháza, pincernarum, comite Joanne Erdődy de Monyorokerék, cubiculariorum, comite Antonio Károly de Nagy-Károly, dapiferorum, comite Leopoldo Pálffy ab Erdöd, ianitorum nostrorum regalium per Hungariam magistris, ac comite Joanne Pálffy ab Erdöd, comite Posoniensi, caeterisque quam plurimis saepefati regni nostri Hungariae comitatus tenentibus et honores. — Maria Theresia m. p. Comes Franciscus Eszterházy m. p. Franciscus Gyüry m. p.

33.

A. Commissio regia Fluminensis exhibet Consilio croatico protocollum circa regulationem urbium Fluminensis et Buccarensis confectum.

Fxcelsum consilium, domine, domini nobis gratiosissime, colendissimi! Efformatum per regiam hanc hanc comissionem in merito internae urbium Fluminensis et Buccarensis, respectivorumque districtuum suorum regulationis protocollum, dum in obsequium benignae ordinationis regiae obsequentur submittimus una altis excelsi consilii gratiis et ultroneis favoribus commendati permanemus. Excelsi consilii regii humillimi obsequentissimi servi Josephus Majláth m. p. Nicolaus Skerlecz m. p. Zagrabiae 30. augusti 1778.

Protocollum regiae comissionis in merito regulandi interni status urbium et communitatum commercialium Fluminensis die 18. augusti et seq. 1778 celebratae.*

1. *Adnexa, de clementia suae Mattis, regno Croatiae, per consequens s. regni Hungariae coronae, urbe, portuque Fluminensi,* dignabatur sua Mattas ssma tenore benigni, adhuc de 9. augusti 1776. emanati mandati regiae huic comissioni

---

* Um weniger Zeit mit dem Drucken dieses Werkes in Anspruch zu nehmen, wurde nur die Einleitung und der Vorschlag in den ersten fünf Punkten des Fiumaner Memorandums aus dem Protokolle hier angeführt. — Die übrigen Vorschläge sind ohnehin in der Beilage Nr. 35 enthalten.

clementer praecipere, ut demissam suam super eo etiam depromat opinionem: an non, ad majus comercii incrementum urbs Fluminensis pari ac civitas Carlostadiensis, ratione, ad systema liberae regiaequae civitatis, quoad internam manipulationem regulanda foret? Ut

2. Regia haec comissio tanto fundatius opinari possit, quenam optima, et publico Fluminensi maxime proficua ratio administrationis publicae, in moderno ejus, cum haereditariis suae Mattis ssmae Hungaricis regnis nexu, constituenda veniat? adhuc sub 14. decembris ejusdem anni circumstantialem ab ipsa urbe Fluminensi, circa Idaealia 20. puncta, quae actualem ejus internum statum maxime dilucidatura videbantur, informationem requisivit.

3. Qua sub praesentata 6 augusti anni praeteriti 1777. per eandem, ut ex avoluto apparet, praestita, cum ipsum generale administrationis systema, quo ocyus constitui, ipsa rei temporisque ratio, omnino exigere videretur, dignabatur sua Mattas ssma, audito praevie eatenus gubernatore, partim sub 29. augusti, et nro. 4458 partim vero sub 5. 7bris et nro. 4526 ipsum generale internae urbis Fluminensis administrationis systema, clementer stabilire, una vero sub eadem 5. 7bris anni praeterlapsi, et nro. 4527 clementer resolvere, ut urbs etiam Buccarensis, cum portubus Buccaricza et portu regio Croatiae postliminio reincorporetur, eademque cum benigne determinato districtu, pari prorsus ratione cum urbe districtuque Fluminensi, tam in comercialibus, quam et publico-politicis, oeconomicis, et civilibus, seu justitiariis tractetur.

4. Ita deciso jam benigne eo, quod situs et circumstantiarum ratio non admittat, ut urbes hae, ad formale liberarum, regiarumque civitatum systema redigantur, verum quod in gubernii systemate, *pro liberis maritimis, et commercialibus urbibus veniant considerandae,* nihil reliquum amplius est regiae huic comissioni, quam ut (stabilito jam benigne generali systemate) quoad reliqua internae administrationis adnexa relate ad utramque hanc urbem demissam suam depromat opinionem, quod ut tanto ordinatius praestare possit 1. anteriorem gubernii locorum horum statum breviter praemittendum. 2. ipsum jam benigne stabilitum systema compendio repetendum. 3. demum circa ea, quae adhuc ad complementum internae administrationis necessaria videntur, demissam suam opinionem depromendam existimavit. Quia tamen in praevia urbis Fluminensis relatione occurunt particularia quaedam, quae ad systema quidem stricte non pertinent, considerationem tamen mereri videntur, ideo 4. istorum etiam intuitu demissa sua sensa aperienda demisse judicavit.

5. Relate ad 1. *constat urbem, et districtum Fluminensem* nec Istriae, nec Carnioliae, unquam incorporatam sed *pro separata dynastia in systemate gubernii ita consideratum fuisse*, ut testibus sub G. J. K. N. relationi civitatis adnexis, et homagium capessentibus imperii habenas principibus distinctim deposuerit, et ad subscriptionem sanctionis pragmaticae a Carolo condam VI. gloriosae memoriae imperatore separatim vocatum fuerit.

6. In hac qualitate peculiarem habuit capitaneum, qui medio intimi Graecensis consilii cum augusta aula correspondebat. Urbs ipsa in duas incolarum classes, cives nempe et patricios, dividebatur. Hi nobilitatem dynastiae hujus constituebant, statum hunc haereditate consequebantur, nec adlegebatur ordini huic civis aliquis, nisi in casum illum, ubi praestabilitus 50 consiliariorum senatorum vicem obeuntium numerus e familiis patriciis compleri non potuisset De 50 his senatoribus seu consiliariis selectiores 25 Consilium m i n u s seu interius, omnes simul consilium m a j u s constituebant. Utrique consilio annui duo judices, quos etiam Rectores appellabant, praeerant, e quibus unum capitaneus denominabat, alter per consilium legebatur, ille c a p i t a n e a l i s vocabatur et gaudebat honoris praerogativa, hic c o m u n i t a t e n s i s dicebatur, et illi proprie competebat omne activitatis excercitium. Quaedam negotia tantum per consilium minus, alia per majus expediebantur, universim consilia haec omnia publica, politica, oeconomica, et comercialia prout et sanitatis negotia sub praesidio et directione

capitanei regii, secundum producta sub X. et authoritate regia de 1527. confirmata statuta, curabant; per consequens et politicam et rem pupillarem, et pias fundationes et ipsum civitatis aerarium administrarunt.

7. Quoad justitiae administrationem. Judices ipsi, non nisi ad vires librarum 10, nec non in causis locationis domuum, et mercedis famulorum et operariorum, procedebant. Reliquas tam civiles, quam criminales causas, vicarius primum a sua Majestate eo mitti solitus, postea vero, ab ipso consilio seu senatu urbis electus, juxta praescriptum statutorum sub. X. parte 2. et 3., nec non jus commune civile expediebat. Capitaneus non nisi in causis, quae celeritatem requirebant, juxta statuti part 1. §. 2. procedebat. Quod causae quaedem, ad ipsum consilium urbis appellatae fuerint, ex ejusdem statuti part. 1., §. 1. et 13. constat; an tamen? et si ita, quorsum hinc appellata comperierit? et an omnes omnino causae ad capitaneum et consilium appellari potuerint? determinari non potest, cum conditus de appellationibus statuti part. 2., §. 19. sit subobscurus. Id tantum constat, quod progressu temporis appellatae a vicario ad regimem Graecense fuerint perductae.

8. Relate ad oeconomicam administrationem: Nullus in districtu Fluminensi seu a personis seu a fundis tam urbanis, quam et extravillanis vigebat census; nec quaestores, nec opifices taxabantur. Immo cives ipsi a taxis ancoragio, ei alboragio eximebantur; olim omnigena salem, unde ipsis placuit, procurandi libertate gaudebant, adeoque ab urbe hac et districtu aerarium principis nullum aliud immediatum capiebat emolumentum; quam quod posterioribus temporibus flni 978 xr. 19½ titulo accisae carnium in cameralem cassam influxerint.

9. Reditus ipsius urbis in sequentibus constitere: 1. Cum nullus adhuc super fluvio Fiumara pons exstaret, naulum super eodem urbs ipsa exercebat 2. Taxa concivilitatis triplex fuit: 1. flor. 56 xr. 40. altera florenos 113 xr. 20. tertia flor. 170. 3. Concedebat civitas jus a la minuta vendendi etiam jure concivilitatis non gaudentibus erga pactandam taxam. 4. Imponebat diversitoribus proportionatam quampiam taxam. 5. A vinis domesticae procreationis, all' ingrosso, seu vasatim venditis, singulus 14. a vinis vero 6. a la minuta seu per pintas educillatis, singulus septimus numus cassae cittis inferebatur. Porro 7. cum domestica procreatio consumptioni publici hujus non sufficeret, debuit admitti exteri etiam vini inductio. Verum extera haec vina unius flni censum ab urna aerario pauperum civitatis dependerunt. Influebant etiam sub titulo fiscalitatum in aerarium civitatis 8 diversae mulctae partim politicae, partim etiam judiciariae, quae in 4. statuti parte individualiter exprimuntur.

Quoad reliqua regalia jura: Nullum successionis in fiscalitatibus jus vigebat. E macellis civitas nullum capiebat emolumentum, immo onere aedificia in hunc usum necessaria conservandi gravabatur; nullam habebat formalem forizationis tariffam, verum jus hoc ad taxam mensurationis, nec non exiguas aliquas sportulas reducebatur. Hoc itaque titulo percipiebat cittas 9. a singulo modio, dicto „Staro“ tritici et leguminum, ad extra exportatorum (domi enim consumpta nil depedebant) duos, a turcico vero tritico, et alio cujusvis speciei frumento, unum solidum. Percipiebant praeterea 10. judices, et rectores, titulo sportularum, a singula centuria venditi seu in navibus seu in magazinis frumenti, ¼ modii, praecones vero comunitatis 11 a singula navi, frumentum suum venui exponere volente, ⅔ modii accipiebant. E converso naves rectori panem quatvor solidorum, et duas vini amphoras seu boccale praestare obligabantur. Ultra haec 12. satelites comunitatis a singulo clitelaris equi, frumento onusti onere, in foro divendito 2. solidos, a frumento vero per mare ad vendendum advecto 1. solidum percipiebant. 13. A cado seu barilla vini aut aceti duo, olei vero aut cremati 3. solidi titulo mensurationis percipiebantur. 14. A singula navi oleo onusta praecones comunitatis unam olei amphoram, erga parem, ut puncto 11. obligationem percipiebant. 15. A divenditis piscibus singulus 12. numus cassae civitatis obveniebat. Denique 16. primaria consilii urbis individua, tria piscium pondo ex quolibet retium jactu percipiebant. Haec omnia simul proponenda existimabantur propterea, quod auctis subinde magistratuum stipendiis, omnes hae sportulae, jam nunc cassae cittis inferantur, cujus praecipuam administrationis partem habet camerarius, cui perceptionis, erogationis, reddendarumque ipsi consilio rationum obligatio incumbit. Caeterum civitas reditibus his in sustentandam internam administrationem, in curandam politiam, in facilitandam navigationem, denique in subsidium procurandae ipsius externae securitatis utebatur

10. Pro casu enim hostilis irruptionis capitanei districtuum seu contradarum cittis e patriciis constituebantur, qui conflandae hunc in casum urbanae militiae praeerant.

11. Et hic fuit internus urbis Fluminensis status, antequam per gloriosae memoriae condam imperatorem, Carolum VI. in liberum portum eveheretur. Postquam altefatus imperator sub 2. junii 1717. Tergestum et Flumen pro liberis portubus declarasset, sub 15. vero, et 18. martii 1719. immunitates horum per solennes patentales explanasset, patentalesque has, et sub 19. Xbris 1725. ut sub P. sub 31. aug. 1729. sed et sub 20. maji 1730. renovasset, et respective extendisset, ea quoad internam administrationem facta est commutatio, ut publicato sub 20. maji 1722. statuto cambiali, seu W e c h s e l - G e r i c h t s - O r d n u n g, omnes causae mercantiles ad stabilitum I. et II. instantiae tribunal mercantile avocarentur. Caeterum capitaneus, et consilium ur is jam intermedio hoc tempore ad dependentiam a regimine Graecensi positus discrimenque illud negotiorum ad minus et majus consilium pertinentium ita sublatum fuisse videtur, ut omnia passim negotia in majori seu pleno consilio tractarentur.

12. Errecto anno 1754. aulico commerciorum consilio, stabilitaque Tergesti subalterna intendenza, cujus immediatae directioni totum, tam Austriacum quam Hungaricum littorale subordinatum fuit, capitanei Fluminensis et Tergestini officium in persona praesidis intendentiae unitum fuit, sicque, qui urbi Fluminensi regio nomine praeerat, locumtenentis capitanealis dumtaxat nomine insigniebatur; additum vero huic assessorium nomen subalternae locumtenentiae, comercialia potissimum et navigationis objecta curaturae, accepit.

13. In hac ergo epocha sequens guberni systema fuit introductum:

Jam in anno 1755. sua Mattas ssma departamentum sanitatis, dependens tamen a tergestino benigne constituit, una et generale sanitatis regulamentum pro littorali publicavit.

Anno 1758. sub 19. januarii, regulationem administrandae quoad comercialia justitiae stabilivit per decretum cui titulus: G e r i c h t s - O r d n u n g b e y C o n s u l a t s - G e r i c h t e r n u n d M e r c a n t i l - T r i b u n a l i e n. Eodem anno et die sua Mattas regulationem comercii sub titulo H a n d l u n g - u n d F a l l i m e n t s - O r d n u n g benigne publicavit.

Subsequis annis, utpote 1764. sub 18. martii instructiones officialium, in rebus sanitaticis constitutorum, 1766. patentales qualiter contra transgressores ejusmodi dispositionum procedendum sit, denique 1769. sub 1. maji regulamentum pro lazaretto sporco tergestino publicatum est, quod ratione taxarum lazaretto netto Fluminensi pari modo applicatum fuit. Denique instituta fuere distincta, pro causis p e r s o n a l i b u s r e g i o r u m c o n s i l i a r i o r u m e t o f f i c i a l i u m, item pro causis s u m m i p r i n c i p i s e t c o m i s s o r u m t r i b u n a l i a.

14. Systema hoc sequentes quoad internam urbis Fluminensis produxit mutationes, nimirum in p o l i t i c i s: 1. ut politica pleraque omnia negotia a consilio urbis (quod a manipulandis comercialibus et navigationis negotiis jam sub imperatore Carolo VI. excidisse vidimus) ad locumtenentiam hanc devolverentur, ipsa vero ab aulico comerciorum consilio Vienensi, medio intendenzae tergestinae, dependeret, atque inde factum est, ut et politiam, et rem pupillarem, et pias fundationes, non jam consilium urbis, sed stabilitae potissimum e gremio locumtenentiae distinctae comissiones manipularent. 2. Ut successive urbs Buccarensis,

seorsim et independenter a locumtenenzia Fluminensi per intendenzam tergestinam administraretur. Injudicialibus vero 3 ut a tribunali mercantili primae ad tergestinum secundae instanciae tribunal, dein ad regimen Graecense, tandem ad supremum justitiae collegium Viennense appellatae in causis mercantilibus instituerentur. In causis tamen civilibus a vicario ultro etiam ad regimen Graecense, et sic ad collegium justitiae appellabantur. Caeterum 4. ut illa causarum personalium, consiliariorum regiorum, et officialium nec non causarum summi principis, et comissorum distinctio, ansam frequentibus de fori competentia contentionibus praeberet. In oeconomicis: 5. ut erecti subinde in fluvio Fiumara pontis administratio ad stabilitam subinde sub administratione locumtenentiae cassam comercialem devolveretur. Denique 6. recedente sensim mari, postquam extra urbem tantum spatii accrevisset, ut copiosae subinde in ipso suburbio domus aedificatae sint, fundi hi qua comerciales considerati, impositusque iisdem 200 flor. annuus census, cassae comerciali illatus sit. Et hic fuit internus urbis districtusque hujus status, antequam eadem sacrae regni Hungariae coronae adnectererur. Jam relate ad 2. seu modernum systema

15. Abolito tam aulico comerciorum consilio, quam et intendenza tergestina, dignabatur sua Mattas ssma sub 9. augusti 1776. clementer decernere, ut commercialia objecta imposterum per respectivas Cancellarias aulicas manipulentur: Flumen, Buccari et Porto re separatum accipiat gubernatorem, qui eum adjuncto sibi assessorio, et vices gerente suo, comercialia negotia (quorum magnam partem departamentum sanitatis, capitaneatus portus, et consules tam exterarum potentiarum quam, et augustae aulae, in exteris portubus residentes, quatenus cum comercio et navigatione Hungarica nexum habent, efficiunt) administret. Gubernium hoc immediate a cancellaria Hungarico-regia dependeat, et ideo tam decreta aulica immediate inde accipiat, quam et relationes eorsum suas praestet; quia vero comercialis manipulatio, ipsis cittum limitibus concludi se non pateretur, dignabatur sua mattas ssma, ducta supra Portum regium infra Hrelin usque viam Carolinam, tum vero per eandem usque Dragam et Tersactum juxta mare linea, districtum comercialem ita determinare, ut constitutae in eodem domus instar suburbiorum cittum Fluminensis et Buccarensis considerentur, totusque hic districtus imediatae gubernatoris quoad commercialia, judicialia et oeconomica jurisdictioni subjaceat; pro causis mercantilibus, cambialibus, et consulatus maris tribunal primae instantiae ultro stabiliatur, forum autem 2. instantiae, seu appellatorium, ipse gubernator cum vices gerente suo, et adjuncto sibi assesorio efficiat, abinde vero formalis apellata haud admittatur, recursus tamen ad suam Mattem in causis gravioribus via Hungarico-aulicae cancellariae liber pateat. Ad sustinendam hanc comercialem administrationem dignabatur sua Mattas cassae comerciali, titulo dotationis, annua 30. mil. ex fundo camerali Hungarico clementer assignare, una vero etiam constituere, ut in Buccari, similis per omnia, comercialis administratio constituatur

16. Quoad publico-politico-oeconomica dignabatur sua Mattas ssma benigne decernere systema liberae regiaeque civitatis situationi urbium harum haud congruere, verum easdem ultro pro liberis maritimis et comercialibus urbibus considerandas venire. E consideratione hac dignabatur sua Mattas ssma praehabitum gubernii per judices et rectores, nec non consilium minus et majus 50-viratum patriciorum efficiens, systema, clementer confirmare, una et benigne constituere, ut idem gubernator munere etiam capitanei tam Fluminensis, quam et Buccarensis fungatur et in hac qualitate consilio seu senatui utriusque urbis praesideat, eo vero absente suus vices gerens praesidium obtineat. Cum consilio hoc omnia cittum harum publico-politica et oeconomica negotia, adeoque tam internam politiam, quam rem pupillarem, uti et pias fundationes pertractet. *Caeterum civilium hujusmodi negotiorum intuitu, a regio Croatico consilio dependeat, et necessarias relationes eorsum praestet, immo protocolla etiam civicorum*

horum consiliorum pro statu notitiae, et respective faciendo usu illac submittat. Urbes nihilominus istae, quemadmodum relate ad sytema regni, cottui Szeverinensi per admissam iisdem sessionem et votum effective incorporatae sunt, ita quoad publica illa, respectu quorum reliquae cittes judicatui comitatuum subsunt, eandem etiam dependentiam agnoscant, adeoque judices cottenses exercitium jurisdictionis suae non modo in ipsis his cittibus, sed et respective in ipsas possint exercere.

17. Quoad judicialia dignabatur sua mattas ssima, pro competente sibi de legum systemate, in casibus, quibus leges de foris et judicibus non providerunt, authoritate, sublato tam Vicarii officio, quam in illa tribunalium pro causis personalibus consiliariorum regiorum et officialium, nec non pro causis summi Principis et commissorum, distinctione, omnem judiciariam activitatem eligendis pro more annuis duobus judicibus (quibus ad evitandam votorum aequalitatem unus subinde e minori consilio adjunctus est) in causis civilibus et criminalibus, ita clementer attribuere, ut abinde ad forum Capitaneale (quod ipsum majus consilium sub praesidio gubernatoris, aut ejus vices gerentis constituit) apellata instituti possit. *A capitaneali hoc foro,* causae infra mille flor. valoris non possint appellari, in majori vero substrato, *appellata ad tabulam banalem, atque inde ad curiam regiam competat.* Caeterum totum hoc tam politicum, quam et judiciale systema, in urbe etiam Buccarensi ex aequo introducatur.

18. Stabilito modo praevio per suam Mattem ssmam generali systemate ad complendam internae administrationis formam nihil reliqui demisse videtur, quam ut parte ex una proposita per urbem Fluminensem 30 puncta parte vero ex altera producta sus X statuta discutiantur, ut inde appareat: an? et quid pro meliori interna urbium harum administratione adhuc constituendum foret?

19. *Itaque ad 1. justum demisse videtur etiam regiae huic comissioni, ut urbs Fluminensis cum districtu suo tanquam separatum, sacrae regni Hungariae coronae adnexum corpus ultra tractetur, neque cum alio Buccarensi velut ad regnum Croatiae, ab ipsis incunabulis pertinente districtu ulla ratione confundatur.*

20. Ad 2. ut statuta sub X. in quantum circumstantiis et systemati moderno congruunt, non modo per suam Mattem benigne confirmentur, verum etiam ad internam urbis Buccarensis et comercialis sui districtus administrationem extendantur, aeque justum videtur. Verum statuta haec praevie rationibus moderni temporis accomodari debent, ut infra uberius dicetur.

21. Ad 3. benigne proposito promovendi comercii scopo congruum omnino videtur, ne tenuta Fluminensia majori quam 978 flor. 19½ xr. onere (quod titulo accisae carnium hactenus etiam portabant) deinceps accomode ad systema Hungaricum sub nomine contributionis dependendorum, graventur. Caeterum de destinatione ipsius hujus summae, regia haec comissio suam ab infra depromet opinionem.

22. *Ad 4. Restabilita clementer in publico-politicis et oeconomicis consilii, seu senatus urbis activitate, justum est, ut illud immediatam proventuum etiam cittis medio camerarii sui habeat administrationem, formatas tamen rationes, super perceptione et errogatione, medio regii Croatici consilii suae Matti quottannis submittat,*

23. Ad 5. Confirmato benigne consilii majoris et minoris systemate, familiae consiliariorum seu patriciorum ultro etiam patriciam nobilitatem politici hujus corporis constituant; caeterum patebunt ipsis praescriptae de lege nobilitatem regni Hungariae consequendi viae.

B. Consilium regium croaticum depromit votum suum circa protocollum commissionis regiae Fluminensis in merito regulaudi interni status urbium et communitatum commercialium Fluminensis et Buccarensis confectum.

Sacratissima! Regia Fluminensis commissio exhibuit regio huicce consilio protocollum suum in merito regulandi interni status urbium et communitatum comercialium Fluminensis et Buccarensis confectum, atque isthic in omni humilitate adnexum, cujus voto regium perinde hoc consilium demisse adstipulatur, unice quoad sequentia puncta humillimum suum in eo aperit sensum: quippe ad 27. paragraphum protocolli commissionalis, ut attacta hoc loco 978 flor. 19½ xr. summa, quam nommine contributionis dependendum existimat praelibata commissio in praesens quidem satisfiat; ubi tamen contributio juxta systema patriae constitutionis in regno Hungariae partibusque adnexis elevata fuerit, *haec ipsa urbs, velut s. regni coronae adnexum*, sua perinde ex parte concurrere, ac sibi diaetaliter imponendam ampliorem contributionem aeque ferre, ac in medium suppeditare debeat. — Ad 44. regium istud consilium voto commissionis eo magis assentitur, quod cum in toto Hungariae regno, ubiubi majora gymnasia constabilita habentur, classes humaniores distinctos magistros habeant, Fluminenses incolae non sine justi doloris sensu experiri deberent apud se solos gymnasium aliena in praesusceptis principiis methodo provisum esse, ac studiis sub tota sacra corona ad debitum ordinem revocatis unum hoc gymnasium postliminio ad priscum suum statum recedisse. Id incolae eo acerbiori ferrent animo, quod ista philosophica facultas in aliqua sui parte ad certum tempus reducta habeatur. Subsidium tamen per hanc urbem ad rationem hujusce facultatis hucusque suppeditatum ultro continuandum veniat. Ad 70. regium istud Consilium suas demissas praeces conformiter ad aliam humillimam circa instrumenta mathematica Flumine Tergestum transponi benigne jussa sub 8. Aprilis a. c. factam representationem hicce repetit atque Majestatem vestram ssmam ultro in eo exorat, ut servandi recti ordinis causa tenendique continuo negotiorum, sibi cunctas Suas b. resolutiones publico-politico-oeconomicas non nisi via huiusce regii Consilii ad hasce binas urbes elargiri dignetur. Ad 72. Referens consiliarius ac cameralis representans Komaromy censet: in hisce civitatibus, m o x a c j u r i s d i c t i o n i S. r e g n i c o r o n a e a d s c r i p t a e s u n t, fiscum regium a legali sua successione excludi haud posse. Datum die 19. Septembris 1778. Praesentibus: praesidis vices gerente c. Malenich, consilariis b. Vernech eppo Sardicensi. c. de Batthyani, Szkerlecz, Komaromy, refer. Paszthory.

34.

A. Rescriptum Mariae Th. ddto 23. aprilis 1779. emanatum ad r. consilium croaticum de regulatione interni status urbium Fluminenstis et Buccaranae.

Maria Theresiae etc. Reverende, spectabiles etc. Protocollo commissionis regiae in negotio regulandi interni status urbium ac communitatum commercialium Fluminensis ac Buccarensis confecto, per fidelitates vestras adjectis perpaucis reflexionibus sub dato 19. Septembris anni ultimo praeteriti, numeroque 814 demisse isthuc repraesentato uberiorem hic loci in discussionem assumpto, majestatique nostrae suo modo relato, sequentem ad nonnulla ejusdem puncta, adprobata, quoad reliqua commissionali sensu quoque earundem ratihabita opinione, benignam nostram impertimus resolutionem.

Et quidem nulla in obversum dempromti in eo

ad 1-um. per procedentem commissionem regiam voti: *ut urbs Fluminensis cum districtu suo tamquam separatum regni Hungariae coronae adnexum corpus porro puoque tractetur, neque cum alio Buccarensi, velut ad regnum Croatiae ab ipsis incunabulis pertinente districtu ulla ratione confundatur*, occurrente *reflexione, de hoc ipso praefatam Fluminensem civitatem supremo nomine nostro per fidelitates vestras affidari, et securam reddi;* ita et ad 2-dum conformiter ejusdem opinioni, statuta per eandem civitatem exhibita, in quantum circumstantiis, systematique moderno congruunt, clementer adprobantes, haec ad internam etiam urbis Buccarensis et commercialis sui districtus administrationem extendi benigne volumus. Pro quarum utraque, qua pro liberis commercialibus civitatibus et communitatibus consideratis, specialia quoque privilegia fidelitatibus vestris pro congruo notitiae statu in paribus communicanda, juxta impertitam eatenus benignan resolutionem nostram proximius expedientur, ea inserta expressa conditione: ut memorata statuta, in quantum praesentibus circumstantiis, et systemati minus congruerent, per ordinandam idcirco peculiarem deputationem moderni temporis rationibus adcommodentur, altissimae inspectioni et ratificationi nostrae sua via demisse substernenda. In ordine

Ad 6-tum. Circa vectigal unius floreni vino extero imponi solitum, et ab origine in usus pauperum destinatum, subinde autem impositae commercialis nomine insignitum, id unice declarandum duximus, a formata per civitatem Fluminensem contra communitatem Tergestinam ob administratam eorsum posterioribus annis nunc dictam vini impositam praetensione, propter talias, quas haec rursum vice versa adversus illam fovet, pro futuro simplicier praescindendum venire. Propositam puncto 12-o intuitu montis pietatis eam provisionem, ut eidem, veluti in commodum totius publici instituto, quaevis pia capitalia etiam a 4 per centum levare integrum sit, non alia tamen ratione, quam si administri eorundem suis id rationibus congruere censuerint, nulla proinde hac in parte coactio locum habeat, admutuari recenter desiderata e fundo studiorum hungarico 50 m. florenorum exstensam intelligi clementer volumus. — Circa attactae puncto 14-to taxae, cui fine conflandae pro aequivalenti accisae carnium fluos 970. 19½ xros constituentis ipsae etiam urbanae domus consimili a proportione subjiciendae proponuntur; nec non quotta e contributionalis districtum commercialem Buccarensem afficientis, *ad contributionalem comitatus Szeverinensis cassam administrationem*, factamque hoc loco fidelitatum vestrarum circa harum pariter civitatum concursum in casum, quo quantum contributionale juxta systema patriae constitutionis in Hungariae regno, partibusque eidem adnexis elevari contingeret, id unice adnotandum occurrit, *quod cum manipulatio quanti militaris Fluminensis et Buccarensis percassam comitatus Szeverinensis compendiandae duntaxat manipulationis commissariaticae causa constituenda proponatur*, cassa nunc dicti comitatus assummende in se de rite administrando hoc quanto cautionis, praestandaque in casum emersurae nefors restantiae satisfactionis onere neutiquam gravanda sit, verum id quaelibet harum communitatum ipsa ferre obligabitur; cujus etiam intuitu *concernens regni Croatiae provincialis commissarius immediatam cum iisdem habebit correspondentiam;* de instituenda proinde praemissa ratione praefati quanti illius ad cassam saepedicti comitatus administratione eundem edocturae sunt fidelitates vestrae; suapte alioquin intellecto eo, quod cum proventus aerarii nostri, per factam partium harum maritimarum sacrae regni Hungarlae coronae reincorporationem, ne in minimo quidem accidi opporteat, quantum hoc nullatenus pro adjutorio fundi contributionalis hungarici considerandum, verum idem praeter ordinariam comitatus contributionem aerario nostro separatim, prout id ipsum alioquin fieri nullae dubitamus, inferendum sit. Quoad commemoratum

15-o. Puncto existens in ponte Fiumara imposito telonium, ea est benigna voluntas nostra: ut *cum fluvius Fiumara*, cui pons superstructus est, *binas jurisdictiones, Fluminensem quippe et Buccaranam, ab invicem discriminet*, in quaestione positum telonium utrique erga ineundum cum iisdem praevie eatenus contractum, cum onere et commodo resignetur.

Respectu cursus causarum civilium et criminalium, de quo

18. Puncto agitur, depromtam commissionalem opinionem clementer aeque adprobantes, non aliud reliquum erit, quam ut taxis criminalibus, velut systemati legum incohaerentibus, jam abrogatis limitatio taxarum judicialium civilium, in quantum id necdum factum fuisset, eadem autem occasione vigentis etiam in Hungariae regno, partibusque eidem adnexis militaris regulamenti exemplaria aliquot pro necessaria earundem communitatum in occursuris casibus directione per fidelitates vestras proximius communicentur. Quantum ad puntum

26 um. Circa tradendas interea etiam Flumine per distinctos magistros humaniores classes, fidelitates vestras ad iteratas hoc in passu emanatas benignas resolutiones nostras clementer reflectendas et inviandas duximus. Relate iam ad ea, quae ulterius in praeattacto procedentis commissionis localis protocollo assummuntur, objecta fidelitates vestrae conformiter sensui commissionali omnes benignas in negotiis publico-politico-oeconomicis, et quidem anteriores etiam, illasve cumprimis, secundum quas periodicae fieri debent relationes, saepefatis binis communitatibus communicare non intermittent. Successionis porro in fiscalitatibus rationem eam, quam commissio proponit, ut videlicet ad illum, qui in oppidis etiam scepusiacis relictus est, modum in fundis quidem immobilibus ipsae civitates, in aere autem parato et mobilibus cognati et agnati succedant, velut naturae liberi portus maxime conformem stabiliri clementer volumus.

Depromptae in reliquo circa nonnulla adhuc eodem protocollo contenta objectorum puncta, notanter publicum educillum, sportulas cassae publicae inferri solitas, recursum denique sartorum et sutorum, opinioni commissionali ex integro aquiescimus.

Atque ad hujus in praemisissis benignae declaratae voluntatis nostrae approbataeque per nos commissionalis et respective fidelitatum vestrarum opinioni effectum necessaria eaedem suis locis disponere noverint, Gubernatore nostro regio littoralis Hungarici conformiter directe quoque abhinc jam instructo existente. Caetera originalem Fluminensem repraesentationem praesentibus remittentes, gratia et clementia etc. — Datum Viennae 23-a Aprilis 1779. Maria Theresia m. p. Comes Carolus Pálfy m. p. Josephus Brunsvik m. p.

B. Diplomata Mariae Ther. ddto 23. aprilis 1779. urbibus Fluminensi et Buccaranae collata.

Doploma Fluminense:

Nos Maria Theresia, Divina favente Clementia Roman. Imperatrix Vidua, Hung., Bohemiae, Dalmatiae, Croatiae, Sclavoniae, Galliciae, Lodomeriae, Bosniae, Serviae, Cumaniae et Bulgariae Regina Apostolica, Archi-Dux Austriae, Dux Burgundiae, Styrie, Carinthiae et Carnioliae, Magna Princeps Transilvaniae, Marchio Moraviae, Dux Brabanthiae, Lymburgiae, Lucemburgae, Geldriae, Vürtembergae, Superioris et Inferioris Sylesiae, Mediolani, Mantuae, Parmae, Placentiae, Guastalae, Auschviczy et Zatori, Princeps Sveviae, Comes Habsburgi, Flandriae, Tyrolis, Hanno-

Doploma Buccaranum:

Nos Maria Theresia, Divina favente Clementia Roman. Imperatrix Vidua, Hung., Bohemiae, Dalmatiae, Croatiae, Sclavoniae, Galliciae, Lodomeriae, Bosniae, Serviae, Cumaniae et Bulgariae Regina Apostolica, Archi-Dux Austriae, Dux Burgundiae, Styriae, Carinthiae et Carnioliae, Magna Princeps Transilvaniae, Marchio Moraviae, Dux Brabanthiae, Lymburgiae, Lucemburgae, Geldriae, Vürtembergae, Superioris et Inferioris Sylesiae, Mediolani, Mantuae, Parmae, Placentiae, Guastalae, Auschviczy et Zatori, Princeps Sveviae, Comes Habsburgi, Flandriae, Tyrolis, Hannoniae, Kyburgi, Goritiae et Gradiscae, Marchio Sacri Romani Imperii, Burgoviae, superioris et inferioris Lusatiae, Comes Namurci, Domina Marchiae Sclavoniae et Mechliniae, Vidua Dux Lotharingae et Barri, magna Dux Hetruriae etc. etc. Memoriae commendamus tenore praesentium significantes quibus expedit uuiversis, quod Nos quantum ex recte coordinato Commercio in quamvis Rempublicam promanat commodi, quantum solidae utilitatis, attentiori mente recolentes, omniumque illorum fructuum et emolumentorum, quae non in publicum regni modo, et provinciae cujuspiam in concreto, verum singulos etiam cives in particulari exinde redundare consveverunt, clementer consciae; pro ea, qua in quaevis subjectorum. Nobis fidelium populorum, vel minimi nominis commoda nullo non tempore vigilamus et intentae sumus, materna cura, et sollicitudine alias inter innumeras ab aditi felicis regiminis Nostri temporibus in salutem, et commune bonum regni etiam Hungariae, regnorumque et provinciarum ad idem spectantium factas constitutiones, commercio quoque Hungarico, quod angustis admodum adusque limitibus circumscriptum fuerat, quodve unicum pene ad complementum utilitatis, et ornamenti regni hujus omnis generis ad sustentandam vitam necessariis productis mira soli felicitate, naturaeque benignitate abundanter dotati, requiri videbatur, portubus maritimis, littoralique, quod modica temporis intercapedine Austriaci nomine veniebat, vetusto nihilominus iure eo pertinebat, novissime reapplicitis, *atque Urbe quoque hac, portuque Fluminensi eidem in singularem benevolentiae, et clementiae Nostrae tesseram incorporatis*, novam dare formam, eaque sub principium statim, quibus florentissimi condam, quod priscis etiam temporibus viguise e publicis hanc in rem constitutionibus, Historicorumque tam domesticorum quam et extraneorum fide indubium est, commercii moles tuto superinduci et postlimino quasi restaurari queat, jacere fundamenta, atque sic perpetuum materni in percharam No-

niae, Kyburgi, Goritiae et Gradiscae, Marchio Sacri Romani Imperii, Burgoviae, superioris et inferioris Lusatiae, Comes Namurci, Domina Marchiae Sclavoniae et Mechliniae, Vidua Dux Lothringiae et Bari, Magna Dux Hetruriae etc. etc. Memoriae commendamus tenore praesentium significantes quibus expedit universis, quod Nos quantum ex recte coordinato Commercio in quamvis Rempublicam promanet commodi, quantum solidae utilitatis, attentiori mente recolentes, omniumque illorum fructuum et emolumentorum, quae non in publicum regni modo, et provinciae cujuspiam in concreto, verum singulos etiam cives in particuiari exinde redundare consveverunt, clementer consciae; pro ea, qua in quaevis subjectorum Nobis fidelium populorum vel minimi nominis commoda nullo non tempore vigilamus et intentae sumus, materna cura, et sollicitudine alias inter innumeras ab aditi felicis regiminis nostri temporibus in salutem, et commune bonum regni etiam Hungariae, regnorumque et provinciarum ad idem spectantium factas constitutiones, commercio quoque Hungarico, quod angustis admodum adusque limitibus circumscriptum fuerat, quodve unicum pene ad complementum utilitatis, et ornamenti regni hujus omnis generis ad sustentandam vitam necesariis productis mira soli felicitate, naturaeque benignitate abundanter dotati, requiri videbatur, portubus maritimis, littoralique, quod modica temporis intercapedine Austriaci nomine veniebat, vetusto nihilominus iure eo pertinebat, novissime reapplicitis, *atque Urbe quoque hac, portuque Buccarensi eidem in singularem benevolentiae et clementiae Nostrae tesseram incorporatis*, novam dare formam, eaque sub principium statim quibus florentissimi condam, quod priscis etiam temporibus viguisse e publicis hanc in rem constitutionibus, Historicorumque tam domesticorum quam et extraneorum fide indubium est, commercii moles tuto superinduci et postliminio quasi restaurari queat, jacere fundamentum, atque sic perpetuum materni in percharam Nobis gentem Hungaram affectus, et propensionis testimonium ac argumentum dare benigne decreverimus. Videre Nobis jam videmus uberrimos, quos ex salutari hocce instituto iure optimo sperare licet, fructus; domesticis, quibus regno huic e sigulari authoris naturae benignitate abundare datum est, naturae donis onustae naves exteris in oris et portubus hospites, quia ignotae prosus hactenus, familiares brevi versabuntur, respective pro his alienis, quorum defectus est, naturae productis, aut arte manuque factis quae non contemnendis pecuniarum summis steterunt hactenus, refertae in propria a suis anhelatae revertentur, domesticamque in his penuriam sublevabunt, ditabuntur paucum post tempus quaevis regni partes illato partim extraneo, plus adhuc domestico, cujus vis ingens quotannis e terrae visceribus eruitur, aere, intra ambitum provinciarum conservato, facilior vitae non modo sustentandae, sed et commode agendae modus unicuique civium suppeditabitur, habitantium inde in dies magis acuetur industria, deserta incolis replebuntur, justaque aeris circulatione omnes illae etiam, quae ad interitum fere spectabant, regni partes, novo quasi spiritu renascentur. Atque hinc est: quod non ignarae quantum ad evehendam in provincia quapiam commercii rem, procurandumque ejusdem solidum incrementum oportune locatae in medio ejusdem commerciales civitates conferre consveverint, nil ut eorum, quae ad obtinendum hunc, quem Nobis praestituimus, scopum pertinere videbantur, desiderari queat: ad harum etiam erectionem et constabilitionem animum adjecerimus. Quo consilio continui fidelitatis ac devotionis Majestati Nostrae, augustissimisque decessoribus Nostris gloriosissimae reminiscentiae urbs haec Fluminensis s. Viti indesinenter probavit studii, utilium porro ac pergratorum, quae diversis occasionibus laudabili prorsus zelo exhibuit, ac deinceps quoque (uti Nobis de ipsa benigne policemur) exhibitura est, servitiorum clementer memores, eamdem alias inter deligere, ac in liberum commercia-

bis gentem Hungaram affectus, et propensionis testimonium ac argumentum dare benigne decreverimus. Videre Nobis jam videmus uberrimos, quos ex salutari hocce instituto iure optimo sperare licet, fructus; domesticis, quibus regno huic e sigulari authoris naturae benignitate abundare datum est, naturae donis onustae naves exteris in oris et portubus hospites, quia ignotae prorsus hactenus, familiares brevi versabuntur, respective pro his alienis, quorum defectus est, naturae productis, aut arte manuque factis, quae non contemnendis pecuniarum summis steterunt hactenus, refertae in propria, a suis anhelatae revertentur, domesticamque in his penuriam sublevabunt, ditabuntur paucum post tempus quaevis regni partes illato partim extraneo, plus adhuc domestico, cujus vis ingens quotannis e terrae visceribus eruitur, aere, intra ambuitum provinciarum conservato, facilior vitae non modo sustentandae, sed et commode agendae modus unicuique civium suppeditabitur, habitantium inde in dies magis acuetur industria, deserta incolis, replebuntur, justaque aeris circulatione omnes illae etiam, quae ad interitum fere spectabant regni partes, novo quasi spiritu renascentur. Atque hinc est: quod non ignarae, quantum ad evehendam in provincia quapiam commercii rem, procurandumque ejusdem solidum incrementum oportune locatae in medio ejusdem commerciales civitates conferre consveverint, nil ut eorum, quae ad obtinendum hunc, quem Nobis praestituimus, scopum pertinere videbantur, desiderari queat: ad harum etiam erectionem et constabilitionem animum adjecerimus. Quo consilio continui fidelitatis ac devotionis Majestati Nostrae, augustissimisque decessoribus Nostris gloriosissimae reminiscentiae urbs haec Buccarensis indesinenter probavit studii, utilium porro ac pergratorum, quae diversis occasionibus laudabili prorsus zelo exhibuit, ac deinceps quoque (uti Nobis de ipsa benigne policemur) exhibitura est, servitiorum clementer memores, eamdem alias inter deligere, ac in liberum commercialem locum et civitatem e peculiari Nostra gratia, et clementia caesareo-regia creare, ac omnibus illis privilegiis, immunitatibus, libertatibus et praerogativis, quibus locum et communitatem quampiam commercialem ex ipsa constabiliendi, provehendique commercii ratione respectu in- et eductionis mercium, celeris medio campsorialis judicii in liquidis debitis justitiae administrationis, aliorumque id generis provisam esse oportet, ornare, condecorareque clementer constituimus; ad cujus benignae intentionis Nostrae effectum eo securius certiusve obtinendum benigne insuper annuimus, ut: *primo urbs haec commercialis Fluminensis sancti Viti cum districtu suo, tamquam separatum sacrae regni Hungariae coronae adnexum corpus porro quoque consideretur, atque ita in omnibus tractetur, neque cum alio Buccarano, velut ad regnum Croatiae ab incunabulis ipsis pertinente districtu ulla ratione commisceatur.** Exhibita porro secundo per eandem statuta, cujus generis cuilibet in regno Hungarie existenti jurisdictioni pro eo, ac nonulla ad meliorem internam regulationem suam, utilioremve ac faciliorem publicorum etiam negotiorum in medio sui administrationem necessaria, aut non parum proficua existimantur stabilire, ita tamen ne publicis per hoc regni constitutionibus quaqua ratione derogetur, integrum est, in quantum cicumstantiis, et systemati moderno congruunt, benigne equidem confirmamus. Cum nihilominus complura systemati regni Hungariae, regnorumque et provinciarum eo pertinentium minus convenire dignoscerentur: ex eo memorata statuta per ordinandam eatenus specialem deputationem minutim excuti, rationibus moderni temporis accomodari, taliterque subinde noviter elaborata, et in ordinem redacta, altissimae ratificationi Nostrae substerni clementer volumus; annuentes tertio: ut restabilitata per Nos in publico-politicis et oeco-

lem locum et civitatem e peculiari nostra gratia et clementia caesareo-regia creare, ac omnibus illis privilegiis, immunitatibus, libertatibus et praerogativis, quibus locum et communitatem quampiam commercialem ex ipsa constabiliendi, provehendique commercii ratione respectu in- et eductionis mercium, celeris medio campsorialis judicii in liquidis debitis justitiae administrationis, aliorumque id generis provisam esse oportet, ornare, condecorareque clementer constituimus; ad cujus benignae intentionis nostraae effectum eo securius certiusve obtinendum benigne insuper annuimus:

primo: ut exhibita *per urbem Fluminensem sancti Viti statuta*, cujus generis cuilibet in regno Hungariae existenti jurisdictioni, pro eo, ac nonulla ad meliorem internam regulationem suam, utilioremque ac faciliorem publicorum etiam negotiorum in medio sui administrationem necessaria, aut non parum proficua existimantur stabilire, ita tamen ne publicis per hoc regni constitutionibus quaqua ratione derogetur, integrum est, in quantum circumstantiis, et systemati moderno congruunt, benigne per Nos confirmata, ad internam etiam hujus urbis Buccarensis, et commercialis sui districtus administrationem extendantur. Cum nihilominus complura systemati regni Hungariae, regnorumque et provinciarum eo pertinentium minus convenire dignoscerentur: ex eo memorata statuta per ordinandam eatenus specialem deputationem minutim excuti, rationibus moderni temporis accomodari, taliterque subinde noviter elaborata, et in ordi-

* Cf. Beil. nr. 14, 19, 33. A (puncto 19), item nr. 34 A.

nomicis consilii seu senatus urbis activitate, illud immediatam proventuum etiam civitatis medio camerarii sui, qui usus reliqua etiam in Hungariae regni parte respectu liberarum, regiarumque, ac montanarum civitatum obtinet, babeat administrationem; formatae nihilominus rationes super perceptis et errogatis summis pecuniariis, dissoluto novissime e benigne Nobis visis rationum momentis eo, *quod in regnis Dalmatiae, Croatiae et Sclavoniae ad pertractionem quorumvis praedicta regna respicientium negotiorum publico-politicorum, contributionem, et oeconomico-militarium ante aliquot annos erectum ac constitutum fuerat, consilio, ope regii locumtenentialis consilii Hungarici demisse Nobis submittentur.* Ad contestandam denique, quarto: singularem Nostram, qua erga urbem hanc ferimur propensionem, benignum in id etiam assensum Nostrum praebemus, ut confirmato consilii majoris, et minoris systemate, familiae consiliariorum seu patriciorum ultro etiam patricium politici hujus corporis honorem, et distinctionem teneant. Caeterum autem praescriptae de lege nobilitatem regni Hungariae consequendi viae iisdem in patulo maneant. Et quemadmodum urbem hanc Fluminensem s. Viti ex hoc cumprimis articulo, tum vero ex praemissis omnibus insignem clementiam et propensionem Nostram, qua eam complectimur, agnituram esse nullae dubitamus: ita eamdem collatum sibi virtute praesentis privilegii Nostri beneficium et non vulgarem gratiam eo, quo par est, cultu et veneratione suscepturam, ac de Maiestate Nostra, haeredibusque et successoribus Nostris, legitimis videlicet Hungariae regibus, omni fide, constantia, et fidelitate jugiter promereri adnisuram esse plene confidimus. Quare et Nos cuncta, quae praemissa sunt, benigne confirmamus denuo, roboramusque et adprobamus, hujus Nostri secreto majori sigillo Nostro, quo ut Regina Hungariae utimur impendenti communiti diplomatis vigore et testimonio.

nem redacta, altissimae ratificationi nostrae substerni clementer volumus; annuentes secundo: ut restabilitata per nos in publico-politicis et oeconomicis consilii, seu senatus urbis activitate, illud immediatam proventuum etiam civitatis medio camerarii sui, qui usus reliqua etiam in Hungariae regni parte respectu liberarum, regiarumque, ac montanarum civitatum obtinet, habeat administrationem; formatae nihilominus rationes super perceptis et erogatis summis pecuniariis dissoluto novissime e benigne nobis visis rationum momentis eo, *quod in regnis Dalmatiae, Croatiae et Sclavoniae ad pertractionem quorumvis praedicta regna respecientium negotiorum publico-politicorum, contributionalium, et oeconomico-militarium ante aliquot annos erectum ac constitutum fuerat, consilio, ope regii locumtenentiatis consilii Hungarici demisse Nobis submittentur*; ad contestandam denique tertio: singularem nostram qua erga urbem hanc ferimur propensionem, benignum in id etiam assensum Nostrum praebemus, ut confirmato consilii majoris, et minoris systemate, familiae consiliariorum, seu patriciorum ultro etiam patricium politici hujus corporis honorem, et distinctionem teneat. Caeterum autem praescriptae de lege nobilitatem regni Hungariae consequendi viae iisdem in patulo maneant. Et quemadmodum urbem hanc Buccarensem ex hoc cumprimis articulo, tum vero ex praemissis omnibus insignem clementiam, et propensionem Nostram, qua eam complectimur agnituram esse nullae dubitamus; ita eandem collatum sibi virtute praesentis privilegii Nostri beneficium, et non vulgarem gratiam eo, quo par est, cultu et veneratione suscepturam, ac de Maiestate Nostra, haeredibusque et successoribus Nostris legitimis, videlicet Hungariae regibus, omni fide, constantia, et fidelitate jugiter promereri adnisuram esse plene confidimus. Quare et Nos cuncta, quae praemissa sunt, benigne confimamus denuo, roboramusque et adprobamus, hujus Nostri secreto majori sigillo Nostro, quo ut regina Hungariae aposto-

Datum per manus fidelis Nostri Nobis sincere dilecti spectabilis, ac magnifici comitis Francisci Eszterházy de Galantha, perpetui comitis in Frakno, aurei veleris et una insignis ordinis sancti Stephani regis apostolici magnae crucis equitis, camerarii, consiliarii Nostri actualis intimi, comitatus Mosoniensis supremi comitis, curiae item Nostrae regiae per Hungariam magistri, et per antelatum regnum Nostrum Hungariae aulae, prout et dicti ordinis sancti Stephani cancellarii, in archi-ducali civitate Nostra Vienna Austriae, die vigesima tertia mensis Aprilis, anno domini millesimo septingentesimo septuagesimo nono Regnorum Nostrorum Hungariae, Bohemiae, et reliquorum anno trigesimo nono.

Reverendissimis, illustrissimis, reverendis item ac venerabilibus in Christo patribus dominis: Josepho e cotibus de Batthyán, perpetuo in Németh Ujvár, S. R. E. Cardinale. S. R. I. principe, Strigoniensis, Adamo e liberis baronibus Pattachich de Zajezda, Colocensis et Bacsiensis ecclesiarum canonice unitarum metropolitanarum archi-episcopis, comite Francisco Zichi de Vasonkö, Jaurinensis, comite Carolo Eszterházy de Galantha Agriensis, Christophoro e comitibus Migázzy de Vall et Sonnenthurm S. R. E cardinale principe S. R. I. administratore Vaciensis, Josepho Gallyuff Zagrabiensis, Joanne Baptista Cabalini de Slavnigrad Segniensis et Modrusiensis, Matthaeo Francisco Kerticza Bosnensis et Syrmiensis, comite Ladislao Kollonich de Kollegrad Transylvaniensis, Carolo Szalbek Szepusiensis, com. Francisco Berchthold l. b. ab Ungerszütz Neosoliensis, c. Antonio de Reva Rosnaviensis. Jos. Bajzáth Veszprimiensis, Joanne Szily Sabariensis, Ignatio Nagy de Sellye Alba-Regalensis, Emerico Christovics Chanadiensis (Sedibus Magno-Varadiensi. Nitriensi et Quinque ecclesiensi vacantibus) Antonio Zlatarich Belgradiensis, Stephano Nilica utimur impendenti communiti diplomatis vigore et testimonio.

Datum per manus fidelis Nostri Nobis sincere dilecti spectabilis, ac magnifici comitis Francisci Eszterházy de Galantha. perpetui comitis in Frakno, aurei veleris et una insignis ordinis sancti Stephani regis apostolici magnae crucis equitis, comitatus Mosoniensis supremi comitis, camerarii, consiliariique Nostri actualis intimi, curiae item Nostrae regiae per Hungariam magistri, et per antelatum Nostrum Hungariae regnum aulae, prout et dicti ordinis sancti Stephani cancelarii, in archi-ducali civitate Nostra Vienna Austriae, die vigesima tertia mensis Aprilis, anno domini millesimo septingentesimo septuagesimo nono, Regnorum Nostrorum Hungariae, Bohemiae, et reliquorum anno trigesimo nono.

Reverendissimis, illustrissimis, reverendis item ac venerabilibus in Christo patribus dominis: Josepho e comitibus de Batthyán, S. R. E. Cardinale, S. R. I. principe, metropolitanae Strigoniensis, Adamo e liberis baronibus Pattachich de Zajezda. Coloniensis et Bacsiensis ecclesiarum canonice unitarum archi-episcopis; comite Francisco Zichi de Vasonkö, Jaurinensis, comite Carolo Eszterházy de Galantha Agriensis, Christophoro e comitibus Migázzy de Vall et Sonnenthurm S. R. E. cardinale, principe S. R. I. administratore Vaciensis, Josepho Gallyuff Zagrabiensis. Joanne Baptista Cabalini de Slavnigrad Segniensis, Matthaeo Francisco Kerticza Bosnensis et Syrmiensis. comite Ladislao Kollonich de Kollegrad Transylvaniensis, Carolo Szalbek Szepusiensis. com. Francisco Berchthold Neosoliensis, comite Antonio de Reva Rosnaviensis, Josepho Bajzáth Veszprimiensis, Joanne Szily Sabariensis, Ignatio Nagy de Sellye Alba-Regalensis, Emerico Christovics Csanadiensis (Sedibus Magno-Varadiensi, Nitriensi, et Quinque ecclesiensi vacantibus) Antonio Zlatarich Belgradiensis, Stephano Nicolao Jaklin electo Almisiensis, comite Sigismundo Ke-

colao Jaklin de Elepéant electo Almisiensis, comite Sigismundo Keglevich de Buzin electo Makariensis, Ladislao Kovács electo Scardonensis, Raphaele Sz. Iványi electo Arbensis, Joanne Lukacsy electo Rosonensis, Stephano Barta electo Noviensis, Emerico Okolicsányi de eadem electo Ansariensis, Georgio Ninkovics electo Serbiensis, Josepho Pethö electo Drivestensis, Emerico libero barone de Peréni electo Bacensis Ecclesiarum episc., ecclesias dei feliciter gubernatibus; serenissimo item principe domino Alberto, regio Poloniae et Lythuaniae principe per regnum Nostrum Hungariae locumtenente Nostro regio, nec non spectabilibus, ac magnificis: comite Georgio Fekete de Galantha, iudice curiae, comite Francisco de Nadásdy, perpetuo terre Fogaras regnorum Nostrorum Dalmatiae, Croatiae et Sclavoniae Bano; comite Adamo de Batthyán tavernicorum, illustrissimo sacri Romani imperii principe Nicolao Eszterházy de Galantha, nobilis Thurmae Nostrae pretoriae hungaricae capitaneo, antelato comite Francisco Eszterházy de praefata Galantha curiae comit e, Joanne Nepomuceno Csáky de Keresztség agazonum, comite Joanne Nepomuceno Erdödy de Monyórokerék cubiculariorum, c. Antonio Karolyi de Nagy Karoly dapiferorum, comite Leopoldo Pálffy ab Erdöd ianitorum, comite Francisco Xaverio Emerico Koller de Nagy Manya princernarum Nostrorum regalium per Hungariam magistris, ac comite Joanne Pálffy ab Erdöd comite Posoniense, caeterisque quam plurimis saepefati regni Nostri Hungariae comitatus tenentibus, et honores.

Maria Theresia m. p.
Comes Franciscus Eszterházy m. p.
Franciscus Györy m. p.

glevich de Buzin electo Makariensis, Josepho Pethö electo Drivestensis, Emerico libero barone de Perény electo Bacensis Ecclesiarum episcopis, ecclesias Dei feliciter gubernatibus; serenissimo item principe domino Alberto, regio Poloniae et Lythuaniae principe, duce Saxoniae, prelibati regni nostri Hungariae locumtenente Nostro regio, nec non spectabilibus ac magnificis: comite Georgio Fekete de Galantha, iudice curiae Nostrae regiae; comite Francisco de Nadásdy perpetuo terrae Fogaras, regnorum Nostrorum Dalmatiae, Croatiae et Sclavoniae Bano, comite Adamo de Batthyán tavernicorum, illustrissimo sacri Romani imperii principe Nicolao Eszterházy de Galantha, perpetuo comite in Frakno, nobilis turmae Nostrae pretoriae hungaricae capitaneo, antelato comite Francisco Eszterházy de praefata Galantha curiae, comite Joanne Nepomuceno Csáky de Keresztség agazonum, comite Joane Nepomuceno Erdödy de Monyórokerék cubiculariorum, com. Antonio Karolyi de Nagy Karolyi dapiferorum, comite Leopoldo Pálffy ab Erdöd ianitorum, comite Francisco Xaverio Emerico Koller de Nagy Manya pincernarum Nostrorum regalium per Hungariam magistris, ac comite Joanne Pálffy ab Erdöd comite Posoniense, caeterisque quam plurimis saepefati regni Nostri Hungariae comitatus tenentibus, et honores.

Maria Theresia m. p.
Comes Franciscus Eszterházy m. p.
Franciscis Györy m. p.

35.

Consilium regium croaticum communicat b. resolutionem regiam ddto 23. aprilis 1779, capitaneo, iudicibus rectoribus et toti consilio urbis ac districtus Fluminensis

Excellentissime et illustrissime, magnifici et spectabiles, perillustres, nobiles item patricii ordinis domini, nobis colendissime, observandissimi!

Adnexa de clementia suae sacrae cesareo regiae et apostolicae Majestatis regno Croatiae, per consequens sacrae regni Hungariae coronae urbe, portuque hoc Fluminensi, et stabilito per altefatam suam Majestatem sacratissimam generali systemate ad complendam internae administrationis formam nihil aliud supererat, quam ut proposita per urbem hanc sub dato 1. Augusti anni 1777. 30. puncta, et respective producta sub X. statuta discutiantur, ut inde appareat: an et quid pro meliori interna urbis hujus administratione adhuc constituendum foret? Quae postquam regio-aulica localis commissio debite examinasset, et via regii istius consilii alte memoratae suae Majestati pro suprema inspectione substravisset, haecque in clementissimam discussionem sumpta fuissent, dignata est eadem sua Majestas apostolica desuper sequentem benignissimam impertiri resolutionem: et quidem

Ad 1. Ut urbs haec Fluminensis cum districtu suo tanquam separatum regni Hungariae coronae adnexum corpus porro quoque tractetur, neque cum alio Buccarensi, velut ad regnum Croatiae ab ipsis incunabulis pertinente districtu ulla ratione confundatur, clementer annuit eadem sua sacratissima Majestas, de quo ipso civitatem hanc Fluminensem supremo nomine regio affidandam et securam reddendam habet regium istud consilium. Ita et

Ad 2. Statuta per civitatem hanc exhibita in quantum circumstantiis, systematique moderno congruunt, clementer adprobat eadem sua sacrma Majestas. Pro qua, qua pro libera commerciali civitate et communitate considerata, speciale quoque privilegium juxta impertitam eatenus benignam resolutionem regiam proximius expedietur, ea inserta expressa conditione, ut memorata statuta, in quantum praesentibus circumstantiis et systemati minus congruerent, per ordinandam idcirco peculiarem deputationem moderni temporis rationibus adcommodentur, altissimae inspectioni et ratificationi regiae sua via demisse substernenda.

Ad 3. Ex benigne proposito promovendi comercii scopo altissime omnino clementer indulgeri, ne tenuta Fluminensia majori, quam 978 fl. 19½ xrum onere (quod titulo accisae carnium hactenus etiam praestabant) deinceps accomode ad systema Hungaricum sub nomine contributionis dependendorum graventur, per consequens ut attacta hoc loco summa in praesens quidem subsistat, ubi tamen contributio juxta systema patriae constitutionis in regno Hungariae, partibusque adnexis elevata fuerit, haec ipsa urbs, velut sacrae regni coronae adnexa, sua perinde ex parte concurrere, ac sibi diaetaliter imponendam contributionem aeque ferre, ac in medium suppeditare debeat.

Ad 4. Ut consilium seu senatus urbis hujus immediatam proventuum etiam civitatis medio camerarii sui habeat administrationem; formatas tamen rationes super perceptione et erogatione medio regii istius consilii suae Majestati quotannis submittat.

Ad 5. Ut familiae consiliariorum seu patriciorum ultro etiam patriciam nobilitatem politici hujus corporis constituant; caeterum patebunt ipsis praescriptae de lege nobilitatem regni Hungariae consequendi viae.

(Omissis punc. 6—8.)

Ad 9. Quoad cauponas has tersactenses in jurisdictione Buccarensi situatas, pro praesenti providentia jam per id provisum haberi, quod easdem ipsa urbs haec Fluminensis in arendam assumpserit. Caeterum, *cum fundus ille ad districtum Buccarensem pertineat, conformiter ad praeassumptum ad punctum primum principium juxta systema regni Hungariae tractandum venire.*

Ad 10. Ex ipsa administrationis identitate in moderna providentia omnes inconvenientias praepeditum iri. *Caeterum districtu tersactano semper juxta systema regni Hungariae considerando.*

Ad 1 . *Cum incorporatio dominii tersactensis repugnet praestabilito ad punctum 1. principio, hinc urbem et districtum hunc Fluminensem semper in naturali sua extensione relinquendum altissime decerni.*

(Ommissis punc. 12. 13.)

Ad 14 Intuitu attactae puncto hoc taxae, fine conflandae pro aequivalenti accisae carnium fl. 978 xr. 19 constituentis, alte memorata sua sacratissima Majestatas benigne resolvit, ut ipsae etiam urbanae domus consimili a proportione eidem subiiciantur; summa autem haec per civitatem istam tamquam portas separatas habentem ad contributionalem comitatus Szeverinensis cassam administretur, eo unice in casu, quo quantum contributionale juxta systema patriae constitutionis in Hungariae regno, partibusque eidem adnexis elevari contingeret, clementer adnotato, quod eum manipulatio quanti militaris Fluminensis per cassam comitatus Szeverinensis compendiandae duntaxat manipulationis commissariaticae causa constituenda veniat, cassa nunc dicti cottus assumendae in se de rite administrando hoc quanto cautionis, praestandaque in casum emersurae nefors restantiae satisfactionis onere neutiquam gravanda sit, verum id civitas haec ipsa ferre obligabitur, cujus etiam intuitu quemadmodum *concernens regni Croatiae provincialis commissarius dominus Ludovicus Köröskényi sub hodierno abhinc de altissimo jussu edocetur, ita civitatem quoque hunc ad fovendam immediatam cum praelato provinciali commissario correspondentiam inviandam habet regium istud consilium.* Quoad commemoratum

15. Puncto existens in ponte, Fiumarae imposito, telonium, ea est benigna voluntas regia, ut, cum fluvius Fiumara, cui pons superexstructus est, *binas jurisdictiones, Fluminensem quippe et Buccaranam, ad invicem discriminet,* in quaestione positum telonium utrique erga ineundum cum iisdem praevie eatenus contractum, cum onere et commodo resignetur.

(Ommissis pag. 16, 17.)

Ad 18. Respectu cursus causarum civilium et criminalium, de quo puncto hoc agitur, alte fata sua mattas clementer statuit: *ut cum cursui harum causarum per restitutam judicibus et rectoribus judicialem activitatem, institutum appelatorium sedis capitanealis judicium, admissamque inde ad tabulam banalem et curiam regiam appelatam jam supreme provisum sit,* generaliter causae, quae de lege regni in partibus per vice comites, aut judlium judicantur, hic etiam per judices et rectores in prima instantia discutiantur; quae vero in comitatibus sedrialiter in prima instantia tractantur, uti et causae natura sua octavales, hae semper in sede capitaneali tanquam in prima instantia pertractentur. Caeterum disrimine causarum personalium consiliariorum regiorum et officialium, nec non summi principis et commissorum jam sublato, tribunali autem mercantili cum civili justitiae administratione confundi haud quibili, denique taxis criminalibus, velut systemati legum inconhaerentibus, itidem jam abrogatis, limitatione vero taxarum judicialium suprema authoritate definita, jam sub dato 19. septembris anno superiore abhinc transmissa existente, vigens in Hungariae regno, partibusque eidem adnexis militare regulamentum pro necessaria civitatis istius Fluminensis in occursuris casibus directione proximius communicabitur.

(Ommissis punc. 19—30, dein punc. 1—18.)

Ad. 19. Non inutile futurum, si aliqua conformis modernis moribus, intra ambitum provisio fiat. His praevio modo altissime discussis, jam in ordine ad id, quidnam adhuc pro meliori interna urbis hujus administratione constituendum veniat. Alte fata sua mattas ssma clementer vult, nimirum quoad publico-politica: 1. Ut omnes benignae ordinationes publico-politico-oeconomicae, judicialibus tantum et stricte commercialibus exceptis, urbi huic non nisi via regii istius consilii intimentur. Quare etiam omnes anteriores normales resolutiones, illaeve cumprimis, secundum quas periodicae fieri debent relationes, *abhinc* proximius communicabuntur. Dein 2. Cum adeo multiplices exiguis potissimum fundis provisae in urbe hoc adsint piae fundationes, eadem sua mattas benigne praecipit, ut consilium urbis modum inveniat, quo pro majori earum incremento plures sub eandem contrahi possint administrationem. Denique 3. Circa successiones in fiscalitatibus: Rationem eam, ut videlicet ad illum, qui in oppidis etiam scepusiacis relictus est, modum, in fundis immobilibus ab intestato decedentis ipsa civitas, in aere autem parato et mobilibus cognati et agnati succedant, naturae liberi portus maxime conformem stabiliri clementer vult eadem sua ssima mattas.

Quoad oeconomica. 1. Cum publicum educillum juxta modernam provisionem in detrimentum publici vel eo cedere debere observetur, quod jus exercendi hujus educilli egenis personis collatum sit, hae autem cum necessario ad coemenda vina fundo destituantur, debeat necessario aut jus hoc alteri pro pretio altiori cedere, aut secus se tacite cum tertio cointelligere. Quare sua ssma mattas deferendo clementer voto totius consilii benigne annuit, ut educilla haec licitatione mediante cum subnexis voto huic primis 5 conditionibus omnino exarendentur. 6. tamen conditio, nimirum ut percipiendus inde census cum vectigali pauperum uniatur et in sublevamem egenarum aliquot patriciarum familiarum convertatur vel ex eo subsistere non possit, quod destinatio fundi illius pauperum ab efformando primum superinde systemate dependeat. 2. Ut civitas ista annuas de perceptis et erogatis rationes via regii istius consilii altefatae sua Majestati submittere teneatur. 3. Circa vigentes adhuc, et jam cassae publicae inferi solitas sportulas id universim statuitur, ut eaedem a vino et frumento ab extra allato ultro etiam cedant, a vino tamen et frumento e portu hoc exportando, aut pro interna consumptione e provinciis haereditariis inducendo simpliciter abrogentur. 4. Tria illa pondo a singulo retium jactu praestari solita, veluti piscaturae remoram facientia aeque abrogentur. 5. Cum sportulae hae taxas forizationes supplere videantur, ad animandum tanto magis commercium nulla alia forizationis tariffa inducatur; taxa vero mensurationis in statu quo relinquatur. Ponderationes vero, si quae successive inducetur, moderate instituantur. Denique 6. macellis etiam tamdiu nulla imponatur taxa, donec publicum de plena eorum subsistentia omnimode assecuratum fuerit.

Quod demum recursum sartorum et sutorum sub simplici virga adnexum adtinet: cum naturae liberi portus omnia ejusmodi exclusiva privilegia repugnent, adnexaque instantiis his privilegia cum expressa clausula eadem ad nutum revocandi emanaverint, clementissime decernitur: opifices hos in usu privilegii hujus eo minus conservari posse, quod reliqua ibidem existentia opificia privilegiis ejusmodi aequo destituantur.

Quam benignam resolutionem regiam penes remissionem originalium actorum regium hocce consilium praetlatis d. vris cum in finem ita benigne jubente ssma sua matte intimandam habet, ut in conformitate et ad affectum ejus sua quoqe ex parte procedere noverint. *Datum ex consilio in regnis Dalmatiae, Croatiae et Sclavoniae regio Zagrabie* die vigesima mensis maii anno domini millesimo septuagesimo nono celebrato. Praettlarum d. vestrarum ad officia paratissimi: comes Antonius de Batthyán m. p. Alexander Pászthory m. p.

Tenor intitulationis:

Nr. 478. Excellentissimo et illustrissimo, magnifico et spectabilibus, perillustribus, nobilibus item patricii ordinis NN. capitaneo, vice-capitaneo, iudi-

cibus, rectoribus et toti consilio majori et minori liberae maritimae urbis, ac districtus commercialis Fluminensis, dominis nobis collendissimo observadissimis.*
Ex officio. Flumine.

36.

Josephus Majláth, capitaneus urbis et districtus Fluminensis, communicat Aloysio Orlando, assessori et vicario guberniali, intimatum consilii croatici ddto 20. maji 1779. cum r. resolutione ddto. 23. aprilis e. a. subnectitque nonnullas ordinationes.

In adnexo originali *intimato excelsi consilii regii in regnis Croatiae, Dalmatiae et Slavoniae constituti* ddto. 20. mai a. c. et nro. 478 expedito, transmitto dominationi vestrae benignam resolutionem regiam, ad puncta repraesentationis iudicum rectorum urbis Fluminensis sub dato 1. augusti 1777. regiae eotum commissioni factae, emanatam, quam praetta d. vestra in proximius celebranda sessione capitaneali, consilio publico urbis suo modo publicet et ad effectum dirigat.

Quia autem circa practicam singulorum punctorum effectuationem vel inviationem ptitae d. vestrae fortasse nonnullae difficultates oboriri possent, ad compendiandum proinde totum effectuationis et inviationis laborem, modalitatem, iuxta quam mea sententia in singulis punctis procedendum foret, hisce seriatim subnectendam censui, atque ita:

Ad 1. Agendae sunt suae Maiestati ssmae pro hac benigna resolutione et affidatione humillimae gratiae.

Ad 2. Gratiarum actio relate ad punctum 1. facienda extendi debet etiam ad hoc secundum punctum, confirmationem videlicet statutorum, quatenus ea systemati legum hungaricarum cohaerent, et ad resolutionem novorum privilegiorum. Porro in effectum b. resolutionis ad hoc punctum emanatae denominandi erunt tres deputati, qui sub meo vel vices meas pro tempore gerentis praesidio considebunt ad statutorum revisionem et accomodationem ad novum systema. Pro actuario constituendum erit subjectum latini idiomatis bene gnarum.

Ad 3. . . Mensurandis autem tenutis et repartiendae summae flor. 978 19½ manus mox admovenda erit, cum summa haec 978 fl. 19½ xr. exeunte anno militari regiae cassae militari Zagrabiensi rite inferri debeat . . .

Ad 4. Rationes in systemate hungarico deinceps duplices erunt ducendae: unae quidem super quanto militari 978 fl. 19½ cr. quae erunt prorsus compendiariae; aliae autem rationes domesticae super proventibus cassae publicae, quibus iuxta punctum 14 accedet adhuc proventus taxae fundualis domorum suburbanarum. Rationes hae utraeque exhibebuntur Consilio regiio (sc. praefato croatico) post effluxum cuiuslibet anni militaris, postquam prius in sessione capitaneali seu consilio publico debite revisae et censuratae fuerint. (Ommissis.)

---

* Idem consilium reg. D. C. Sl. alio rescripto eiusdem diei communicavit eandem resolutionem regiam de ddto 23. apr. 1779. cum capetaneo et consilio urbis Buccaranae. Rescriptum incipit: „Posteaquam Suae ss. c. r. apost. Majestati anno adhuc 1777. benigne decernere visum fuisset „ut urbs etiam Buccarensis cum portubus Buccaricza et Portu regio, suoque iam praevie determinato districtu velut ad regnum Croatiae ab ipsis incunabulis spectans . .“

Ad 8. Siquidem sua Majestas ssma quaestionem de incorporatione terrae Podbreg et Lopacza pertractandam ei manipulationi relinquere dignata sit, in qua res distinctim incaminata fuit: hinc erit eatenus repraesentatio ad excelsum Consilium regium (sc. croaticum) renovanda, cum comitatus (sc. Severinensis) eatenus pro opinione auditus eidem consilio regio iam dudum responderit.

(Ommissis.)

Ad 11. Cum et b. regia resolutio praecipiat districtum Fluminensem, velut separatum regni Hungariae adnexum, semper in naturali sua extensione conservari, sed et alias regulatio limitum inter regna et provincias sacrae regni Hungariae coronae incorporatas, nonnisi in generalibus regni Hungariae comitiis pertractari possit: hinc non solum a mota eatenus praetensione deinceps supersedendum, verum etiam nr. 3 protocolli sessionis capitanealis vel consilii publici Fluminensis de 27. martii a. c. idcirco confectus ex actis publicis simpliciter expungendus erit, velut systematis constitutionum hungaricarum et auctoritatis officii mei laesivus.

(Ommissis.)

Ad 18. *Relate ad cursum iuris et iustitiae generali systemate iam anno 1777. stabilito et in usum deducto,* nihil aliud requiritur, quam ut causae illae, quae iuxta systema legum hungaricarum sedriales vocantur, ac proinde coram sedria capitaneali tanquam primae instantiae moveri debent, specifice denominentur . . . . .

Ad 19. Cum limitationes victualium in comitatus congregationibus fieri soleant, *earum notitiam publicum Fluminense per deputatos suos ad comitatus congregationes exmittendos* semper habere, atque sic suas etiam limitationes domesticas iisdem conformare poterit. (Ommissis.)

Ad 24. Respectu praeiuncturarum militarium per publicum Fluminense nonnisi proportionate praestandarum *sese semper cointelligere debebunt iudices rectores urbis cum iudice nobilium processus maritimi.*

(Ommissis.)

Ad 27. Juxta hanc benignam intimationem regiam sub proximis comitiis generalibus regni Hungariae *supplicandum erit pro inarticulatione, id est: ut adnexio districtus Fluminensis sacrae regni Hungariae coronae referatur in publicas regni constitutiones seu articulos.*

(Ommissis.)

Ad 30. Postquam civitas et districtus Fluminensis Hungariae adnexus fuit, insignia eius mox renovata fuerunt; et quidem conformiter ad systema b. stabilitum aliud pro officio capitaneatus, aliud autem pro officio iudicum et rectorum . . . *cum autem tenore intimationis excelsi Consilii regii (sc. croatici)* stabilito iam etiam quoad individualia systemate et usui hungaricarum iurisdictionum conformato, cortesia quoque seu forma correspondendi mutata sit, adeoque deinceps ea, quae ex sessionibus seu consiliis publicis repraesentabuntur ad augustam aulam *vel ad excelsum consilium* non amplius per capitaneum vel eius vicibus fungentem, sed nomine sedis ipsius subscribenda sint; et quidem ad suam Majestatem hac ratione: humillimi perpetuoque fideles subditi, *ad Consilium regium autem:* servi humillimi, obsequentissimi capitaneatus et consilium publicum urbis et districtus maritimi Fluminensis.

(Ommissis.)

Denique a tempore publicationis huius b. resolutionis regiae deinceps protocolla sessionum capitanealium seu publicorum consiliorum conficienda erunt idiomate latino, more in aliis politicis regni iurisdictionibus usitato . . . Carolostadii 30. iunii 1779. Josephus Majláth m. p.

37.

Consilium r. Dalm. Croat. Slav. provinciali commissario croatico comittit, ut ratione contributionalis quanti cum commercialibus urbibus Fluminensi et Buccarensi modalitate intus praescripta agenda agat.

Perillustris! Benigne visum est suae ssmae majestati clementer ordinare, *ut libera commercialis urbs Fluminensis cum suo disttrictu annuos 978 flor. 19½ cr. alia autem libera et commercialis urbs Buccarensis* cum suo itidem districtu flor. 1428 cr. 15 *velut separatas portus habentes,* titulo annuae contributionis dependant, atque compendiandae unicae commissariaticae manipulationis causa ad *cassam cottus Szeverinensis inferant;* de quo praetta dom. vestra ita benigne jubente sua ssma majestate hisce per praesentes edocetur, suapte alioquin intellecto eo, quod cum proventus aerarii regii *per factam partium harum maritimarum sacrae regni Hungariae coronae reincorporationem* ne in minimo quidem accidi oporteat, quantum hoc nullatenus pro adjutorio fundi contributionalis hungarici considerandum, verum idem praeter ordinariam cottus contributionem aerario regio separatim, prout id alioquin fieri non dubitat altefata sua mattas, inferendum sit.

Caeterum eo perinde inviatur paetta dom. vestra, ut circa praeatactum contributionale quantum, prout et alia accessoria objecta ad manipalationem commissariaticam spectantia, cum praelibatis binis liberis commercialibus urbibus, velut abhinc eatenus sub hodierno instructis, correspondentiam deinceps fovere, ac de his etiam suas isthuc relationes praestare velit. Datum die 20. Maii 1779.

38.

A. Propositiones ex parte Statuum et Ordinum regnorum Dalmatiae, Croatiae et Slavoniae in generalibus inclyti regni Hungariae comitiis 6. Junii 1790 in liberam regiamque civitatem Posoniensem indictis pro diaetalibus articulis mox post coronationem formandis factae.

(Caeteris ommissis.)

De reincorporatis partibus maritimis.

Cum piae memoriae imperatrix regina ad effectum numerosarum eatenus sancitarum regni legum *partes maritimas, antea peregrino gubernio obnoxias, regno Croatiae ac per eam sacrae regni Hungariae coronae postliminio reincorporaverit:* cuperent status et ordines, ut eius memoria praesenti articulo ad posteros transmittatur.

De urbe et portu Fluminensi incorporando.

Cum urbs portusque Fluminensis, quam augusta domus austriaca tanquam distinctam et nulli germanicae provinciae ingremiatam dinastiam possidebat, ita sita sit, ut non secus ad aliquem florem perduci possit, quam si pro porta exitus commercii hungarici per mare adriaticum constituatur, piae memoriae imperatrix et regina *Maria Theresia eadem reincorporatarum partium maritimarum occasione hanc quoque urbem et portum Croatiae et per eam s. regni Hungariae coronae adjicere, et in illa commercii hungarici gubernium defigere dignata est.* Status et ordines pro insigni hac clementia regia perenne devotae gratitudinis suae monumentum hoc articulo constituere.

una a Sua Majestate sacratissima benigne asseeurari cupiunt, *quod urbs haec et portus tanquam indissolubili nexu iam cum Croatia et s. regni corona nexa ab eadem nunquam avelletur, sed tanquam pars ad eandem spectans* semper pro porta exitus commercii hungarici considerabitur et in statu suo privilegiali constanter conservabitur.

De plaga inter viam Carolinam et Josephinam iurisdictioni politicae restituenda.

De generalatu Varasdinensi incorporando.

De politicis, oeconomicis et iudicialibus etiam in confiniis ad sensum constitutionis regni nanipulandis.

De civitate commerciali Buccarensi inarticulanda.

Civitas Buccarensis mediante benigno diplomate praerogativis civitatibus commercialibus competentibus clementer dotata, adeoque commercialis effecta, sui inarticulationem expetit.

Diarium II., 225—233.

B. Repraesentatio in merito praeferentialium gravaminum et postulatorum regni 6 decembris 1790. demissa.

(Caeteris ommissis.)

Projectum deputationis regnicolaris:

Cum urbs, portusque Fluminensis, quam augusta domus austriaca tanquam distinctam et nulli germanicae provinciae ingremiatam dinastiam possidebat ita sita sit, ut non secus ad aliquem florem perduci possit, quam si pro porta exitus commercii hungarici per mare adriaticum constituatur, piae memoriae imperatrix et regina Maria Theresia eadem reincorporatarum partium maritimarum occasione *hanc quoque urbem et portum s. regni Hungariae coronae adiicere* et in illa commercii hungarici gubernium defigere dignata est. Status et Ordines pro insigni hac clementia regia perenne devotae gratitudinis suae monumentum hoc articulo constituere, una a Sua Majestate ss. benigne assecurari cupiunt, quod urbs haec et portus, tanquam indissolubili nexu *iam cum sacra regni corona nexa, ab eadem* nunquam avelletur, sed tanquam pars ad eandem spectans semper pro porta exitus commercii hungarici considerabitur et in statu suo privilegiali constanter conservabitur.

Ibid II., 369.

Mutatio in sessione 43 et 44.

Cum adhuc gloriosae memoriae augusta Romanorum imperatrix et regina apostolica Maria Theresia in singularem benevolentiae et clementiae regiae erga gentem Hungaram tesseram urbem et portum Fluminensem regno Hungariae incorporare, hacque ratione vetustum regni ius, huicque iunctum commercii hungarici incrementum postliminio quasi restabilire dignata fuerit, volentes pro insigni hac clementia regia perenne devotae gratitudinis nostrae monumentum constituere humillime oramus Majestatem vestram ss. dignetur hancce incorporationem in publicam legem referri curare, una vero SS. et OO. regni de eo securos reddere, *quod urbs haec commercialis et portus cum districtu suo a regno Hungariae nunquam avellatur, sed semper tanquam separatum s. regni Hungariae coronae adnexum corpus considerabitur, et in statu suo privilegiali conservabitur neque cum alio Buccarano, velut ad regnum Croatiae ab incunabulis ipsis pertinente districtu, ulla ratione commiscebitur.*

Ibid.

*

C. Resolutio regia super praeferentibus regni gravaminibus ddto 13. Januarii 1791.

(Caeteris ommissis.)

Ad 11. Quo hoc (sc. de inarticulanda incorporatione urbis et portus Fluminensis) demissum dominorum SS. et OO. petitum cum omnimoda pro futuris etiam temporibus securitate pertractari valeat, illud ad futura regni comitia relegari; interea autem dictam civitatem in statu actuali relinqui vult sua Majestas sacratissima.

Ad 4. Clementer annuere suam Majestatem SS. *ut partium maritimarum regno Croatie ac per eam S. regni Hungariae coronae postliminio reincoporatarum* memoria legibus consignetur; urbs vero Buccari, qua urbs commercialis et portus liber in statu suo privilegiali conservandus declaretur.

Ibid. II., 498.

D. De reincorporatis partibus maritimis.

Art. 61.

Cum gloriosae memoriae imperatrix et regina apostolica ad effectum numerosarum eatenas sancitarum regni legum *partes maritimas regno Croatiae, ad quod ab olim spectabant, ac per eam s. regni Hungariae coronae postliminio reincorporaverit:* ut itaque huius memoria ad seros posteros transmittatur, *urbs vero Buccari cum Portu regio et Buccariensi, tanquam urbs commercialis et portus liber in statu suo privilegiali conservetur*, cum benigno suae Majestatis annutu statuitur.

39.

Repraesentatio SS. et OO. regnorum Dalmatiae, Croatiae et Slavoniae e generali eorundem congregatione Zagrabiae die 7. seq. mensis Junii 1791. celebrata.

Erga factam per status regni Hungariae sub decursu novissimae dietae quoad civitatem et portum Fluminensem inarticulandum demissam propositionem dignabatur Majestas Vestra sacratissima benigne declarare, quod antequam superinde benignam suam resolutionem elargiatur, eatenus vicinas suas germanicas provincias ac ipsum quoque s. Romanum imperium clementer audire velit.

Quia autem Flumen non in limitibus Hungariae aeque ac Croatiae sed in huius finium extremitate versus mare adriaticum constitueretur, neque ex Hungaria aliter quam confecto trium dierum per Croatiam continuo ducente itinere accessibile esset: hinc difficultates illas, quae ex immediata fluminensis civitatis cum Hungaria unione necessario consequerentur, Majestati Vestrae ssmae demisse representandas duximus, et quidem:

1. Postrema domus civitatis fluminensis orientem versus iam in limitibus Croatiae posita est, versus septemtrionem autem et occidentem gaudet territorio, quod vix medii miliaris distantiam efficit, quodve adeo montosum est, ut pro amplianda urbe plane ineptum sit. E converso autem mox trans fluvium Fiumaram, ubi Croatia incipit, hortus sic dictus Franciscanorum adest, qui pro augmentatione civitatis applanandus projectatur. Si itaque Flumen per hortum Franciscanorum ampliatum hungarica immediate constitueretur civitas, eotum eformandae ibidem novae plateae aut distinctum habere deberent magistratum, per quod tamen ipsa civitatis administratio in confusionem abiret, aut

vero eaedem plateae hae pro immediate hungaricis considerandae venirent, quod tamen absque perturbatione utriusque regni limitum fieri nequiret. Quod ut clarius pateat, liceat eam assumere hypothesim, quasi in hungarica fluvii Dravi, bina haec ad invicem regna dividentis, rippa quaepiam subsisteret civitas, huiusque ampliatio in adversa rippa intenderetur, certe statibus Croatiae admittere integrum non esset, ut neoerrigenda talis platea sive quoad iurisdictionem sive vero contributionem civitati hungaricae subordinata sit; etenim pacto hoc tam limites Croatiae laedi, quam et contributionis systema perturbari necessum foret. *Croatiae quidem est hungaricae coronae incorporatum regnum, suasque leges in regni Hungariae diaetis accepit, nihilominus per constitutos iam limites ita separatum, ut quemadmodum inter alias provincias ita etiam inter Hungariam et Croatiam et subversantes limitaneae controversiae per diaetalem comissionem complanari consveverint.* Quam parum itaque Croatia particulam terreni ex Varasdinensi aut Crisiensi comitatibus pro augmentatione cuiuspiam in rippa hungarica Dravi situatae civitatis cedere non valeret, tam parum etiam admittere potest, ut civitas flumensis, si pro immediate hungarica declararetur, per unam particulam comitatus zagrabiensis augeatur.

2. Flumen cum suo portu neque est neque unquam in statu erit ductum hungarici commercii sustinendi. Qua ex ratione iam inde a principio unionis eiusdem cum Hungaria districtus Buccarensis, ac subinde Vinodolensis etiam, Flumini adiectus, iurisdictionique guberniali ea ratione subordinatus extitit, quod hi districtus ipsam adeo sibi emensam contributionem in cassam gubernialem inferant. Iam vero omnes districtus hi indubie ad regnum Croatiae pertinent, qui, si civitas Fluminensis immediate pro hungarica declararetur, aut a iurisdictione Fluminensi ipso facto avelli, aut non solum particula, prout hortus franciscanorum est, sed integer Croatiae districtus, qui plus atque unus processus comitatus efficit, hungaricae iurisdictioni immediate subjici deberet. Primum ex reflexione ampliandi commercii, alterum fieri nequit absque laesione limitum, immediataeque utriusque regni iurisdictionis, cuius tamen manutentionem ipsum binorum horum regnorum bonum exigit. Si civitas Fluminensis coronae hungaricae adiecta non fuisset, potuissetne eum in casum statibus regni Hungariae unquam illud ius tribui, ut contributionem districtus huius commercialis contributioni regni Hungariae adiicere queant? ipsi profecto status eiusdem regni id propugnare nollent. Quod enim ius iis per unionem fluminensis civitatis enasci potest? An illud, ut contributio tam ampli districtus Croatiae cum eorundem contributione comisceatur? haec tamen naturales foret sequella, si Flumen pro immediate hungarico considerandum esset. Etenim contributio commercialis districtus vigore sabsistentis iam systematis in gubernialem, consequenter fluminensem cassam inferri debet. Si proinde Flumen immediate Hungariae adiiceretur, ipsa quoque eiusdem cassa qua hungarica consideranda veniret.

Adducta puncto primo paritas huic quoque objecto suam dabit claritatem, praeprimis si ea non relate ad Hungariam verum relate ad Cratiam applicita fuerit. Supposito itaque eo, quod cursus commercii hungarici per situatas in fluvii Dravi rippa croatica civitates Varasdinum aut et Caproncza ita accresceret, ut causa boni publici utriusque regni una ex his civitatibus in commercialem stapularem civitatem transformanda veniret. Supposito porro eo quod ad firmandum hoc institutum necessarium esset civitati huic districtum, qui integrum processum comitatus unius adaequaret, adiicere; supposito ultro eo, quod utilitate ita exigente, districtus iste non ex croatico Varasdinensi, sed ex hungarico Szaladiensi comitatu emetiendus veniret, quod inibi amplior pecorum iugalium, amplior bene habentium inhabitatorum sit copia; supposito tandem eo, quod e re futurum adinveniretur, contributionem huius hungarici districtus in cassam civitatis huius croaticae invehere, possetne hic assensus statuum Hungariae sperari? profecto minime. Ast quare? quia ea ratione regni utriusque commiscerentur limites. Iam vero status Croatiae in eodem casu versarentur, si Flumen immediate pro hungarico declaretur. Illi proinde aeque tam parum ad id accedere possunt.

E converso, si Flumen immediate Croatiae et medio huius Hungariae unitum fuerit, universae hae inamoenae sequellae cessabunt; Hungariae per hoc nil decedet, cum ipsa Croatia alioquin cum eadem unità sit; consequenter Flumen tanquam Croatiae pars semper cum Hungaria unitum maneret; eidem legislativae potestati subeset; ita prout Croatia per politica et iuridica regni Hungariae dicasteria gubernaretur; ut adeo perspiceri nequeat quod momentum pro adeo fundato censeri possit, ex quo status Hungariae hanc immediatam unionem Fluminensis civitatis tanto fervore propugnaverint.

Quapropter Majestatem Vestram ss. humilime exoramus, quatenus praemissis in benignissima considerationem sumptis, *urbem et portum Fluminensem immediate regno Croatiae, per hanc vero mediate s. regni Hungariae coronae incorporari* facere; quodsi autem id a Majestate Vestra ssma impetrari non posset, totum illum districtum, qui usque fluvium Fiumera protenditur, quive ex indubitata regni Croatiae iurisdictione iurisdictioni gubernii fluminensis ante paucos annos adiectus extitit, a iurisdictione gubernii fluminensis eximere, atque errecto Buccari distincto capitaneatu pristinae regni iurisdictioni clementer restituere dignetur.

40.

A. Repraesentatio SS. regni in obiecto promovendi commercii hungarici ddto 15. Julii 1802.

(Caeteris ommissis).

Impedimenta commercio adferunt etiam loca, in quibus exercetur, aut per quae transit, si vel incerta est eorum conditio vel propter iurisdictionum diversam indolem debent collisiones oriri et inde mercatorum vexae. Ideo suae Majestati demisse supplicatur, ut 1) *diploma augustissimae olim imperatricis et reginae Mariae Theresiae, quo portum, urbemque fluminensem Hungariae velut littoralem locum addixit, et omnibus portus liberi favoribus ornavit, in articulum referatur.* Segnia cum suo portu libero ab omni iurisdictionis militaris influxu penitus eximatur . . . 3) Plaga quae inter Josephinam et Carolinam viam interiacet, cum ipsa Josephina via statui provinciali incorporetur; ac pro feliciori promotione commercii ad portus littoralis hungarici Severinensis quoque comitatus, accessione hac iustam extensionom habiturus, restabiliatur fine eo, ut intermedia omnia commercii adminicula procurari et stabiliter conservari possint . . . . Ut occasione regni commitiorum res commercii littoralis hungarici facilius cognosci, prout adiuncta ferent adiuvari posit, *gubernatori Fluminensi et totius littoralis hungarici sessio in tabula procerum assignetur, civitatum autem commercialium Fluminis et Buccari representantes ad dietam evocentur sessionem suam in tabula statuum habituri.*

Diarium II., 160.

B. Repraesentatio SS. regni ddto. 13. octobris 1802 ad r. rescriptum ddto. 23. septembris e. a.

(Caeteris ommissis.)

Nunc antem id unum a Majestate Vestra ssma demisse exoramus, ut augustissimae olim imperatricis et reginae Mariae Th. aviae Majestatis Vestrae ssmae diploma, quo illa, et de rei iustitia convicta et amore erga Hungaros ducta, Flumen velut urbem, portumque hungaricum Hungariae addixit, partim pro adiumento partim pro securitate commercii, in articulum referri benigne indulgeat.

Ibid II., 272.

C. Resolutio regia ddto. 24. octobris 1802 ad SS. et OO. regni.

Urbis et portus fluminensis inarticulationem gravibus de causis pro hac vice indulgere non potest Sua Majestas ssma; pro paterna tamen, qua in promovendum hungaricum commercium fertur propensione, omnem datura est operam, ut excussis uberius, qui positi sunt obicibus, animos fidelium suorum SS. et OO. satisfaciente, quantum licebit, resolutione subinde recreare possit.

Ibid II., 306.

D. E relatione nunciorum Dalmatiae, Croatiae et Slavoniae lecta post reditum e diaeta Posoniensi in eorundem regnorum generali congregatione Zagrabiae 13 et seq. mensis decembris 1803 celebrata.

(Caeteris ommissis.)

P. de commercio promovendo . . . Porro ad facilitandum commercium illud etiam proponendum videbatur 11. *Ut urbs et portus Fluminensis qua talis inarticuletur.* 12. Plaga intra viam Carolinam et Josephinam cum ipsa Josephina via statui provinciali incorporetur; hac vero accessione facta 13. *Comitatus Severinensis* p r o f e l i c i o r i c o m e r c i i a d p o r t u s m a r i t i m o s p r o m o t i o n e *restabiliatur*; p o r r o 14. Urbs Segniensis cum suo portu et territorio . . . a iurisdictioni militari eximatur. 15. Carlostadii in suburbiis errectio depositoriorum muratorum . . . admittatur. 16. Pro eo, ut res commercii occasione comitiorum regni facilius cognosci et adiuvari possit, *gubernatori Fluminensi et totius littoralis sessio in tabula procerum, civitatum autem commercialium Fluminensis et Buccaranae deputatis in tabula Statuum designetur* . . . Quoad civitatis fluminensis nulla in hac (ddto. 23. septembris 1802) resolutione facta mentione status et ordines medio repraesentationis ddto. 13. octobris petitionem renovarunt. Erga quam cum Sua Majestas ddto. 24. octobris declaraverat: urbis et portus fluminensis inarticulationem gravibus de causis pro hac vice fieri non posse, pro paterna tamen, qua in promotionem commercii fertur propensione daturum Suam Majestatem operam, ut excussis uberius, qui positi sunt, obicibus animos fidelium SS. et OO. satisfaciente, quantum licebit, resolutione subinde recreare possit, SS. et OO. ab eventu praeviae benignae assecurationis praestolandum decreverunt.

41.

A. Ex instructione in generali regnorum Dalmatiae, Croatiae et Slavoniae congregatione Zagrabiae 13 et seq. mensis martii 1807 celebrata ab eorundem SS. et OO. nunciis ad diaetam regni Hungariae deputatis data.

(Caeteris ommissis.)

§. 9. Relate ad postulata nomine regnorum horum in comitiis proponenda . . . 33. *Ut urbis et portus fluminensis regno reincorporatio . . . in codicem legum referatur, Suae Majestati supplicandum proponent domini ablegati.*

§. 11. Puncta instructionis regnicolaris quoad gravamina. 5. Spes adhuc affulgere videtur, ut ipsa pacis consilia relate ad Dalmatiam iure postliminio recuperandam felici successu coronentur. In hoc casu domini nuncii Suam Majestatem sacratissimam ex comitiis exorandam proponent, ut socium hoc regnum, a banali auctoritate avulsum, eidem rursus subjiciatur, hocque vinculo sacrae coronae reuniatur.

B. Gravamina et postulata regni per ordinatam deputationem in ordinem redacta.

(Caeteris ommissis.)

13. In conformitate factae a 1802. ex diaeta repraesentationis porro supplicant SS. et OO. ut diplomate augustissimae olim imperatricis et reginae Mariae Theresiae, quo portum, urbemque Fluminensem regno Hungariae addixit et omnibus portus liberi favoribus ornavit, in articulum relato gubernatori eiusdem in tabula procerum sessio assignetur, civitatum autem commercialium Fluminensis et Buccari nuncii ad diaetam evocentur sessionem in tabula statuum habituri.
Diarii II., 231.

C. B. Suae Majestatis ssmae rescriptum regium ddto 12. decembris 1807.

Franciscus etc., erga demissas dilectionum et fidelitatum vestrarum preces recentius ad nos in eo perlatas, ut diploma augustae aviae nostrae paternae Mariae Theresiae intuitu liberi portus et urbis Fluminensis editum in legum tabulas referendum indulgeremus, ne diutius ardentia haec vota vestra moremur benigne rescribendum esse duximus: Nos humillimae huic petitioni, aeque in eo etiam clementer anuere, ut gubernatori Fluminensi sub commitiis in tabula procerum, ablegatis vero urbium Fluminensis et Buccari in tabula Statuum competens sessio assignetur. In reliquo etc. Budae 12. decembris 1807. Franciscus m. p.

D. Flumen civitas, portusque inarticulatur, gubernatori autem Fluminensi in tabula procerum, ablegatis vero civitatis Fluminensis in tabula SS. et OO. sessio et votum tribuitur.

Articulus 4.

Sua Majestate sacratissima, ne diutius ardentia vota SS. et OO. regni moretur, annuente, civitas Fluminensis, portusque, per augustissimam imperatricem et reginam Mariam Theresiam peculiari diplomate iam regno incorporata, praesenti articulo ad idem regnum pertinenre declaratur. Una vero §. 1. gubernatori Fluminensi sub comitiis regni in tabula procerum, ablegatis autem civitatis Fluminensis in tabula SS. et OO. competens sessio et votum tribuetur.

De sessione ablegatis urbis Buccari in comitiis assignata.

Articulus 27.

Urbe Buccari per articulum 6: anni 1790/1 iam recepta eiusdem quoque ablegatis, accedente benigno Suae Majestatis sacratissimae annutu, sub regni comitiis in tabula Statuum competens sessio et votum assignatur.

F. Articuli generalis a. 1808, die vero 29. Febr. et sequentibus Martii diebus Zagrabiae celebratae congregationis.

(Caeteris ommissis.)

Articulus 8.

De competente sede gubernatori Fluminensi et ablegatis civitatis eiusdem in regni congregationibus assigata.

Ex incidenti, quod medio art. 4 novissimae diaetae *civitas Fluminensis* cum portu, per augustissimam imperatricem et reginam Mariam Theresiam peculiari diplomate iam regno incoporata, ad idem regnum pertinere declaretur *cum per provocatum in articulo benignum diploma et rescriptum ab eadem immortali imperatrice et regina ad regnorum horum Status et Ordines sub 5. novembris 1777- dimissum praelibata civitas immediate regno Croatiae incorporata et praeexistenti Szeverinensi comitatui ingremiata sit: civitatem et portum Fluminensem pro integrante regni hujus parte considerant Status et Ordines,* hacque consideratione ducti gubernatori sedem in regni congregationibus post supremos comites, eiusdem vero civitatis ablegatis inter liberas regiasque civitates sedem et votum tribuerunt, domino comite bano interpellato, ut invitatorias pro futuris regni congregationibus tam ad dominum gubernatorem quam et praedictam civitatem dimittere dignetur. Suae Majestati sacratissimae, quod per civitatis et portus Fluminensis inarticulationem beneficii per immortalis memoriae augustissimam aviam suam regno exhibiti complementum benigne procurare dignata sit, humillimas grates agendas SS. et OO. dereverunt.

Eadem occasione, ad effectum art. 27. postremorum comitiorum ablegatis civitatis Buccaranae SS. et OO. sessionem et votum inter liberas regiasque civitates assignarunt. Petitum vero per ablegatos eiusdem civitatis propositum, ut iisdem, capitaneatum Buccaraneum repraesentantibus, sessio ante reliquas liberas regiasque civitates tribuatur. ad futura regni comitia SS. et OO. relegarunt.

E. Benignum rescriptum regium, quo mox adductus art. 8 gen. congreg. 1808. confirmatur.

Franciscus primus divina favente clementia Austriae imperator, Hungariae, Bohemiae, Galliciae et Lodomeriae etc. rex apostolicus, archidux Austriae etc. etc. Reverendi, honorabiles, spectabiles ac magnifici, magnifici item egregii et nobiles, nec non prudentes ac circumspecti, fideles nobis dilecti! Quum ex duplicis ordinis, et signanter sub 29. Februarii et 15 Martii a. c. ad nos demisse perlatis fidelium regnorum istorum Nostrorum Statuum et Ordinum repraesentationibus clementer perspexerimus, quod per articulum 8um generalis eorundem regnorum nostrorum congregationis die 29. Februarii et subsequis mensis Martii a. c. diebus celebratae, fundamento potissimum benigni rescripti regii ddto 5. Septembris 1777 elargiti, portum et civitatem Fluminensem pro integrante regni Croatiae parte considerandam, hocque motivo tam gubernatori Fluminensi, quam et civitatis huius ablegatis sessionem ac votum tribuendum effective determinaverint. Hinc ad sufferendum omne, quod e sinistra legum hac in materia conditarum interpretatione in futurum etiam enasci posset dubium, benigne visum nobis est eatenus mentem nostram caesareo-regiam fidelibus regnorum istorum Statibus et Ordinibus benigne adaperire, quod quippe portu et civitatate Fluminensi regno Hungariae tenore articuli 4. 1807. provocative ad diploma Theresianum incorporata, ac una Statibus eiusdem regni et partium adnexarum, adnumerata existente, *benigne admittamus, ut gubernatori*

Fluminensi et littoralis Hungarici, prout et ablegatis civitatis Fluminensis etiam in generali regnorum istorum Croatiae, Slavoniae et Dalmatiae congregatione sessio et votum, in sequellam praecitati articuli, civitati vero Buccariensi in sequellam articuli 27. eiusdem diaetae tribuatur. Quam benignam Nostram resolutionem regiam fidelibus regnorum istorum Statibus et Ordinibus pro sui directione et notitia hisce clementer significamus. Quibus in reliquo gratia et clementia nostra caesareo-regia benigne, iugiterque propensi manemus. Datum in archiducali civitate Nostra Viennae Austriae, die decima nona mensis Augusti, anno domini millesimo octingentesimo octavo. Franciscus m. p. Comes Josephus Erdödy m. p. Josephus Wlassits m. p.

Intitulationis tenor talis est: N. 8751. Vienna e Cancellaria Hung. Aulica. Reverendis, honorabilibus, spectabilibus ac magnificis, magnificis item egregiis et nobilibus, nec non prudentibus ac circumspectis, N. N. regnorum nostrorum Croatiae, Sclavoniae et Dalmatiae universis Statibus et Ordinibus, Fidelibus Nobis dilectis. Ex offo.

F. Articuli generalis a. 1809., 12 et seq. mensis Januarii et Februarii diebus Zagrabiae celebratae congregationis.

(Caeteris ommissis.)

Articulus quartus.

De sessione et voto gubernatori Fluminensi et ablegatis civitatis eiusdem in generali regnorum horum congregatione tribuenda.

Cum Sua Majestas ssma medio benigni ddto 19. Augusti a. praet. nro. 8751 editi rescripti regii clementer admittere dignata sit, ut portu et civitate Fluminensi regno Hungariae tenore art. d: 1807., provocative ad diploma Theresianum, incorporata, ac una statibus eiusdem regni et partium adnexarum adnumerata existente, gubernatori Fluminensi et littoralis hungarici prout et ablegatis civitatis Fluminensis etiam in generali regnorum horum congregatione in sequellam praecitati articuli, civitati vero Buccaranae in sequellam art. 27. eiusdem diaetae sessio et votum tribuatur: *pro benigna hac resolutione Status et Ordines Suae Majestati sacratissimae humillimas grates agendas concluserunt et in conformitate eiusdem gubernatori Fluminensi et ablegatis sessionem et votum assignarunt sua banali excellentia interpellata, ut eosdem ad generales regnorum horum congregationes in futurum semper incitare dignetur.*

42.

A. Intimatum excelsi consilii regii Hung. de iurisdictione comitatus Zagrabiensis in nobiles, qui in littorali maritimo degunt, prout et de praevigente quoad appellatam causarum usu usque futuram diaetalem fororum coordinationem retinendo ddto 9-a Augusti 1808.

Illustrissimi, Reverendissimi, Spectabiles, ac Magnifici, Perillustres item, ac Generosi Domini, Nobis Observandissimi! Erga repraesentationes praetitulatarum dominationum vestrarum circa jurisdictionem in personalibus nobilium in littorali Hungarico degentium negotiis exercitam, sub 21-e Decembris 1806. et 28-a Julii 1807: isthuc factas, et abhinc altissimo loco substratas, Sua Majestas sacratissima benigne resolvere dignata est, ut, *cum jam comitatus antehac Szeverinensis jurisdictionem in littorali maritimo exercuerit, congregationem generalem non solum in urbe Buccari sed et Flumine celebrando, subseque autem comitatus hic Zagrabiensis nobiles hungaros in littorali hungarico residentes, ad insurrectionem anni 1805. taxaverit in futurum porro unum vice-comitem in partibus montanis et maritimis stabiliter habiturus sit, hinc exercitium quoque jurisdictionis relate ad personas nobilium Hungarorum Flumen et in littorali Hungarico existentium, comitatui huic concredatur*, necessitate delegandi particularis individui hac ratione cessante; cum vero Gubernium Fluminense una quoad appellatam causarum in littorali maritimo promotarum, usum, hucadusque observatum, benigne stabilire petierit, sua Majestas sacratissima eundem etiam usum hactenus observatum usque futuram diaetalem fororum coordinationem porro quoque retinendum, benigne admittere dignata est.

De qua altissima resolutione regia Gubernio Fluminensi jam edocto, eadem praetitulatis etiam dominationibus vestris pro congruo notitiae statu hisce significatur. Datum ex consilio regio locumtenentiali Hungarico Budae die 9-a Augusti anni 1808. celebrato. Praetitulatarum dominationem vestrarum benevolus ad officia paratissimi: Baro Joannes Mednjanski m. p. Franciscus Darvash m. p. Michael Bodor m. p.

B. Litterae gubernatoris Fluminensis in nexu B. G. intimati excelsi consilii ddto 9-a augusti 1808. emanati ad vice-comitem zagrabiensem dimissae, quoad judicatum comitatus zagrabiensis regni nobilium in littorali Hungarico, huc intellectis etiam in civitatibus maritimis Flumen et Buccari, harumque respectivis districtus residentium porro exercendum dda. 13-a dec. 1808.

Magnifice, spectabilis domine consiliarie regie, et ordinarie Vice-Comes, domine sing. colendissime! — Ad pretiosas magnificae dominationis vestrae litteras sub dato 27-ae Novembris a. c. in merito peragendae in littorali Hungarico per d. Szeverinensem vice-comitem, ac denominatos conscriptores, nobilium Hungarorum legalis ad mentem Art. 2-i anni 1807. conscriptionis, isthuc datas, regium hocce Gubernium, hisce officiose reinsinuandum habet, quod *civitatum maritimarum Fluminensis et Buccarensis*, earundemque districtuum habitantes indiscriminatim a dependendo libero oblato, tenore isthic in copia advolutarum benignarum litterarum serenissimi archi-ducis regni Palatini, hac vice per suam Majestatem sacratissimam clementer dispensati habeantur; quoad nobiles hungaros itaque intra ambitum harum duarum civitatum et appertinentium districtuum seu stabiliter, seu vi officii residentes, conscriptio qualis, si haec fine excipiendarum ab iisdem ad scopum pendendi attacti liberi oblati, fassionum, peragi, destinetur, opinione regii gubernii superflua futura sit, eo alioquin subintellecto, quod siquidem horum nobilium illi, qui alicubi intra regni, et partium adnexarum ambitum, possessoria nobilitaria tenent, ibidem concernenti comitatui fassiones super substantia sua immobili, et accessoriis exhibere obligati fuerint, nunc hi, et tales nonnisi ab illa mobili substantia, quam titulo domicilii sui, Flumine vel Buccari ad manum habent ac possident, virtute praeprovocatae benignae resolutionis dispensatoriae immunitatem adipiscantur.

Quod interim ad districtum maritimo-cameralem, utpote moderationi regii hujus gubernii separatim adnexum, separatasque portas constituentem, atque suo peculiari magistratu provisum, attinet; cum praeadvoluta benigna resolutio regia dispensatoria ad hunc neutiquam extendatur, adeoque regni nobiles eidem ingremiati diaetale hoc oblatum ferre omnino debeant, inclytusque comitatus Zagrabiensis in personas eorum jam nunc jurisdictionem exercendi activitatem nactus sit; suapte sequitur, laudatum inclytum comitatum conscriptionem ordinandi et fassiones etiam eorundem, super illa substantia, quae in cathegoriam fundorum civilium aut urbarialium non censetur (circa hujusmodi etenim illorum tenuta ipsamet publica jurisdictio attacti districtus legali sua activitate alioquin procedit) in sensu praecitati articuli 2: 1807. pro se exigendi jure pollere.

Caeterum, quoniam virtute communicati benigno-gratiosi intimati excelsi consilii regii locumentenentialis hungarici ddto 9-a Augusti 1808. Nr. 17474. (quo comprehensa benigna resolutio regia etiam huic gubernio ab altissimo loco, sub dato 22-ae julii 1808. Nr. 8543. perscripta habetur) *in personalibus regni nobilium in littorali hocce hungarico, huc intellectis etiam in civitatibus maritimis Flumen et Buccari harumque respectivis districtibus*, residentium causis in locum provisorie abhinc projectati peculiaris fori nobilium, deinceps inclyti comitatus Zagrabiensis judex futurus sit, hujusque jurisdictionis exercitii scopo cathastrum gremialium regni nobilium eidem inclyto comitatui necessarium esse perspiciatur, pendebit id ab ulteriori ejusdem determinio, an hujus cathastri compillationem per delegandos deputatos, ista mox occasione suscipi curare praeplaceat? Cujus tamen intuitu illa generaliter reflexio interponenda existimatur, quod repetiti cathastri nobilium compillatoribus vigilantia et indagatio peculiariter commitenda esse videretur, ut illas praecise familias orae hujus maritimae in numerum verorum regni nobilium cathastraliter inferant, de quarum in dubio nobilitaris praerogativae usu sufficienter capacitabuntur.

Ego in reliquo peculiari cum cultu persevero. Magnificae dominationis vestrae Flumine die 13-a decembris 1808. Obsequentissimus servus Klobuschiczky m. p.